L'AMOUR FOUDRE

Shirley MacLaine

L'AMOUR FOUDRE

Traduit de l'américain
par
Janine LAZORTHES
et
Gérard PILOQUET

Sand
PRIMEUR

Cet ouvrage a été publié pour la première fois aux États-Unis sous le titre *Out on a limb*.

Pour préserver l'anonymat de certaines personnes dont il est question dans ce livre, divers événements auxquels elles furent mêlées ont été transformés en conséquence, et elles-mêmes sont décrites sous les traits de personnages composites. Mais tous les événements rapportés sont authentiques.

Pour ma Mère et mon Père

« Ne prononce jamais ces mots : " Je n'ai pas
connaissance de telle chose, donc elle est fausse. "
Il faut apprendre pour connaître, connaître pour
comprendre, comprendre pour juger. »

Apophtegme de Narada

« Il y a plus de choses dans la terre et les cieux,
Horace, qu'on ne peut en rêver par ta philosophie. »

Hamlet

Chapitre Premier

> « Les rêves de l'homme de l'Antiquité et des Temps modernes sont écrits dans le même langage que les mythes dont les auteurs vivaient à l'aube de l'histoire... Je crois que le langage symbolique est la seule langue étrangère que chacun de nous devrait apprendre. Sa connaissance nous rapproche des origines les plus révélatrices de la sagesse... En vérité, les rêves tout comme les mythes sont d'importants messages que nous nous envoyons à nous-mêmes. »
>
> Éric Fromm
> *Le Langage oublié*

LE sable était frais et doux sous mes pieds. Je courais le long de la plage. La marée montait régulièrement et, au coucher du soleil, elle aurait atteint les pilotis supportant les maisons qui donnaient sur Malibu Road. J'aimais courir juste avant le coucher du soleil. La vision des nuages magenta au-dessus des vagues m'aidait alors à oublier combien j'avais mal aux jambes. Un entraîneur m'avait dit que courir trois miles sur du sable mou équivalait à en courir six sur une surface dure. Et je tenais à rester en forme, dussé-je beaucoup en souffrir.

Quelle était donc cette histoire que l'on m'avait racontée la veille à propos de deux frères ? Deux frères dont l'un, fanatique de santé, courait de bon matin, tous les jours de son existence, cinq miles sur le boulevard, quel que fût l'état dans lequel il se sentait, alors que l'autre ne faisait jamais le moindre exercice.

Un jour, le fanatique de santé se retourna pour faire au passage un signe de la main à son frère et... vlan ! Il n'avait pas vu le camion...

Peut-être qu'au fond tout ce qu'on tente, dans la vie, pour se préserver n'a pas vraiment d'importance. Il y a toujours un camion quelque part. L'essentiel est de ne pas le laisser nous paralyser, de ne pas l'autoriser à nous dicter le cours de notre existence.

Je me revoyais assise à la table familiale avec ma mère et mon père, en Virginie où j'ai grandi. Je devais avoir à peu près douze ans quand m'est venue cette idée : le bonheur que je pouvais ressentir, à tel ou tel instant précis, aussi intense fût-il, s'accompagnait de la conscience d'une lutte livrée quelque part, en arrière-plan. A l'époque, j'appelais cela le « malaise »... A toute chose s'attachait un malaise. Et je me souvenais de ce que mon père avait répondu : que pour parler ainsi, j'avais dû être frappée sans m'en rendre compte par quelque vieux principe hérité des Grecs... Pythagore, si ma mémoire est bonne. Papa était une sorte de philosophe de province. Jadis il avait presque terminé une licence de philosophie à l'Université Johns Hopkins. Il adorait jouer avec les concepts. Je pense avoir hérité de lui ce trait de caractère. Il avait ajouté ce jour-là, que ma remarque avait un sens profond et fondamental, applicable à toute forme de vie. Aussi bonne une chose puisse-t-elle nous paraître, nous devons toujours envisager le facteur négatif qui vient la contre-balancer. L'inverse étant aussi vrai, bien sûr. Mais il avait insisté sur l'aspect négatif des choses, me semblait-il. En tout cas, j'avais pris conscience de la dualité de la vie. Penchée sur mon assiette de petits pois, j'avais éprouvé, le temps d'un éclair, le sentiment d'avoir compris *quelque* chose, sans trop savoir au juste ce que je venais de comprendre.

Le vent se levait, faisant moutonner la mer. Des bécasseaux virevoltaient au-dessus des vagues, se saisissant goulûment des débris de nourriture que la marée leur apportait, tandis que leurs gracieux congénères, les pélicans aux larges ailes, piquaient droit puis plongeaient la tête la première, kamikases fous, vers les bancs de poissons des profondeurs.

Je me demandai ce que je ressentirais si j'étais oiseau, n'ayant rien d'autre en tête que voler et me nourrir.

J'avais lu que l'oiseau le plus minuscule pouvait voyager seul pendant des milliers de kilomètres à travers l'océan sans s'encombrer de bagage, ayant pour tout viatique une seule chose... une brindille. Une brindille qu'il tenait dans son bec. Fatigué, il lui suffisait de descendre et de flotter sur sa brindille jusqu'à ce qu'il fût prêt à repartir. Il pouvait pêcher, manger, dormir sur sa brindille. Pas besoin du *Queen Mary* ! Puis il battait des ailes, saisissait de son bec son radeau de survie, et repartait à la découverte du monde.

Quelle vie ! Je me demandais si cet oiseau se sentait seul. Pourtant, même dans la solitude, on eût dit qu'il percevait quel sens donner à sa vie. Les oiseaux semblaient avoir une boussole en eux, qui les guidait là où ils voulaient aller. Ils semblaient savoir exactement qui ils étaient, comment vivre leur vie, pourquoi ils existaient. Mais avaient-ils des sentiments ? Tombaient-ils amoureux ? S'enfermaient-ils dans un cocon avec un autre oiseau comme si, à eux deux, ils devaient affronter le reste du monde ? Les oiseaux semblaient faire *partie* de tout. De l'espace, du temps, de l'air. Alors, pourquoi se seraient-ils retranchés d'un monde qu'ils pouvaient survoler tout entier ?

Je me souvenais d'une expérience que j'avais faite un jour. Si je parle d'une expérience et non d'un rêve pour décrire ce qui était arrivé durant mon sommeil, c'est que l'événement m'avait semblé plus vrai qu'un rêve. J'étais suspendue au-dessus de la Terre et je baignais, je glissais dans les courants aériens comme le font les oiseaux. Je flottais au-dessus des campagnes, des montagnes, des rivières, des forêts. Et en dérivant dans les airs, je percevais la douce caresse de la cime des arbres. Je prenais bien soin de ne pas arracher ne fût-ce qu'une seule feuille à sa branche, car cette feuille appartenait à cette branche comme j'appartenais moi à tout ce qui existait. Je voulais aller plus loin, plus vite, plus haut, tout survoler du vaste monde... Plus j'allais haut, plus je me sentais en harmonie avec le tout, et plus mon être se concentrait et se déployait à la fois. J'avais la sensation que cela se passait vraiment, que mon corps avait perdu toute importance, et que *cela* aussi faisait partie de l'expérience que je vivais. Mon vrai moi flottait librement et sans contrainte, empli de la paix que procure un accord intime avec tout ce qui est.

Il ne s'agissait pas d'un de ces rêves ordinaires d'envol dont les psychologues nous affirment que le message sexuel est clair. Il s'y était ajouté une autre dimension. Comment l'exprimer ? Le mot que je cherche, c'est le mot « extra », me dis-je en courant sur la plage. Voilà pourquoi j'avais gardé de ce rêve un souvenir si puissant. Voilà pourquoi, chaque fois que je m'étais sentie contrariée, ou seule, mal dans ma peau, ou nerveuse et angoissée, j'avais repensé à cette expérience et à cette paix profonde éprouvée tandis que je flottais dans les airs, hors de mon corps, avec le sentiment *d'appartenir* à tout ce qui était au-dessus et au-dessous de moi.

Ce sentiment d'appartenance à « toute chose » m'avait procuré plus de plaisir que tout le reste. Plus de plaisir que de travailler ou de faire l'amour ; plus de plaisir que n'en donne la réussite, ou toute autre entreprise humaine à laquelle on se consacre pour en obtenir le bonheur. J'aimais *penser*. J'aimais me concentrer. J'aimais *m'engager* pour des causes extérieures à moi-même. Sans doute parce que j'avais cru sincèrement que là était la voie à suivre pour me comprendre. J'avais cru que quelque part au tréfonds de *moi* étaient enfouies les réponses à ce qui, dans le *monde*, provoquait angoisse et confusion. Quelle arrogance ! Si je parvenais à établir le contact avec mon *moi*, et à établir ce contact de façon authentique, alors je serais en communion avec le monde... et peut-être même avec l'univers. Voilà pourquoi j'étais devenue une militante, une féministe, une voyageuse impénitente, une sorte de journaliste constamment en éveil, passionnée par le genre humain. Sans doute étais-je devenue actrice et interprète pour cette raison. Afin de comprendre le monde et de m'acquitter consciencieusement de mes obligations professionnnelles, il me fallait atteindre et percevoir mon moi profond. Voilà probablement pourquoi j'avais débuté dans la vie par la danse car mouvoir mon corps me permettait d'entrer en contact direct avec moi-même. Peu importaient les moyens... le seul voyage qui méritait d'être entrepris me semblait le voyage intérieur.

Un petit vent frais éparpillait le sable autour de mes jambes, tandis que je courais. Je ralentis ma course et me mis à marcher, me rappelant qu'après un effort intense, il est bon de réduire graduellement l'allure pour que l'acide lactique ne stagne pas dans les muscles. « C'est ça qui te donne tes douleurs musculaires, m'avait dit l'entraîneur. Ne t'arrête jamais pile après un gros effort physique. Ralentis en douceur. Après tu auras moins mal. »

16

J'écoutais toujours ce qui se rapportait à la culture physique, comprenant que cela m'aidait à mieux me connaître. Je respectais mon corps : c'était le seul que je possédais. Je voulais le faire durer. Mais mon Dieu, comme il me faisait souffrir, après toutes ces années passées sans faire le moindre exercice. « Tu as été vraiment idiote », me disais-je, en marchant. Durant toutes ces années de spectacle, je n'avais pas attaché une importance particulière à mon corps. J'avais eu une bonne formation de danseuse classique dans ma jeunesse, et j'avais pensé ensuite que cela suffirait. J'avais eu tort. Il faut prendre soin quotidiennement de son corps si on ne veut pas s'apercevoir un beau matin qu'il n'obéit plus comme on le voudrait. On découvre alors qu'on est vieux. Je me suis toujours sentie vieille quand je n'éprouvais plus la complicité de mon corps. Pouvoir établir le contact avec lui me permettait de mieux percevoir mon moi profond. Mais ce moi véritable, quel était-il donc ? Qu'est-ce qui me poussait à m'interroger, à chercher, à penser et à ressentir ? Était-ce seulement le cerveau en tant qu'organe corporel, les petites cellules grises ? Ou bien plutôt l'esprit, ce quelque chose de plus que le cerveau ? Était-ce « l'esprit » ou la « personnalité », qui contenait ce qu'on appelle « l'âme » ? Ces éléments étaient-ils distincts ? Le fait d'être humain équivalait-il implicitement à se considérer comme la somme de ces éléments ? Et, dans l'affirmative, comment ces éléments s'étaient-ils harmonisés ?

C'est là tout l'objet de ce livre... la recherche de mon moi intime, telle que je l'ai vécue passé la quarantaine ; l'effet qu'à exercé cette expérience sur mon esprit, sur ma compréhension, sur ma spiritualité ; ce qu'elle m'a enseigné de patience et de foi. Car cet enseignement m'aura permis de transformer complètement mon approche de la vie pour le reste de mon existence.

Il s'agit donc, dans ce livre, de ma quête intérieure, une quête qui m'a fait faire un long voyage, au cours duquel la révélation s'est accomplie graduellement. Ce voyage aura toujours été extraordinaire. Au fur et à mesure que je progressais, bon gré mal gré, confrontée à des dimensions spatiales et temporelles qui, jusque-là, relevaient pour moi de la science-fiction, ou de l'occultisme, je me suis efforcée de garder l'esprit ouvert. Mais voilà ce que j'ai vécu. Je l'ai vécu lentement. Je l'ai vécu à un rythme qui apparemment était le mien. C'est le cas, je crois, de tous ceux qui vivent des expériences semblables. On ne progresse guère qu'à son propre pas.

Si j'étais prête à recueillir cet enseignement, sans doute l'heure en était-elle venue pour moi.

J'avais tourné environ trente-cinq films, des bons et des mauvais. Chacun d'eux m'avait apporté quelque chose, encore que j'aie appris davantage des mauvais que des bons, ce qui n'a rien d'étonnant. J'avais voyagé dans le monde entier, parfois de ma propre initiative, en général dans l'incognito (parce que je voulais qu'il en fût ainsi), parfois en ma qualité d'artiste (et là au contraire j'entendais qu'on me reconnût), pour promouvoir un de mes films ou faire une tournée avec mon spectacle. J'adorais me produire sur scène ; je pouvais ainsi *sentir* mes différents publics, leurs pensées, leurs intérêts, leur sens de l'humour variable d'un lieu à l'autre. J'adorais surtout rencontrer des gens nouveaux, me plonger sans transition dans des cultures qui m'étaient inconnues, jusqu'à ce que j'aie appris à m'y sentir à l'aise.

Ainsi m'étais-je créé un cercle d'amis lointains. Des artistes pour la plupart : interprètes, gens du cinéma de tous les pays où l'on faisait des films, écrivains (j'avais moi-même écrit deux livres sur mes voyages et mes aventures vécues, traduits dans presque toutes les langues), mais aussi des chefs d'états, des premiers ministres, des rois et des reines (mon engagement politique avait, lui aussi, fait l'objet de reportages, favorables ou défavorables, un peu partout dans le monde). J'étais, sans aucun doute, une privilégiée. J'avais certes travaillé dur pour réussir ; mais je sentais que j'avais de la chance. En effet, j'avais été assez *privilégiée* pour rencontrer ceux que je souhaitais rencontrer et pour m'entretenir avec eux, qu'il s'agît de Castro, du Pape, de la Reine d'Angleterre, ou bien des affamés de l'Inde mourant d'inanition, des paysans révolutionnaires des barrios philippins ou des sherpas de l'Himalaya, pour ne citer que ceux-là.

Plus je voyageais et rencontrais de gens, plus s'affirmait ma conscience sociale et politique. Et plus celle-ci s'affirmait, plus j'en venais à m'identifier à ceux que mon père appelait les « moins-que-rien ». Je lui faisais remarquer, qu'une bonne partie de l'humanité pouvait être qualifiée de « moins-que-

18

rien ». En tout cas, j'en étais venue à beaucoup réfléchir sur ce qui ne tournait pas rond dans le monde.

C'est inévitable quand on est le *témoin* direct de la misère, de la famine et de la haine. J'avais commencé à voyager à l'âge de dix-neuf ans et ce jour-là, sur la plage — j'en avais alors quarante-cinq — j'étais en mesure d'affirmer, en toute objectivité, que les choses avaient été en se dégradant. A mon sens, l'idéal démocratique avait perdu toute sa vitalité, ceux qui se voulaient les défenseurs du mode de vie démocratique n'avaient à cœur que de servir leurs propres intérêts. De sorte qu'ils avaient foulé aux pieds leur aspiration fondamentale au bien-être pour le plus grand nombre. Ceux qui se réclamaient d'une éthique internationale étaient rares. La « pensée politique » dans le monde ne semblait plus fondée que sur la dualité du pouvoir politique et de l'économie des biens, assortis tous les deux de solutions qui s'exprimaient en graphiques, en courbes, en victoires électorales, en plans de production industrielle, mais laissaient pour compte l'être humain.

A tout moment, à un endroit ou à un autre du globe, on trouvait la guerre, la violence, le crime, l'oppression, la dictature, la famine, le génocide... un spectacle universel de désespoir et de misère. Pendant ce temps, partout dans le monde, nos dirigeants continuaient à examiner les problèmes *comme s'ils n'avaient pas de lien avec les hommes*, sans considérer leur relation avec une nécessité plus vaste et plus universelle : celle de faire naître en chaque individu un état d'esprit pacifiste. Avec toutes les conséquences qu'un tel état d'esprit pourrait entraîner. Selon l'expression de mon père, ils mettaient « un emplâtre sur de la gangrène ».

Il m'est arrivé d'un bout à l'autre du globe de participer à des discussions interminables sur le genre humain : était-il fondamentalement égoïste, préoccupé seulement de satisfaire ses besoins immédiats, sa soif de confort et d'argent ?

Je me suis surprise à déclarer que l'égoïsme et l'esprit de compétition étaient peut-être préjudiciables à l'accomplissement de la personnalité et pas seulement à la conquête du bonheur. J'avais l'impression que les puissances mondiales, à supposer qu'elles reconnaissent la nécessité d'une recherche commune des intérêts de l'humanité, finiraient toujours par préconiser des politiques économiques encore plus compétitives, ce qui amènerait d'autres conflits, d'autres dissensions,

19

et, inévitablement, d'autres guerres mondiales, plus destructrices encore. Quelque chose nous échappait certainement.

Puis, au cours de mes voyages, j'avais remarqué une évolution dans les mentalités. Mes interlocuteurs commençaient à spéculer sur ce quelque chose qui nous échappait. Un changement de ton dans les conversations laissait entendre que le désarroi et la confusion cédaient la place à d'autres considérations : qu'en nous se trouvaient peut-être les réponses ; que la crise du genre humain, créée de toutes pièces par lui, ne serait en rien dénouée par des solutions économiques. Nous commencions à nous demander si nous ne pourrions donner un sens à notre qualité d'êtres humains par la recherche intérieure. Pourquoi existions-nous ? Avions-nous une raison d'être, ou étions-nous simplement un accident de parcours ?

Que nous fussions des êtres *physiques* était l'évidence même. Nos besoins matériels n'étaient-ils pas, en théorie du moins, le souci prioritaire de nos gouvernements et de nos dirigeants ? Que nous fussions des êtres *intelligents* n'en était pas moins clair. La scolarisation, l'expression artistique, les progrès scientifiques et les autres voies ouvertes à la faculté d'apprendre attestaient de la réalité des domaines intellectuels.

Mais n'étions-nous pas aussi des êtres *spirituels* ? Les gens me semblaient de plus en plus nombreux à être préoccupés de leur spiritualité profonde, celle-là même qui criait depuis si longtemps dans le désert pour être reconnue. Le fait que la spiritualité soit à la fois évidente et invisible n'avait-il pas entretenu la confusion dans les esprits ? Aucune des grandes religions du monde ne semblait expliquer ni satisfaire nos exigences spirituelles. Les Églises paraissaient diviser davantage les hommes qu'elles ne les unissaient, qu'ils fussent, de confession, chrétiens, musulmans, juifs ou bouddhistes. La terre semblait entrer dans une ère de Guerre Sainte, avec l'émergence brutale de la fierté islamique dans le monde arabe, de l'intransigeance de la majorité américaine fondamentaliste dite bien-pensante, et du militantisme sioniste en Israël.

Ainsi je m'étais retrouvée en contact avec un réseau d'amis de par le monde qui s'étaient, eux aussi, engagés dans une recherche spirituelle. Nous nous interrogions, les uns et les autres, sur le but et le sens de la destinée humaine, non seulement dans sa perspective terrestre mais aussi dans sa perspective métaphysique, liée au temps et à l'espace. Et l'idée avait germé en nous que cette vie n'était pas tout. Que cette manifestation physique de notre existence pourrait n'être pas la seule. Qu'il ne fallait pas exclure l'hypothèse merveilleuse d'une *vraie* réalité, infiniment plus vaste.

Qui savait si Buckminster Fuller n'avait pas raison lorsqu'il affirmait que quatre-vingt-dix pour cent de la réalité nous est *invisible* ? Que ce qui nous empêche de la déceler, c'est la faiblesse de ce qu'on appelle aujourd'hui la conscience éveillée ? Lorsque j'avais commencé à m'interroger, à me découvrir d'étroites affinités avec ceux qui s'étaient engagés dans cette recherche intérieure, ma vie en avait été transformée et, avec elle, ma façon d'envisager l'avenir. C'était exaltant, effrayant parfois, mais toujours stimulant pour l'esprit. Car cela me poussait à reconsidérer le pourquoi et le comment de l'existence. Si la condition humaine n'était qu'une partie de notre expérience ? Si cette expérience se perpétuait bien au-delà de ce que nous croyons être notre mort ? Et si la mort n'existait pas ?

Mais j'anticipe.

L'air avait fraîchi. Le soleil couchant flamboyait par-delà les collines de Point Dume. Un jour, du haut de ces collines, comme je regardais en contrebas se briser les vagues du Pacifique, je m'étais demandée si la race humaine tirait ses origines de la mer. Le Pacifique me faisait toujours penser à mon ami David. Peut-être parce que j'avais l'impression d'en être à un tournant de ma vie, à cette époque, et qu'il était simple de parler avec lui de ce qui me trottait par la tête. Que m'avait-il dit, déjà ? Quelque chose à propos de la nécessité de respecter tout autant le positif que le négatif dans la vie.

« Impossible d'avoir l'un sans l'autre, m'avait-il affirmé. La vie est *combustion* des deux. Contente-toi de *submerger* le négatif par du positif et tu seras plus heureuse. — Certes, lui avais-je répondu, pas la peine d'être spécialiste de l'aérospatiale pour comprendre ça... Mais le vivre, c'est une autre affaire. »

A trente-cinq ans environ, David était un personnage attachant. Plein de gentillesse et de prévenance, avec ses pommettes bien dessinées et son doux sourire un peu triste. Je l'avais rencontré à New York, dans une galerie d'art du Village. Nous nous étions immédiatement liés d'amitié, car je me sentais à l'aise en sa présence. Peintre et poète, il aimait observer la vie, et de ce fait se sentait partout chez lui. A Manhattan, nous pouvions marcher pendant des heures en regardant les passants et en nous demandant ce qu'ils pouvaient bien penser. Quand David venait en Californie, ce qui était fréquent, nous marchions sur la plage de Malibou. Il aimait beaucoup voyager, lui aussi, et avait passablement roulé sa bosse en Extrême-Orient, en Inde et en Afrique, d'où il était revenu en passant par l'Europe et l'Amérique Latine. Chemin faisant, il n'avait cessé de peindre et d'écrire. Ses voyages ne lui avaient pas coûté trop cher, grâce à toutes sortes de petits boulots qu'il avait trouvés durant son tour du monde. Il avait été marié, mais n'en parlait jamais. Excepté une fois. Il m'avait confié ce jour-là qu'à une certaine époque, il avait « vécu à fond ». Je lui avais demandé ce qu'il entendait par là ; il s'était contenté de faire un geste de la main et d'ajouter : « J'en suis revenu... les voitures de sport, la grande vie... des trucs de gamin. Maintenant, je vis seul et heureux. » Moi-même je n'abordais pas beaucoup ma vie privée. Cela ne cadrait pas avec la nature de nos relations. En outre, David était plongé, jusqu'au cou, dans des préoccupations qui me semblaient du temps perdu... la réincarnation, la mémoire des vies antérieures, la justice cosmique, les fréquences vibratoires, les combinaisons diététiques, la révélation spirituelle, la méditation, l'auto-réalisation et Dieu sait quoi encore. Il en parlait très sérieusement. De toute évidence, il était très calé sur ces questions, qui, pour la plupart, me passaient par-dessus la tête, tant j'étais accaparée par les scénarios de mes films, mes émissions de télévision, mes nouveaux numéros de music-hall, mes kilos à perdre... et par Gerry. Mais étant donné les circonstances, je ne pouvais parler de Gerry à personne, pas même à David.

Un petit vent frais s'était levé que je sentais sur ma nuque. La transpiration s'insinuait dans mon cou. J'avais mal aux jambes, mais c'était une sensation agréable, comme un mal peut apporter une certaine satisfaction. Peut-être, aurait dit David, la sensation d'être quitte du prix que coûte toute chose dans la vie. Arrivez là où vous vouliez en venir, à force de lutte, et vous ne sentirez plus la douleur.

J'eus un dernier regard pour le soleil couchant avant de grimper les marches de bois qui donnaient accès à la plage.

J'affectionnais ces planches que les grandes marées et les orages avaient usées et brisées. Déjà vingt ans que je les utilisais, depuis que j'avais fait construire cet immeuble divisé en appartements, grâce au chèque reçu pour mon premier film, *The Trouble with Harry*, d'Alfred Hitchcock. Séance tenante j'avais contracté l'emprunt qui me permettrait d'entreprendre la construction de cet immeuble. Je pourrais ainsi le louer par appartements, sans avoir, moi-même, de loyer à payer... au cas où je me ferais renverser par un camion et ne serais plus en état de travailler. Mon éducation petite-bourgeoise, je suppose. Se prémunir contre les incertitudes de l'avenir... Sait-on jamais ?

Au sommet de l'escalier en bois, je me rinçai les pieds sous la douche : pas question de ramener du sable dans l'appartement. Ça s'incruste dans la moquette. Une moquette que l'entrepreneur m'avait formellement déconseillé de faire poser dans un appartement en bordure de la mer.

Je franchis la dernière volée de marches et fis halte dans le patio pour contempler le jardin japonais que j'avais moi-même dessiné. Un jardin complet avec son arbre bonsaï de Kyoto et son cours d'eau minuscule s'écoulant continuellement en circuit fermé. Rien n'y manquait. Mes années passées en Extrême-Orient, et plus particulièrement au Japon, m'avaient influencée. Le respect draconien dont les Japonais entouraient la nature m'avait émue. Celle-ci ne les ayant pas gâtés, ils n'avaient pas eu d'autre choix que de vivre en connivence avec elle. Contrairement à nous, les Occidentaux, ils ne croient pas en la nécessité de la conquérir. Ils se servent d'elle et s'intègrent à elle. Ils l'ont fait tout au moins jusqu'au jour où ils ont trahi ce respect de la nature pour se convertir à la religion du commerce et du profit. J'ai cessé de me rendre au Japon à partir du moment où la pollution s'est mise à l'envahir.

Dans mon jardin japonais, je me demandais pendant combien de temps encore le monde entier allait continuer à industrialiser la nature pour en tirer toujours plus d'argent. Interrogation simpliste, je suppose, mais je ressentais ainsi les choses.

J'entendis sonner le téléphone dans mon appartement. Je sursautai, faillis me faire un croche-pied en me précipitant à l'intérieur pour décrocher avant que la sonnerie ne s'interrompe. Le téléphones me faisaient toujours cet effet-là. J'allais même jusqu'à répondre moi-même quand je me trouvais chez quelqu'un d'autre et qu'une sonnerie retentissait. Il était sans doute dans ma nature d'être efficace, ponctuelle et méthodique. Les gens qui laissaient sonner un téléphone quatre fois avant de décrocher m'agaçaient. De la négligence, voilà ce que c'était... De la négligence et de la pure paresse. Je franchis d'un bond le seuil du living et plongeai sur l'appareil déposé à terre. Ridicule, me disais-je. Qui donc peut se donner assez d'importance pour insister à ce point ? Qu'il rappelle.

— Allo, fis-je, à bout de souffle, me demandant à quoi on attribuerait ma voix haletante à l'autre bout du fil.

— Allo... — c'était Gerry — ... comment vas-tu ? En bruit de fond, je pouvais entendre l'opératrice des appels internationaux. Une vision m'avait immédiatement traversé l'esprit : le visage de Gerry, ses cheveux qui lui barraient le front et ses yeux noirs pleins de douceur.

— On ne peut mieux, dis-je, contente qu'il ne pût voir combien j'étais heureuse d'entendre sa voix. Et toi, comment vont les choses avec Sa Majesté ?

— L'Angleterre décline avec panache, plaisanta-t-il. Il y avait dans sa voix une pointe d'inquiétude réelle que j'avais appris à déceler.

— Le panache est une qualité que tout le monde admire, fis-je en m'éclaircissant la gorge.

— Sans doute. En attendant je fais de mon mieux pour que le navire ne se perde pas corps et biens.

Je pouvais le voir se chercher une cigarette et en avaler la fumée avec un léger sifflement.

— Gerry ?

— Oui.

— Et ta campagne électorale ? Tu gagnes des points ?

— Tout se passe bien. (Sa voix s'était imperceptiblement cassée.) L'entreprise est de longue haleine. Informer les gens, les éduquer... une poigne de fer dans un gant de velours. Pas facile de trouver le juste équilibre. Mais nous en reparlerons quand nous serons ensemble.

— Ah bon ! Bientôt ?

— C'est bien ce que j'espère. Tu peux me rejoindre, à la fin de la semaine, à Honolulu ? La Conférence Nord-Sud. Une session sur l'économie.

— Oh, que oui ! Beaucoup de journalistes à la conférence ?

24

— Certainement.

— Et... ça ne fait rien ?

— Tant pis.

— Tu tiens à prendre ce risque ?

— Oui.

— Alors d'accord. J'y serai. Quand ?

— Vendredi.

— Et où ?

— Au Hilton Kahala. Bon, il faut que je te quitte. Mon sous-secrétaire m'attend pour une réunion de travail.

— D'accord. Formidable. A vendredi.

— Au revoir. Il avait raccroché. Les adieux téléphoniques ne s'éternisaient jamais avec Gerry. La retenue, la réserve convenant aux fonctions qu'il occupait, l'empêchaient de manifester toute émotion. Dans sa vie privée, c'était autre chose. Je pris une douche, puis sautai dans ma voiture pour me rendre à ma grande maison d'Encino. Je conduisis moins vite qu'à l'accoutumée.

J'aimais être au volant de mon auto en Californie, réfléchir tout en musardant le long des autoroutes largement ouvertes. J'aimais réfléchir en Californie. New York vous mettait à ce point sous tension, que vous y aviez juste le temps d'agir par instinct de survie — ce qui ne manque pas d'être créatif et stimulant, je l'admets — tandis qu'en Californie — on ne l'avait pas baptisée la Grosse Orange pour rien — vous risquiez fort de mûrir indolemment au soleil, si vous n'y preniez garde. Aussi la Grosse Pomme * représentait-elle, le lieu où je pouvais traduire en actes ce que j'avais cogité dans la Grosse Orange. Depuis que je le connaissais, Gerry n'avait jamais trouvé le moyen de venir en Californie.

Je me souvenais de notre première nuit à New York. En réalité, Gerry m'avait déjà été présenté à diverses reprises. Une première fois à Londres. Ensuite, plus tard, alors qu'il était venu à New York participer à un rassemblement contre la guerre au Viêt-nam. Il y avait pris la parole et j'avais été impressionnée par sa tranquille fermeté, par sa vivacité d'esprit. Il était alors membre du Parlement et croyait fermement

***

** Surnom de New York. C'est bien sûr l'opposition des climats entre les deux côtes qui a valu à la Californie celui de Grosse Orange. (N.d.T.)

25

que le socialisme pourrait redresser la situation de l'Angleterre.

Il n'avait pas cette attitude solennelle qu'ont tant de
Britanniques de ma connaissance. Il était même tout le
contraire : avec sa haute taille — il mesurait un bon mètre
quatre-vingt-cinq — ses épaules et ses bras qui lui donnaient
une allure un peu gauche, dégingandée, il me faisait penser à un
ours qui aurait voulu cajoler l'univers. Il se mouvait sans
surveiller sa démarche, et son col de chemise baillait sous la
cravate mal ajustée. Quand il se passionnait pour quelque
chose, une grosse mèche de cheveux lui tombait sur les yeux. Et
quand il arpentait une pièce à vastes enjambées, cherchant à
prendre l'avantage dans une discussion, on eût dit que le
plancher allait chavirer sous son poids. Il semblait ne pas se
rendre compte qu'il en imposait aux autres. Il lui arrivait
souvent d'avoir un trou dans sa chaussette. Ses yeux humides et
noirs évoquaient pour moi des olives.

La première fois qu'on me l'avait présenté, à Londres, je
donnais un spectacle au Palladium. Il était venu me voir dans
ma loge et il m'avait plu. Je ne m'y connaissais pas tellement en
politique intérieure britannique, mais il m'avait paru ouvert,
d'une intelligence pénétrante, et drôle sans le faire exprès.
Quand il avait pris congé, il s'était éloigné d'un pas si décidé
qu'il avait trébuché sur une chaise... après être entré par
mégarde dans ma penderie.

Aussi, quand il fut de passage à New York et m'appela un
an plus tard, je lui répondis que oui, bien sûr, je serais ravie de
dîner avec lui.

Nous étions allés dans un restaurant indien de la cin-
quante-huitième rue. Il avait très peu mangé. A peine s'il avait
remarqué qu'on déposait de la nourriture devant lui. Quand il
réfléchissait sur un point qui lui tenait à cœur, il avait cette
manie de fixer ma bouche. J'en avais déduit qu'il aimait mes
lèvres, alors qu'en fait il se concentrait sur ce qu'il allait dire.

Après dîner, nous étions allés chez Elaine, à l'angle de la
quatre-vingt-huitième rue et de la Deuxième Avenue, en faisant
à pied tout le trajet. Il avait tenu à voir les lieux que hantait le
cercle de mes amis. Je portais des talons-aiguille, ce qui ne me
facilitait pas les choses, et je n'arrivais pas à le suivre tant il
marchait à grandes enjambées. En plus, j'avais une ampoule au
pied.

26

Notre arrivée chez Elaine avait attiré les regards. Mais je n'étais pas seule à être reconnue. En dépit de son costume froissé et de ses chaussures éraflées, Gerry l'avait été, lui aussi. Mais personne ne nous avait dérangés. Nous avions pris une salade de calmars et bu quelques verres en parlant de New York et de Londres. Nous étions sur le point de partir quand je lui annonçai que j'allais à Londres, la semaine suivante pour discuter d'un nouveau scénario. Je lui dis que je l'appellerai.

Une limousine aurait dû venir le chercher pour le conduire à une réunion politique en dehors de la ville. Mais elle ne vint pas. Il se retrouva donc dans mon appartement, à contempler mes pleins rayonnages de livres sur la Chine, le show-business, la politique américaine, la théorie marxiste et les danseurs de ballet. Dominant de toute sa stature ma table basse, sa mèche épaisse lui barrant les yeux, il n'en finissait plus de s'étendre sur la nécessité d'une société socialiste qui garantirait les libertés. Voilà comment tout a commencé. C'est moi qui ai levé la main pour lui caresser les cheveux. J'avais besoin de les sentir sous mes doigts. Alors, simplement, naturellement, comme si nous nous étions connus depuis toujours, il s'est détourné de la biographie de Marx qu'il tenait à la main, m'a regardée dans les yeux et attirée contre lui. Nous sommes restés enlacés quelques instants, et je me suis sentie perdue. Jamais encore cela ne m'était arrivé, de cette façon du moins. Cet événement faisait partie du puzzle que j'allais reconstituer plus tard. Mais je l'ignorais alors.

Lorsque nous nous étions éveillés le lendemain matin, j'avais préparé du thé et des biscuits. Nous nous étions assis dans ma cuisine inondée de soleil. Par la fenêtre, on pouvait voir le pont de la cinquante-neuvième rue.

— Tu viens donc à Londres la semaine prochaine ? J'avais acquiescé.

— Je pourrais te voir ? J'avais acquiescé.

— Tu pourrais m'accompagner à Paris la semaine suivante ?

De nouveau j'avais répondu oui. Alors, il s'était levé, pour se diriger d'un air décidé vers ce qu'il croyait être la porte d'entrée, méprise qui l'avait fait pénétrer dans la chambre. Il avait finalement retrouvé la sortie et s'en était allé, sans me dire au revoir ni même se retourner.

A Londres, je fis en sorte de concilier mes séances de travail et mes rencontres avec Gerry. Dans le cinéma, on passe un temps fou à éplucher des scénarios qui ne deviennent jamais des films. Et, une fois de plus, c'était le cas. Mais j'étais heureuse : grâce à Gerry, mon séjour à Londres n'aurait pas été inutile. Je me demande encore si ce scénario ne m'a pas paru inintéressant parce que Gerry occupait mon attention. Quoi qu'il en fût, à mon arrivée, tout Londres semblait en grève. Gerry avait raison. Le bateau était en train de sombrer. Avec panache ? Cela était moins sûr, en dépit du charme de la porcelaine anglaise à l'heure du thé et des promenades matinales dans la brume de Hyde Park. Mais pour moi, ce qui comptait, c'était l'odeur de sa veste de tweed et la caresse de ses cheveux sur mon visage. La douceur de ses doigts sur ma joue et sa façon de me bercer dans ses bras immenses tenaient à bonne distance ces faits bien réels : l'Angleterre et mon scénario étaient, certes, en grand péril ; mais aussi le monde entier.

Nous prenions toutes les précautions d'usage pour ne pas être vus ensemble (j'occupais l'appartement d'un ami), et Gerry avait la réputation d'aimer qu'on le laissât en paix quand il marchait dans les rues de cette ville où il avait grandi.

Au bout de quelques jours, je me rendis à Paris. Il m'y rejoignit le lendemain. De la fenêtre de mon hôtel, nous regardions les toits de Saint-Germain. Quand nous avions fait l'amour, nous ne parlions jamais de notre liaison, ni de ce que nous ressentions l'un pour l'autre. Nous ne parlions jamais non plus de sa femme, ou de ma vie privée... tout du moins jusqu'au soir où, dans un restaurant, nous fûmes identifiés par une tablée de journalistes anglais. Ils nous firent un sourire entendu et des gestes de la main. Gerry se figea et ne put rien avaler. Il me dit à quel point sa femme serait blessée si elle apprenait la vérité. Elle ne l'accepterait jamais. Nous devrions agir avec plus de prudence. Je comprenais fort bien, mais n'aurait-il pas dû y penser dès le début ? Il semblait si terrifié que j'en fus bouleversée. Il ne put fermer l'œil de la nuit, et m'avoua ne plus savoir où il en était. Je lui proposai de rentrer aux États-Unis pour qu'il pût se ressaisir. Nous ne nous vîmes pas le lendemain. Il avait des réunions et des conférences. Je me disposais à quitter Paris, quoi qu'il m'en coûtât, lorsqu'il m'appela, désespéré.

Il me dit qu'il ne pouvait supporter de me voir partir, et

qu'il n'en pouvait plus d'être séparé de moi. Quand pourrions-nous de nouveau être ensemble ?

Nous nous sommes retrouvés en dehors de Paris, à Saint-Germain-en-Laye. Il se précipita sur moi pour me couvrir de baisers et de caresses, me serrant si fort que c'était *lui* qui en perdait le souffle. Il était à la dérive et plein d'égards pour moi, suppliant autant qu'il exigeait. Ce fut un moment exceptionnel de vérité, d'épanchement et d'abandon. Un moment un peu effrayant aussi.

De toute son existence, il ne lui était jamais rien arrivé de semblable, m'avoua-t-il. Il se sentait troublé et terriblement coupable. Il me parla aussi de la situation dans laquelle le monde était plongé, de ce qu'il aimerait pouvoir faire pour contribuer à l'améliorer. La démocratie et le socialisme étaient parfaitement réalisables l'une et l'autre, me dit-il encore, pour peu que les nantis acceptent un plus juste partage de leurs richesses.

Il s'exprimait d'une voix tantôt douce, presque un murmure, tantôt ferme et déterminée, comme si tour à tour il utilisait les différents registres de sa personnalité. Il ne me posa aucune question, ni sur moi ni sur les hommes qui, dans ma vie, pouvaient avoir de l'importance.

Cette débâcle émotionnelle semblait l'avoir libéré. Et quand vint le moment de nous séparer, il le fit sobrement, sans autre manifestation affective.

Il me demanda si je saurais me débrouiller pour rentrer en Amérique. Je lui affirmai que j'avais réussi à retrouver mon chemin dans des lieux autrement sauvages que la campagne française. Il me demanda encore de lui pardonner sa conduite à Paris et me promit de m'appeler bientôt. Il me dit simplement au revoir, sans effusion superflue, avec cette raideur un peu spartiate propre aux Britanniques. Puis, il ouvrit la porte et sortit. C'était bien sûr la porte de la penderie. Il rit et, sans mot dire, trouva la bonne sortie.

La vie qui, pendant deux jours, avait fait bruisser la chambre, sombra dans le silence. Les murs se refermèrent sur moi. Aucun de nous deux n'avait dit « je t'aime ». J'eus le sentiment d'avoir été entraînée malgré moi dans une liaison dont je savais fort bien qu'elle ne pouvait mener qu'à des obstacles irréductibles. Oui, mais *pourquoi ?*

Chapitre 2

> « La pensée purement logique n'est pas en mesure de nous révéler le monde empirique. Toute connaissance du réel commence par l'expérience et finit par elle. Les postulats auxquels on aboutit par une démarche purement logique ne sont pas vrais. »

Albert Einstein
Comment je vois le monde

JE traversai Malibu Canyon et pris par l'autoroute Ventura. Il y avait peu de circulation. Devant moi s'étendait à perte de vue la vallée de San Fernando, dont les feux commençaient à scintiller dans la nuit. On eût dit un gigantesque coffret à bijoux. Entre autres lieux, on avait fait visiter cette vallée à Khrouchtchev, quand il était venu en Californie. L'Amérique en marche, affirmait-on alors. Ce site *était* assurément très beau à contempler, pour peu qu'on le fît sous le bon angle. Mais, la Vallée restait l'objet de plaisanteries continuelles... « Ce n'est pas ce qui peut lui arriver de pire, ironisait-on, par exemple, quand un gaillard était en pleine déconfiture. Au moins, il ne vit pas à San Fernando. »

Je sortis de l'autoroute pour m'engager dans ma rue. En remontant l'allée qui grimpait vers la maison, je percevais le frôlement des basses branches des cerisiers sur le toit de la voiture. Comme je les aimais, ces arbres. Ils me rappelaient ceux que nous avions au Japon, Steve et moi, avant notre divorce. Il les avait plantés au temps où il habitait Shibuya, un quartier résidentiel de Tokyo. Steve voulait rester en Asie, vivre et travailler en Asie, ne pas s'en éloigner. Et moi, je voulais vivre et travailler en Amérique, non parce que j'y avais passé mon enfance, mais parce que je ne pouvais exercer mon métier ailleurs. Nous avions débattu de ce dilemme et fini par décider de réduire le globe aux dimensions d'une balle de golf : ainsi, chacun pourrait agir à sa convenance.

Cet arrangement avait tenu pendant un certain temps. Puis, peu à peu, nous avions organisé séparément nos vies. Nous étions restés amis tant qu'avait duré l'éducation de notre fille Sachi. Elle avait vécu les sept premières années de sa vie en Amérique et avec moi. Elle avait passé les six autres au Japon, où elle avait fréquenté une école internationale, avant de terminer ses études en Suisse et en Angleterre. Elle avait donc appris à parler, à lire et à écrire couramment le japonais, ce qui lui permettait de comprendre la plupart des langues extrême-orientales. Elle s'était mise à *penser* et à *percevoir* le monde comme une Orientale. Ce qui, parfois, ne laissait pas d'être cocasse. Car si Sachi, avec ses cheveux blonds et ses taches de rousseur, ne pouvait renier ses racines irlandaises, elle avait aussi l'art, quand elle marchait ou s'asseyait, de coordonner les mouvements de ses longs membres d'Ocidentale comme s'ils étaient entravés par le port du kimono et du obi. Aujourd'hui encore, elle s'agenouille comme les Japonaises quand elle s'assied, et l'attitude d'Alice au pays des merveilles qu'elle adopte en levant un regard d'adoratrice vers quiconque parle ne manque pas de dérouter, même moi qui crois la comprendre. De son attitude, émane un mélange de pensée occidentale, qui va droit au but et ne s'encombre pas de détours, et d'ambiguïté asiatique toute de circonvolutions ; laquelle arrondit fort à point les angles de ce qui pourrait passer pour de l'indiscrétion, de l'impolitesse ou du manque de tact.

Sachi m'a beaucoup appris sur l'Asie sans qu'elle ait jamais songé à m'enseigner quoi que ce soit. Elle appartient à cette nouvelle race d'individus dont le sang et le lignage sont occidentaux, mais dont la psychologie et la façon de penser sont asiatiques. Elle est le produit de cette « balle de golf » en laquelle, son père et moi, nous avons cru au début de notre mariage. Mais, comme en toute chose, il y avait dans ce pari un double tranchant : d'un côté les pertes, de l'autre les profits possibles. Au bout du compte, les profits excèdent largement les pertes, il me semble car Sachi est l'amalgame de deux mondes.

Pour peu qu'elle sache s'y prendre, elle se servira de chacune de ses facettes pour mieux comprendre l'autre. C'est à Paris qu'il lui a été le plus difficile de s'adapter, sociologiquement et culturellement, quand elle y a vécu pour apprendre le français. « Tu sais Maman, me confia-t-elle un jour où elle évoquait la muflerie et le cynisme des Parisiens, c'est joliment difficile de saluer courtoisement à la japonaise et de dire en même temps " va te faire foutre ! " »

Chaude et accueillante, ma maison était perchée au sommet de la colline. « Mont MacLaine * », comme l'avait surnommée un de mes amis, lequel m'avait demandé si j'en étais jamais tombée. Combien de fois je m'étais posé la même question ! Sans en parler à quiconque.

David m'avait dit un jour, en plaisantant, que, de toutes les montagnes que je m'évertuais à escalader, j'étais la plus haute. David ne se perdait jamais beaucoup en bavardages, mais il avait le don de mettre en valeur le plus bref des instants. Comme ce jour où il avait pelé en forme de cœur une orange dont le jus succulent lui avait coulé sur le menton ; il m'avait dit que ce n'était pas un hasard si nous prenions tous une importance fondamentale les uns pour les autres, dès que nous apprenions à ouvrir nos cœurs et à dire ce que nous ressentions sans en craindre les conséquences. Quand il venait en Californie, nous faisions des promenades sur la plage et nous allions déjeuner dans un restaurant diététique après notre cours de yoga. Que de fois David ne m'avait-il pas suggéré de cesser mes « escalades » pour entreprendre un voyage « à l'intérieur de moi-même ».

« Là se trouve tout ce que tu cherches, m'avait-il affirmé. Comment donc es-tu faite pour ne pas prendre le temps d'aller y voir de plus près. » Il avait parlé sans colère, mais avec un regain d'impatience dans la voix.

Il m'avait donné à lire des livres sur l'enseignement de la spiritualité, me conseillant une approche plus intime de mon moi véritable. Je ne saisissais pas vraiment ce qu'il entendait par là, car j'avais toujours pensé que je faisais exactement ce

---

* Allusion au premier livre de Shirley MacLaine, dont le titre, *Don't Fall off the Mountain*, signifie littéralement : « Ne tombe pas de la montagne ». (N.d.T.)

qu'il me conseillait de faire. En fait, il faisait allusion à un autre niveau de connaissance. Je lui avais donc demandé d'être plus explicite mais il avait refusé d'entrer dans les détails ; il s'était contenté de préciser qu'il me suffirait d'y penser pour que la compréhension me vienne d'elle-même. J'avais réfléchi à ce qu'il m'avait dit et parcouru les livres qu'il m'avait invitée à lire ; mais je continuais allègrement à considérer ces questions d'un point de vue purement logique et impartial, ce qui n'était pas vraiment satisfaisant en soi, mais avait le mérite de tenir debout.

Je n'étais pas malheureuse, loin de là. J'avais toujours pensé assez bien me connaître. C'était d'ailleurs ce que tout le monde disait de moi : « Elle sait qui elle est ! » Il m'était parfois difficile de souscrire à certains griefs des féministes, quand par exemple elles proclamaient qu'elles avaient été dépossédées par les hommes de leur identité de femmes. Personnellement, je n'avais jamais rien éprouvé de semblable. C'était plutôt le contraire. Je donnais l'impression d'être si assurée dans mes sentiments et mes désirs qu'on me reprochait souvent d'être *trop* émancipée et de n'avoir *besoin* de personne.

Mais je n'en étais plus aussi sûre. Peut-être bien que David avait raison. Peut-être avait-il décelé en moi quelque chose de profondément enfoui qui me manquait du *fait même* de mon émancipation, et qui m'empêchait de prendre conscience de tout le chemin qu'il me restait à parcourir. Il est bien difficile de prendre conscience de ce vide intérieur quand on éprouve le sentiment de réussir, de ne pas avoir un moment à soi, de se prendre en charge et de constamment se renouveler.

Tout en remontant l'allée, je percevais par bouffées le fumet prometteur de la bonne cuisine française que préparait Marie. J'avais à moi le meilleur restaurant de la ville, mais je n'y invitais quasiment personne. J'aimais la solitude et ressentais un malaise quand il me fallait distraire mes hôtes alors que j'aurais pu consacrer mon temps à lire ou à écrire.

Claquant la porte d'entrée pour avertir Marie de mon retour, je lui criai que j'allais prendre un bain et me détendre un peu avant de passer à table.

Dans ma hâte de faire vite alors que rien ne pressait, je me cassai un ongle en ouvrant la porte de ma chambre. Zut ! pensais-je, il va falloir arranger ça. Mais peu importe puisque la chambre que j'aimais tant, spacieuse, avec ses murs bleus, son calme, son apaisante fraîcheur, était là qui m'attendait.

Si tant est qu'on puisse parler d'amour à propos d'une chambre, j'aimais la mienne, son bleu transparent, et son boudoir adjacent qui me servait de bureau. J'y ai passé bien des heures dans la solitude, sachant que je pouvais en fermer la porte à clé pour m'y retrancher du monde sans pour autant paraître impolie ou insociable. J'aurais pu vivre dans ces deux pièces sans jamais rien désirer d'autre. Je n'y ai jamais eu le sentiment d'être recluse ou coupée de tout. J'avais moi-même dessiné le plan de cette chambre. Le bleu en était assez pâle, mais assez intense cependant pour conserver sa vie à la lumière du matin comme à celle du soir. Des voilages vaporeux étaient tendus devant le panneau de verre coulissant qui s'ouvrait sur la vallée de San Fernando et son arrière-plan de montagnes, lesquelles ne laissaient jamais de m'émerveiller dans la clarté du soir. Un velours frappé bleu recouvrait les fauteuils, et le couvre-lit était en satin de même couleur avec des bandes de brocart.

Je me souvenais de l'histoire de cette vedette du cinéma qui, paraît-il, avait glissé hors de son lit parce qu'elle dormait dans des draps de satin. Je préférais pour ma part le contact plus rude de draps ordinaires, ayant pour habitude de lire et d'écrire au lit chaque fois que je voulais oublier mon métier. Alors je disséminais autour de moi mes livres et mes blocs-notes, et quand il m'arrivait d'être à court d'idées pour ménager une transition ou rédiger un passage, je branchais ma couverture chauffante en réglant le thermostat sur le maximum, faisais un petit somme enfouie sous l'amoncellement de mes papiers, et à l'éveil j'avais généralement résolu ce qui m'avait fait buter. J'aimais me sentir seule dans cette belle chambre, seule avec ce sur quoi je voulais réfléchir. De savoir que je m'étais profondément concentrée sur quelque chose au point d'en avoir oublié jusqu'à ma propre existence me procurait un sentiment de plénitude. David avait sans doute raison. Sans doute devais-je, en fait, apprendre à méditer... et à méditer intensément. Sans doute pourrais-je ainsi découvrir ce dont il parlait.

J'allai me changer dans ma garde-robe. La pièce aux miroirs. Il y en avait partout, sur les quatre murs, au plafond... un véritable monument à la vanité, me dis-je. J'en ressentais un rien de gêne, étant donné qu'en dehors de mes films je ne me souciais pas beaucoup de mon apparence extérieure.

J'ouvris la porte-miroir d'une penderie pour y prendre un peignoir, me demandant ce que penserait Gerry de cette garde-robe de star, bourrée de toilettes qui provenaient de mes films, ou bien que j'avais achetées dans la plupart des capitales du monde. Qu'aurait-il pensé de moi si je lui avais avoué que j'aimais le contact d'un rang de perles étincelantes sur mon cou ? En même temps, quand je les portais, je me sentais coupable de tant d'ostentation, comme si je n'étais pas celle qui aurait dû les exhiber. Qu'aurait-il pensé de moi si je lui avais avoué que j'aimais me glisser dans ce moelleux manteau de zibeline (que je ne mettais pratiquement jamais). Même en lui précisant que je l'avais gagné en posant pour une photo publicitaire, qu'aurait-il pensé ? Ou si je lui avais dit combien j'aimais voyager en Concorde, à lui qui avait fait campagne contre le projet du supersonique.

J'aurais voulu lui raconter comment j'avais amassé tout cet argent, lui dire que l'idée de pouvoir acheter tout ce dont j'avais envie alors que le monde était si démuni me donnait le sentiment d'appartenir à une élite. J'aurais voulu lui demander ce qu'il ferait si, en échange de ses services, il savait pouvoir exiger des masses d'argent. A Paris, dans la chambre d'hôtel, je l'avais surpris à considérer le luxe de mes bagages. Ces preuves tangibles des richesses que j'avais acquises avaient-elles heurté ses principes socialistes ? Fallait-il donc automatiquement être né indigent pour présenter la garantie d'être un brave type ? J'aurais aimé discuter de tout cela avec lui, mais je savais que c'était impossible depuis le jour où je lui avais demandé si sa femme aimait elle aussi les toilettes et les bagages de qualité qui durent toute une vie. « Non, m'avait-il répliqué. Elle est marxiste. Il ne lui plaît même pas trop qu'en hiver je porte des gants fourrés. »

Je sortis un peignoir de la penderie et parcourus des yeux la pièce, dont l'un des murs était en réalité un vaste miroir monté sur glissière, et donnant accès à une terrasse, où avait été aménagée une cascade miniature et disposées des plantes et des fleurs tropicales. Un jardinier japonais prenait soin d'elles et les aimait comme ses propres enfants, convaincu avec Peter Tomkins que les végétaux éprouvent des émotions. Il me revint à l'esprit que Gerry m'avait trouvée absurde quand pour la première fois je lui avais parlé de la théorie de Tomkins.

« Les plantes, des émotions ? Pas possible ! avait-il ironisé. Encore heureux qu'elles les gardent pour elles ! » J'avais bien tenté de lui en dire davantage, mais de son rire moqueur il m'avait, si j'ose dire, coupé l'herbe sous le pied. Que de fois par la suite n'avais-je brûlé de l'envie de revenir à la charge avec une de ces folles idées métaphysiques qui, dans vingt ans, pourraient fort bien être devenues des faits scientifiques établis. Mais Gerry, n'étant pas de ces hommes qui ajoutent foi à ce qui n'a pas été prouvé, ne croyait qu'à ce qu'il pouvait voir. Il parodiait donc ou enjolivait ces balivernes d'un commentaire sociologique dans un accès d'humour noir. Cette attitude condamnait bien des portes.

La salle de bains était ma pièce préférée. Par rapport au jardin en terrasse, elle était symétrique de ma garde-robe. De la baignoire, carrée, en marbre, on avait vue sur la cascade. A cette heure, la nuit était tombée et une lumière indirecte jouait sur l'eau dansante de la chute. Les deux cuves des toilettes et les deux lavabos étaient de marbre rose, et une pomme de douche en cuivre surmontait la baignoire encastrée. Laquelle était si vaste que même un rideau n'était pas nécessaire pour protéger la moquette des éclaboussures : cela me plaisait. Je me penchai pour ouvrir le robinet. L'eau très chaude m'a toujours fait du bien. Où que je me sois trouvée de par le monde, plus d'une fois un bain brûlant m'a remis du baume au cœur.

Le flot de l'eau sur mes mains me détendit tout de suite. Je m'installai dans mon bain avec un soupir d'aise. Je songeai à ma mère, qui elle aussi aimait les bains chauds, et je la revis telle qu'autrefois, assise dans la baignoire à réfléchir. Je me suis souvent demandé si elle réfléchissait au moyen de se sortir de là... au moyen de se sortir de son existence, veux-je dire. On eût dit que tout ce qu'elle faisait, elle le faisait pour mon père. Ou bien, quand ce n'était pas pour lui, qu'elle le faisait pour nous, les enfants. Je suppose que tel est le sort de toutes les mères. Quand elle était à ses fourneaux, maman poussait de profonds soupirs et se débrouillait bien souvent pour calciner un plat, de sorte qu'il ne lui restait plus qu'à se tordre les mains de désespoir. Le plus expressif en elle, c'étaient ses mains fort belles. Pour savoir comment elle se sentait, il m'a toujours suffi d'observer ses longs doigts effilés qui ne cessaient jamais de tordre ou de triturer nerveusement ce qu'elle portait au cou ou aux poignets. Quand elle ne tirait pas sur le col de son pull (le contact de la laine sur sa peau l'agaçait), c'était pour jouer avec ses chaînes d'argent. Je me rendais bien compte qu'elle ressentait un plaisir sensuel à faire glisser ces chaînes entre ses doigts, mais j'éprouvais parfois aussi le sentiment contradictoire qu'elle le faisait pour s'étrangler tant elle était frustrée. J'aurais voulu comprendre cette contradiction, lui crier de me dire ce qu'elle ressentait... mais sitôt qu'elle atteignait un certain degré de désespoir, et avant même que j'aie pu moi-même y voir clair dans mes propres pensées, elle s'empressait de s'absorber dans l'épluchage des pommes de terre ou la confection de galettes au beurre.

Sachant que maman avait voulu être actrice, papa disait d'elle que quoi qu'elle fît, elle était presque toujours en représentation. En fait, chacun d'eux tenait à sa manière d'un personnage de vaudeville. Papa nous avait dit un jour qu'à l'âge de quatorze ans, il avait voulu s'enfuir avec un cirque ambulant, ajoutant qu'il avait toujours aimé les trains et les voyages, et qu'à cette époque il était convaincu de ne pas même avoir besoin de maquillage pour réussir un numéro de clown. Il avait l'art d'attirer sur lui l'attention comme je n'avais vu personne le faire, et comme je n'ai jamais vu personne le faire depuis lors. Quel que fût le siège qu'il occupait dans une pièce, il devenait le centre d'attraction de son public. Pour cela, il se servait de sa pipe. Il commençait par croiser une jambe sur l'autre, puis il sortait sa pipe et la cognait contre le talon de sa chaussure comme s'il s'agissait pour lui de ramener l'ordre dans une réunion agitée, tandis que, du fourneau, tombait sur le tapis un petit tas de cendres.

Alors, tout le monde ressentait un peu de gêne et devenait attentif. Mon père poussait un profond soupir, décroisait les jambes, émettait un bref grognement et se penchait savamment en avant pour considérer la manière dont il allait falloir traiter la cendre. C'était son grand truc pour mobiliser l'attention. Qu'allait-il faire de cette cendre ? La ramasserait-il ? Pincerait-il délicatement entre ses doigts le petit tas en évitant de le réduire en poudre ? Ou bien se munirait-il d'un couvercle de boîte d'allumette caché dans le tiroir du haut de son cabinet de fumeur, à deux pas de son fauteuil, et dont il se servirait comme d'une pelle ? Il ne serait jamais venu à l'esprit de quiconque de lui prêter main-forte. Cet exercice de mise en condition était exécuté avec tant d'expertise et d'autorité que vouloir intervenir eût équivalu, ni plus ni moins, à bondir sur scène pour aider Laurence Olivier à ramasser l'accessoire échappé de ses mains de propos délibéré.

En général mon père se servait du couvercle de la boîte d'allumettes pour ramasser la cendre. Et à cet instant, tandis qu'il était à demi courbé, il remarquait du coin de l'œil les particules de peluches qui déshonoraient l'épaule de sa veste. Alors, la pipe d'une main, le couvercle de l'autre, et sans pour autant cesser de porter toute son attention sur la cendre dont l'assemblée continuait à se demander quel allait être le sort, il entreprenait, lentement mais sûrement, de chasser de sa veste, par petites chiquenaudes, jusqu'à la plus ténue des traces de peluche. Quand il avait réussi à captiver ainsi l'attention générale, il était aux anges. Mais si en revanche il manquait son effet, alors il pouvait s'enivrer sans retenue.

Pendant ces représentations, ma mère avait pour habitude de se lever et de se rendre à la salle de bains, pour n'en revenir qu'au moment où elle jugeait que mon père devait en avoir fini avec son numéro. Elle proposait à l'assitance une tranche de tarte aux pommes qu'elle avait faite elle-même et qu'elle servait encore chaude. Puis elle se dirigeait à grands pas vers la cuisine, se cognant parfois au passage contre un meuble ; ce qui ne manquait pas d'éveiller un geste de compassion de la personne se trouvant à proximité. Pendant ce temps, papa tirait sur sa pipe, sirotait son mélange de whisky et de lait, sans plus bouger, sachant fort bien qu'on le dépossédait de son éclat, et essayant tant bien que mal de se persuader qu'un premier rôle ne fait pas une bonne pièce à lui seul. Ce n'est donc pas tout à fait un hasard si mon frère Warren et moi sommes devenus acteurs. Nous étions à excellente école.

Maman avait joué au Petit Théâtre, dans une pièce où elle tenait le rôle d'une honnête mère de famille qui peu à peu perd la boussole. A peine les répétitions étaient-elles commencées, (elles l'éloignaient de la maison au moins quatre soirs par semaine), que mon père s'était mis à regimber contre les repas froids et la poussière accumulée sur la cheminée, reprochant à ma mère, pour l'agacer, de s'identifier à la « traînée » qu'elle était sensée incarner dans cette « idiotie de pièce », et lui faisant remarquer à quel point la tenue de la maisonnée était en train d'en pâtir. Et peu à peu maman avait cédé aux pressions qu'il exerçait sur elle. Elle avait bien tenté de défendre son point de vue, mais pendant qu'elle parlait, les ailes de son joli nez s'étaient pincées et sa plaidoirie avait sombré dans la confusion. Elle avait enfin accordé à mon père qu'il avait raison, qu'elle *s'était* vraiment identifiée à son personnage et que, tout bien pesé, le jeu n'en valait pas la chandelle. Ainsi endoctrinée par lui, elle s'était retirée de la pièce pour se consacrer exclusivement à son rôle d'épouse et de mère.

En grandissant, j'avais moi aussi fait ce qu'on attendait de moi. J'avais porté le chemisier blanc de rigueur, les chaussures plates, les socquettes roulées sur les bas nylon et les jupes plissées, que je prenais bien soin de ramener sous mes fesses en m'asseyant. Je me donnais cent coups de brosse aux cheveux, chaque soir. Je finissais toujours mes devoirs. J'ai même failli être élue reine de l'équipe de football de mon collège, mais mon petit ami tomba malade le jour des élections, ce qui compromit toutes mes chances. Je savais offrir mon plus beau sourire à la cantonade, éviter de m'emporter contre quiconque, grâce à la maîtrise de moi que j'avais acquise ; car qui aurait pu deviner le moment où se déroulerait le scrutin fatidique grâce auquel serait consacrée la Reine de la Promo ? Je sortais avec des garçons, mais cela n'allait pas plus loin qu'un échange de baisers. Et si j'étais bonne élève, c'est que j'avais fort bien appris à tricher. J'avais « l'esprit de l'école », j'en arborais l'emblème à la moindre occasion, et quant on en jouait l'hymne avant un match, mon cœur était inondé de fierté. En dehors des cours, je passais pas mal de temps à fumer et à faire la folle en voiture avec les garçons... les allumant sans jamais aller jusqu'au bout, ma mère m'ayant dit que je devais me marier vierge, car, si je ne l'étais pas, mon mari le saurait. Il me fallait donc agir en cachette, mes parents paraissant plus soucieux de ma réputation que de ma vraie conduite.

Je riais beaucoup, de ce rire nerveux qui, bien souvent, confine à l'hystérie et n'est que l'exutoire de sentiments refoulés. Une bouée de sauvetage, en somme. De toute évidence, mon rire irritait. A l'école, on m'appelait « la fofolle » parce que je m'esclaffais à tout propos. On me surnommait aussi « la je-m'en fichiste » ; les langues allaient bon train à propos de mon « insouciance ». On disait de moi que j'étais « tête-en-l'air », ce que j'avais pris pour un compliment avant de me rendre compte du sens peu flatteur attribué à cette expression.

40

Un jour, dans le couloir de l'école, je marchais à côté de Dick McNulty et nous nous tenions la main. Il me raconta une blague. Je me mis à rire d'un rire irrépressible. Impossible de m'arrêter. Une sorte de jubilation théâtrale incontrôlable. Un hurlement de rire. Je riais, je riais... jusqu'à ce que le proviseur arriva et ordonna à l'infirmière de me reconduire à la maison. La seule question qui préoccupa mes parents, c'était la raison pour laquelle, dans le couloir de l'école, j'avais tenu la main d'un garçon. Ils ne semblaient pas s'intéresser le moins du monde à ce qui avait provoqué mon fou rire.

Dick McNulty a été le premier garçon que j'ai aimé. Il fut tué en Corée trois ans plus tard.

Je restai assise dans mon bain jusqu'à ce que l'eau tiédît. De quels vêtements me munir pour mon séjour à Honolulu ? J'étais allée retrouver Gerry en tant de lieux au monde... dans la neige et sous les tropiques. Je serais allée le retrouver n'importe où, quant il le voudrait et où il le voudrait... Mais comme je haïssais ses expéditions clandestines à Londres ! Elles avaient fini par me donner la sensation d'étouffer.

Il n'était guère facile d'y louer un appartement pour une semaine. Encore moins d'y séjourner ignorée des journalistes. Mais le plus pénible consistait à être avec lui dans son propre pays.

J'avais trouvé un jour un appartement situé à deux ou trois stations de métro et dix minutes de marche de son bureau.

Pendant les dix jours que dura mon séjour, nous avions passé notre temps, lui à prendre le métro, moi à attendre qu'il vînt me voir chaque fois qu'il le pouvait dans cet appartement sombre. Pourquoi les appartements étaient-ils tous si sombres ?

Ce jour-là, derrière la fenêtre, je le regardais remonter la rue de son pas dégagé. De temps à autre, de braves gens l'arrêtaient, qui s'interrogeaient sur la raison de sa présence dans ce quartier de Londres.

Il arriva. Je le serrai dans mes bras.

— C'est dans ce quartier que je vivais au début de mon mariage, me dit-il en se dégageant. Il fit le tour de l'appartement, passant en revue les étagères et les poteries disposées sur les tables. Il ne fit aucun commentaire sur les livres et les gravures murales, mais remarqua le magazine qui venait d'arriver par le courrier. C'était *Penthouse*.

— Comment peut-on s'abonner à une ordure pareille ? me dit-il en m'entraînant vers la chambre.

— Je l'ignore. La pornographie est affaire de géographie et d'éducation. Bien des gens jugeraient pornographique ce que nous faisons ensemble.

Il me fixa un instant et sourit. Perchées sur son nez orgueilleux, ses lunettes avaient quelque chose d'incongru.

Nous fîmes l'amour, mais quelque chose le préoccupait. Nous étions allongés côte à côte depuis un certain temps quand il me dit qu'il devait retourner travailler. J'eus un frisson, que je laissai s'apaiser. Quand il fut parti, je téléphonai à un de mes amis écrivain. Puis je passai le reste de la journée à l'extérieur et allai souper au restaurant.

Le lendemain, Gerry était plus libre de son temps et semblait plus détendu. Il me dit qu'il avait gardé en lui toute la joie de notre rencontre, une joie si intense qu'il n'avait pu dormir de la nuit. Il me dit encore que c'était une exquise façon d'être exténué, ajoutant qu'il éprouvait des sentiments encore inconnus de lui.

Le quatrième jour, je crois, il entra et me sourit d'un air gêné en prenant un siège.

— Quelque chose ne va pas ? lui demandai-je.

Il respira profondément.

— Ma fille a ouvert ma garde-robe pour chercher je ne sais quoi dans mon manteau et m'a demandé pourquoi mes vêtements sentaient le parfum. Sa question m'a tellement surpris que j'ai réagi en coupable. Au lieu de faire comme si de rien n'était, je me suis précipité sur la garde-robe. Ma femme s'en est aperçue, elle s'est mise à m'observer. J'ai prétendu que je ne sentais rien. Mais ma femme s'est approchée à son tour, pour affirmer elle aussi que l'odeur du parfum était parfaitement perceptible. Alors je leur ai soutenu à toutes les deux que je ne voyais vraiment pas de quoi elles voulaient parler. Puis je suis sorti, décidément incapable de me comporter avec naturel. J'ai été aussi mauvais comédien qu'à Paris.

Il entra dans la cuisine pour se préparer une tasse de thé, trébuchant sur la poubelle.

— Tu les a laissées dans quel état d'esprit ?

— Oh, je pense que ça allait. Tout le monde a dû oublier

l'incident. Mais j'ai horreur de cette hypocrisie. Je n'aime pas mentir.

A partir de ce jour-là, j'ai cessé de me parfumer, même quand je n'étais plus avec lui, de crainte que le parfum n'imprégnât mes vêtements. Malgré cela, chaque fois que nous passions un moment ensemble, il se douchait et se lavait les cheveux, accompagnant ces précautions absurdes d'un petit sourire gêné et d'un haussement d'épaules impuissant.

Pour me rendre au Parlement britannique, où Gerry devait participer à un débat sur l'économie en présence du Premier Ministre et de différents chefs de l'opposition, j'avais mis des lunettes, m'étais encapuchonnée d'un foulard et coiffée d'un chapeau. J'avais trouvé une place assise au premier rang de la galerie. C'était la première fois que je voyais Gerry dans l'exercice de ses fonctions.

Il ne cessait d'aller et venir dans la Chambre en adoptant une attitude agressive, comme s'il était déjà Premier ministre. Il semblait si sûr de lui qu'il ponctuait ses interventions, ainsi que les contradictions qu'il portait aux autres orateurs, d'anecdotes lourdes de provocation et de défi, ironisant sur ce qu'il semblait considérer chez les parlementaires et les ténors de la politique comme de la faiblesse d'esprit.

Il restait debout lorsque la parole était donnée à un autre orateur et, lorsqu'il finissait par se rasseoir, c'était pour croiser ostensiblement une jambe au-dessus de l'autre et balancer le pied, découvrant ainsi une chaussette bleue qui lui tombait sur la cheville. Il lui arrivait de se dresser impatiemment de toute sa taille et, ayant attiré sur lui l'attention générale, de se déplacer dans l'enceinte du Parlement comme s'il en était le propriétaire. Il se tenait debout, jambes écartées et mains dans les poches, visiblement plus soucieux du nombre des visiteurs assis dans la galerie que de ce qui pouvait bien se dire. Quand il redemanda un temps de parole, ce fut pour traiter un de ses opposants de minus, d'hypocrite qui se dérobe et élude des sujets d'actualité aussi impopulaires que les restrictions apportées aux libertés syndicales, le nucléaire ou la réforme fiscale. Sans jamais consulter ses notes, il ne cessait de mettre et d'enlever ses lunettes pour affirmer son argumentation. Tant qu'il occupait son siège, il gesticulait, mais quand il montait à la tribune, il s'entortillait les pieds comme un écolier timide. De la galerie, je me demandais s'il mènerait un jour son parti à la victoire. Certes, il était percutant, brillant, mais je me disais que si les électeurs pouvaient le voir croiser et décroiser continuellement les pieds, ils comprendraient aussi pourquoi, au moment de s'asseoir, il avait répandu à terre, d'un coup de coude maladroit, le contenu de sa serviette. Encore une chance qu'il sût faire oublier l'incident grâce à sa parfaite connaissance des Communes et de ses usages.

Quand il vint ce soir-là me retrouver à l'appartement, il me demanda ce que j'avais pensé de lui. Avec mes lunettes, mon foulard et mon chapeau, je n'avais pas imaginé qu'il pût remarquer ma présence au Parlement dans l'après-midi.

— Tu savais que j'étais là, dès le début ?

— Oui, me dit-il. Il m'aurait été difficile de ne pas te reconnaître.

J'eus une brève hésitation. Et s'il n'avait été en représentation que pour moi ? Et si ce n'était pas sa manière habituelle de se comporter ?

— Alors, qu'en as-tu pensé ? insista-t-il.

— Était-ce parce que tu me savais là, ou te conduis-tu toujours de la même façon ?

— De quelle façon ? Ma question le surprenait.

— Mis à part ton numéro à la Jacques Tati, tu t'es conduit un peu comme si c'était toi le Premier ministre, en propriétaire des lieux.

Il rit, reposa sa tasse de café et se pencha en avant.

— Vraiment ? fit-il, une lueur d'intérêt dans le regard.

— On dirait que tu ne fais aucun cas de tes collègues... les traiter de minus et le reste... Ça se passe toujours comme ça en Angleterre ?

Il repoussa de la main la mèche de cheveux qui lui barrait l'œil.

— Voyons, mais ce n'est qu'un jeu ! Et c'est précisément ce qui en fait tout l'attrait. Pour moi ce n'est qu'une moitié de l'activité politique. J'adore exploiter les contradictions de mes adversaires et les mettre sur des charbons ardents. Ça fait partie du jeu. Sinon, quel intérêt aurais-je à y participer ?

Il se tut et je le vis légèrement pâlir. Mais il revint tout de suite à ce qui le préoccupait.

— A ton avis, je suis un peu excessif pour les caméras de

télévision ? Tu penses que je devrais en faire un peu moins ?

Je n'en croyais pas mes oreilles. Il me parlait technique de scène alors que j'avais cru bien me faire comprendre en lui demandant *pourquoi* il se comportait ainsi.

— Pourquoi t'attaquer de front à ceux que tu essaies de changer ? lui demandai-je.

— Je te l'ai déjà dit. Je hais l'hypocrisie. Je hais leur façon de faire patte de velours. Et puis, ce sont des menteurs. Ajoute à cela le fait que je représente les travailleurs : eux, ils n'ont jamais l'occasion d'élever avec force leur voix. Et ma façon de le faire leur plaît.

J'écoutais attentivement, essayant de comprendre. Peut-être sa véritable ambition n'était-elle pas vraiment d'amener les parlementaires qu'il prenait pour cibles à changer d'opinion ? Je lui demandai si c'était pour que les travailleurs de son électorat puissent s'identifier à lui qu'il était si combatif, pour qu'ils puissent dire par sa bouche ce qu'ils auraient souhaité pouvoir dire eux-mêmes, ou bien s'il se conduisait ainsi parce qu'il croyait sincèrement à sa cause.

— L'un et l'autre, me dit-il. Les deux ne sont pas incompatibles.

Plus il parlait, plus il prenait conscience d'être en train de s'enferrer. Devais-je pousser plus avant mes pointes ? Mes impressions étaient-elles justes ? Son sourire paraissait un peu embarrassé. Il acceptait de moi que je le mette sur la sellette, mais en même temps s'obstinait à justifier la brutalité de sa façon d'agir. Je percevais en coulisse quelque chose qui m'échappait. Quelque chose qui ressemblait presque à de la honte. Était-il agressif pour déguiser sa honte ?

— Tu sais, me dit-il, nul autre que toi ne me tiendrait des propos semblables. Je veux dire qu'il arrive qu'on me conseille de me démener un peu moins, de ne pas aller et venir dans la Chambre quand quelqu'un prend la parole. Mais on ne me parle jamais de ce dont tu me parles.

— Je ne suis même pas sûre de savoir vraiment *de quoi* je parle. Tout ce que je sais, c'est que ton sourire, et aussi quelque chose que tu ressens en ce moment précis, ne collent pas avec ta façon de te justifier.

— Je crois comprendre ce que tu veux dire.

— Et je me demande ce que c'est, ajoutai-je.

— Je ne sais pas non plus. Il était mal à l'aise, mais ne

refusait pas la discussion. Je me sentais moi aussi mal à l'aise, de discuter avec une telle candeur de sa façon d'agir dans l'arène politique. J'avais connu beaucoup de politiciens, et ils étaient rarement capables de s'analyser avec autant de lucidité. Mais c'était moi qui avais entamé cette discussion, et je sentais qu'il fallait la pousser plus loin.

— Tu sais, je me demande si trop d'intransigeance ne risque pas de te desservir. Tu te rends sans doute parfaitement compte que les autres doivent penser la même chose. Tu es prêt à pousser l'intransigeance au point de risquer de perdre toutes tes voix ?

— Oui. Enfin... je ne sais pas. Peut-être.

— Tu n'as pas l'impression que si tu t'en prends si vivement aux contradictions des autres, c'est parce que tu sais qu'elles sont aussi les tiennes ?

— Que veux-tu dire ? Je suis parfaitement intègre dans mes convictions politiques. Je dirai la vérité, même si la vérité devait me porter tort.

Je réfléchis un moment. Je croyais à ce qu'il venait de me dire. Mais il s'était mépris sur le sens de ma question. Devais-je être plus claire ?

— Je ne doute pas que tu sois foncièrement intègre dans tes convictions, lui dis-je. Mais ce sont des attaques personnelles que tu as portées à tes adversaires, et à cet égard je ne suis pas très sûre que tu sois aussi transparent que tu voudrais le paraître.

Il se leva et fit à grands pas le tour de la pièce en se passant la main dans les cheveux.

— En somme, si j'accuse les autres d'hypocrisie, c'est selon toi *parce que* je suis conscient d'être moi-même un hypocrite ?

— Oui, nous en sommes tous là, non ? C'est bien ce qui nous rend le plus coupables que nous reprochons aux autres, tu ne crois pas ?

— Soit, mais qu'est-ce donc qui me culpabiliserait ?

— Notre liaison, par exemple.

— Mais... c'est une affaire entre toi et moi ! Quel rapport avec la politique ?

— Les multiples coups de téléphone que tu me donnes, entre autres choses.

Il s'arrêta net.

46

— Quoi, ces coups de téléphone ?

— N'est-ce pas de ton bureau que tu m'appelles ?

— Bien sûr. Et alors ?

— Et qui paie ces coups de téléphone ?

— Mais... c'est une ligne du gouvernement.

— Et qui paie la facture du gouvernement ?

Il me regardait fixement.

— Tu m'appelles tous les jours de la semaine sur l'international aux frais des contribuables. Ça doit finir par faire une jolie somme.

— Mais... Où veux-tu en venir ?

— J'essaie d'y voir un peu clair. Cet après-midi, tu as traité un homme de minus, sûr de t'en sortir à bon compte. Suppose que ce type fasse surveiller tes relevés téléphoniques et découvre que c'est à moi que sont destinés tous ces appels à Reno et à Las Vegas.

Son visage se figea. Il donna un rapide coup d'œil à sa montre.

— Bon Dieu ! fit-il. Je vais être en retard à la réunion du parti. Je t'appellerai plus tard.

— Il se dirigea vers la porte, une mèche de cheveux lui tombant sur les yeux, revêtit son trench-coat, à l'intérieur duquel une doublure pour l'hiver n'aurait pas été de trop, et comme à l'ordinaire sortit sans me dire au revoir. Il avait oublié ses lunettes sur la table.

Je bus le reste de mon café. Se regarder en face n'était pas le fort de Gerry. Et la diplomatie n'était pas le mien.

Ce soir-là je sortis avec des amis, pour ne rentrer qu'à cinq heures du matin.

Gerry m'appela très tôt.

— Je croyais que c'était pour me voir que tu étais venue à Londres ! dit-il.

J'en restai interdite :

— Mais... c'est bien pour ça que j'y suis venue.

— Où étais-tu hier soir ?

— Je suis sortie.

— Puis-je savoir ce que tu as fait de si intéressant toute la nuit ? Tu ne trouves rien de mieux pour occuper ton temps ?

— Mais enfin, que veux-tu dire ?

— Où étais-tu ? répéta-t-il.

— Je suis allée souper à l'Éléphant Blanc avec des amis et

nous avons longuement bavardé. Ensuite, nous sommes allés danser chez Annabelle.

— Et avec qui as-tu dansé ?

— Gerry, écoute-moi, qu'est-ce qui te prend ?

— Rien, fit-il. Je passerai plus tard.

— Ne me fais pas trop languir, lui dis-je, espérant qu'il goûterait l'humour de ma répartie.

Quand il arriva, je ne l'embrassai pas et il s'en rendit parfaitement compte. Il ôta son pardessus et se dirigea droit vers la chambre, où il s'étendit sur le lit, les yeux au plafond. Je lui préparai un whisky-soda qu'il déposa sur la table de nuit, et je vins m'asseoir près de lui sur le lit sans prononcer un mot.

— Je ne suis pas homme à faire des infidélités, me dit-il.

— Je le sais très bien.

— Et pourtant *je vis dans le mensonge.*

— Ce n'est pas d'aujourd'hui, lui fis-je remarquer.

Il soupira :

— Je sais, mais c'est un déchirement.

— Alors, dis-le à ta femme.

— Je ne peux pas.

— En ce cas, ne lui parle pas de moi. Laisse-moi en dehors de tout ça et discutez entre vous de ce qui ne va pas.

Il me regarda, surpris.

— Il n'y a rien qui n'aille pas entre nous.

— Rien qui n'aille pas entre *vous* ? Comment peux-tu être si sûr d'une chose pareille ?

— Mais c'est vrai. Oh, ce n'est pas ce qu'on peut appeler la fougue ou la passion, mais cela nous suffit.

Je me demandai ce que j'éprouverais si c'était de moi qu'il s'agissait, ou ce que sa femme répondrait si l'on sollicitait son avis sur la question.

— Elle ne se plaint jamais d'être délaissée ?

— Oh, que si ! Du moins l'a-t-elle fait pendant longtemps. Il est vrai que je suis si souvent absent... Mais elle en a pris son parti depuis un moment déjà.

— Tu es bien sûr qu'elle en a pris son parti ?

— Je ne sais pas, avoua-t-il.

— Tu es vraiment *sûr* qu'elle ne se sent pas tout autant délaissée ?

— En tout cas, elle ne m'a jamais rien dit de semblable.

Il buvait son whisky à petites gorgées.

— Admettons, lui dis-je. Mais après tout, toi aussi tu te sens seul, non ?

— Oui. Il se glissa le bras sous la nuque. Mais j'avais fini par m'y faire.

— Pourquoi « j'avais » ?

— Rien de plus que ce que j'ai dit. *J'avais* fini par en prendre l'habitude. Jusqu'au jour où tu as surgi dans ma vie. Maintenant, je ne suis plus aussi seul.

— Alors, pourquoi ne pas essayer de l'aider à être moins seule, moins malheureuse elle aussi ?

— Que veux-tu dire ? Je n'ai fait que lui mentir. En quoi cela pourrait-il la rendre heureuse ?

— Tu lui mens parce que la vérité serait pire que le mensonge, c'est bien ça ?

— Oui.

— Tu vois, on retombe jusqu'au cou dans l'hypocrisie. C'est peut-être parfois une nécessité. Mais il faut peut-être aussi que tu acceptes d'en payer le prix.

Il me regardait curieusement. Puis il reporta toute son attention sur la glace de son verre, comme si notre conversation avait assez duré.

— Il y a une chose que je voudrais que tu me dises en toute franchise, continuai-je.

— Et c'est ?

— As-tu le sentiment d'être seul... je veux dire : là où s'accomplit vraiment la vie, au fond de ton être. Éprouves-tu ce sentiment de solitude ?

Il semblait ne jamais s'être posé la question, ne jamais y avoir seulement songé.

— Oui, me répondit-il, j'ai éprouvé ce sentiment.

— Et tu ne penses jamais qu'elle peut ressentir la même chose ?

Il se tourna de côté.

— Qui sait si elle aussi ne ressent pas le besoin d'une autre présence, comme toi, lui dis-je encore.

Du lit, il regardait par la fenêtre.

— Non. Élever ses enfants la satisfait. Elle sait à quel point mes activités m'accaparent.

Il se couvrit le visage du bras.

Je disposai sur lui une couverture et me glissai dessous, à son côté.

— Tu dois me prendre pour un affreux phallocrate ? me demanda-t-il.

Je ne lui répondis pas.

— Et puis, si je lui disais la vérité, elle ne voudrait pas me croire.

— Oh, Gerry, dis-je. Et très vite nous nous sommes endormis l'un près de l'autre.

Un peu plus tard il se réveilla.

— Je sais très bien ce que tu représentes pour moi, me dit-il.

— Et qu'est-ce que je représente ?

Il se taisait.

— Gerry ?

— Oui ?

— Je t'en prie. Ne sois pas si figé. Qu'entends-tu par savoir très bien ce que je représente. Dis-le moi, que je le sache aussi.

Il s'éclaircit la gorge :

— C'est que... j'ai parlé de toi à l'un de mes suppléants, pour lui expliquer que tu étais à Londres. Et je lui ai demandé de prendre ce soir la parole à ma place, pour pouvoir rester avec toi.

— Oh, et comment a-t-il réagi ?

— Il m'a demandé si je jugeais opportun de lui en dire davantage. Je lui ai répondu que tu étais à Londres et que je voulais venir te retrouver. Un point, c'est tout.

Je me redressai.

— Bien sûr. Et c'est ce que tu entendais par savoir ce que je représente pour toi ?

— Écoute, il faut que je parte à présent. Le discours doit être terminé. Il faut que je sois là pour les interventions.

Un petit frisson que je connaissais bien me parcourut.

Il prit une douche, se lava les cheveux et se rhabilla.

— Tu sais, je ne crois pas qu'il t'était indispensable de prendre une douche ce soir, lui fis-je remarquer. Pas ce soir.

50

— C'est vrai, me répondit-il en allant déposer son verre dans l'évier de la cuisine. Ce n'était pas nécessaire, je sais.

Il remit son pardessus et quitta l'appartement. J'étais contente pour lui que cette fois il ne se soit pas trompé de porte.

Le lendemain, je repartais pour la Californie.

Chapitre 3

Ce qui se passe après la mort est si indiciblement glorieux que notre imagination et nos sentiments ne suffisent pas à nous en donner une représentation, même approximative... La dissolution dans l'éternité de notre forme temporelle transitoire ne nous dépossède pas de notre conscience. »

Carl G. Jung
Lettres, Vol. 1

Je sortis de la baignoire, essuyai mon corps marbré par la chaleur du bain prolongé, passai un pantalon fuchsia, un pull-over orange, et descendis voir Marie avant de dîner.

La cuisine était moderne et parfaitement équipée, mais je n'y étais pas vraiment chez moi. Française, et cordon bleu de surcroît, Marie régnait avec une autorité jalouse sur ce qu'elle considérait comme son domaine, et ne m'aurait même pas laissée me servir un verre de soda. Petite, toute menue, les jambes pas plus grosses que mon poignet, Marie avait les doigts déformés par l'arthrite et, quand elle faisait le service, ses mains et ses bras tremblaient. Pendant la Seconde Guerre mondiale, elle avait fait le coup de feu contre les nazis dans les rangs de la Résistance, ce qui lui avait valu des blessures déformantes aux pieds. Voilà pourquoi elle portait toujours des pantoufles ouvertes sur le devant. Sa sœur Louise, qui après vingt années passées en Amérique ne parlait toujours pas un traître mot d'anglais, la suivait comme son ombre, lui était totalement soumise et ne cessait de marmonner que rien n'allait plus comme il le faudrait.

53

Il y avait de cela six ans environ, Marie m'avait réveillée un matin, vers trois heures, en frappant à coups redoublés à la porte de ma chambre, pour me prévenir à grands cris que John, son mari, n'était pas bien. J'étais descendue au rez-de-chaussée, pour trouver John allongé sur le lit, avec un visage de cire. Les yeux clos, il tremblait de tous ses membres. On eût dit qu'il allait suffoquer. Je ne savais que faire. J'avais une peur horrible et n'osais le toucher. Je lui avais soulevé la tête pour lui faire du bouche à bouche. Il avait émis un son atroce, une sorte de râle profond et guttural ressemblant à un cri de bête, que je n'avais jamais entendu auparavant. Emplie d'effroi, je ne m'étais pas aperçue tout de suite que c'était là un râle d'agonie. Marie non plus. Elle s'obstinait à déclarer qu'il s'agissait d'un simple malaise. J'avais secoué John, tout en craignant que le râle ne s'intensifiât. De fait, il avait augmenté, puis s'était éteint. John était mort brusquement dans mes bras.

C'était la première fois de ma vie que je voyais un mort. Je m'étais demandé à quel instant précis John avait cessé de vivre, et je crois bien qu'à partir de ce moment-là je me suis mise à réfléchir sérieusement sur l'existence de l'âme. Je ne pouvais croire que ce corps dans mes bras était tout ce qu'il restait d'un homme. Quelque chose de ce qui avait été John — son « âme » — continuait-il à vivre ? La mort faisait-elle souffrir ? Si l'âme survivait au corps, où allait-elle ? Et quelle était sa finalité ?

Je n'avais pu fermer l'œil ni cette nuit-là, ni les trois nuits suivantes. A cette époque, j'étais totalement accaparée par le tournage de *Sweet Charity*. Je m'interrogeais alors en tâtonnant sur la signification métaphysique de la mort. J'utilise le mot métaphysique, parce qu'il n'y avait là rien que je pusse voir, toucher, entendre, respirer ou goûter. Tout ce que je savais, c'est que John, John tel que je l'avais connu, s'en était allé. Mais s'en était-il allé vraiment ? J'avais eu de l'affection pour cet être, mais, passé le choc initial, je ne ressentais ni chagrin profond ni déchirure épouvantable. Pourtant, je me sentais incapable d'accepter sa mort comme un phénomène qui avait mis fin à son existence et rien de plus. Je pressentais qu'il devait y avoir autre chose. Je savais que je ne pourrais m'empêcher d'y penser. Chaque fois que, par la suite, j'étais entrée dans la cuisine, j'y avais pensé. Tout comme ce jour-là j'y pensai à nouveau.

54

Après avoir bavardé quelque temps avec Marie et Louise, en écorchant autant le français que l'anglais, je leur annonçai que j'allais partir pour un week-end prolongé. Puis Marie me servit à dîner dans le salon. Je regardai les informations à la télévision. Était-ce l'effet du vin ou d'une sorte de fatigue dont je ne comprenais pas la nature ? Je laissai là le journal télévisé pour regagner ma chambre et m'étendre sur le lit, déprimée sans raison apparente.

Quel monde que le nôtre ! Nous avancions tous dans l'existence comme des étrangers, capables de cruauté autant que d'altruisme. Des étrangers se heurtant les uns aux autres sans jamais approcher ce qui, en leurs semblables, est authentique... redoutant leurs propres paroles et celles des autres. Il y avait, entre nous, un tel fossé d'incompréhension que nous avions soif de confiance, de sympathie et de gentillesse, que nous cherchions tous aveuglément le secours de barres d'appui et de canots de sauvetage. Et ces canots de survie — à plus forte raison, le nôtre — nous prenions bien soin de ne pas les exposer au roulis, tant nous avions appris à nous accommoder de nos grandes détresses et à nous armer de patience. Car nous gardions toujours l'espoir qu'un jour peut-être les choses iraient mieux. Sans chercher à les améliorer de quelque façon... Et cela jour après jour, jusqu'à ce que le monde futile prenne le pas sur celui des profondeurs. Comme si, en fin de compte, il valait mieux tout ignorer des raisons de notre existence ici-bas, éviter de prendre des risques.

Je tentai de m'assoupir. Le verre que j'avais tenu dans ma main était encore poissé de sueur. Les petites choses de la vie, pensai-je... Je devais me soucier de cela en priorité... des feuilles vert tendre du palmier, juste derrière la fenêtre, des olives noires éclatées sur l'allée de ciment, tombées de mon vieil ami l'olivier que j'avais planté moi-même, comme pour m'assurer de mes capacités à faire croître quelque chose... de l'eau chaude et des bulles de savon... du jogging que j'irais faire le lendemain matin, qui me mettrait en forme pour toute la journée grâce à l'effort qu'il me coûterait... des petites choses, des riens en somme, mais qui mis bout à bout, me réconfortaient.

Je me revis assise sur le lit de Clifford Odets peu de temps avant qu'il meure. J'avais toujours éprouvé amour et respect

pour ses pièces. Il savait, mieux que personne, exprimer
l'espérance et le triomphe de l'homme sur l'adversité... surtout
quand il les exprimait au travers de gens simples et anonymes.
Le cancer l'avait transformé et sa tête ressemblait à celle d'un
oiseau ratatiné. Il avait perdu son imposante chevelure. Le mal
qui le rongeait lui avait ballonné le ventre, et des tubes lui
sortaient du nez. Il buvait du lait à petites gorgées dans un
récipient de plastique, et il m'avait demandé d'ouvrir les
fenêtres pour qu'un souffle d'air pur rafraîchît le récipient.

— J'ai envie de vivre, m'avait-il dit. De vivre et de décrire
à des foules de gens quelles joies recèlent des choses aussi
infimes que l'œil d'une mouche.

Vers deux heures, je me sentis somnolente. A Londres, il
était déjà dix heures du matin.

Des images de ma vie défilaient dans ma tête... une vaste
étendue désertique au Sahara, dont j'aurais bien voulu faire la
traversée, pour voir si j'en étais capable... la danse du mouchoir
avec un paysan russe, dans un restaurant de Léningrad, sous les
applaudissements des clients... une mère de la tribu Massaï
mourant de syphilis en Afrique alors qu'elle accouchait... une
escadrille d'oiseaux en vol groupé, comme s'ils ne faisaient
qu'un, lors d'un tournage au Mexique, et moi me demandant
comment ils parvenaient à garder une telle cohésion... une
immense étendue de campagne quelque part en Chine, où
j'avais conduit la première délégation de femmes américaines,
lesquelles avaient toutes revêtu la même tenue unisexe de
rigueur... l'expression de Gerry quand je lui avais dit que
j'aimais voyager seule... un énorme coffre de voyage savamment agencé, avec plein de tiroirs et de placards, qui deviendrait une maison mobile, pour m'éviter à tout jamais de
m'installer dans des endroits différents... des danseurs, des
chorégraphes, l'angoisse des avions, des pianos de bastringue,
l'éblouissement des flashes, des tonnerres d'applaudissements,
la chaleur des spots dans les studios de télévision, des décors de
tournage paisibles, des conférences de presse, des questions
embarrassantes, des campagnes politiques, des candidats sans
projets cohérents mais pleins de bonne volonté... le visage crispé
de George McGovern le soir où Nixon l'avait massivement
emporté... les oscars et mon angoisse d'en *gagner* un, que

j'estimais ne pas mériter, pour *Irma la douce*... ma déception de *ne pas* en obtenir un pour *The Apartment*, du fait que c'était précisément l'année où Elizabeth Taylor avait failli mourir des suites d'une trachéotomie... les quatre autres fois où j'avais été sélectionnée alors que cela m'était indifférent... les répétitions interminables, les disputes professionnelles, les courbatures et le trac, les responsables des studios totalement stupides ; les longues heures d'écriture que je m'imposais, pour tenter de me révéler à moi-même, par une quête, une attention, une réflexion permanentes.

Mais alors, que me manquait-il ? Cherchais-je, comme tant d'autres femmes, à cerner ma véritable identité, à travers ma relation avec un homme ? L'autre moitié de moi me serait-elle révélée grâce à l'amour que j'éprouverais pour un autre être, quelles que soient la frustration et la vanité mises en jeu par cet amour ?

Hong Kong et Gerry m'envahirent l'esprit. Je l'y avais rejoint à l'occasion d'une de ses conférences, avec l'espoir que, cette fois, les choses seraient différentes, plus pleines, qu'elles me combleraient davantage.

— Merveilleux d'être toujours prête à partir au pied levé comme tu le fais, m'avait-il dit. Comment t'y prends-tu pour être si disponible ? Et pour voir tant de choses quand tu voyages, alors que moi, je n'ai jamais le temps de rien ?

Il ne s'était même pas aperçu que je ne lui répondais pas... Je m'étais demandé si je *cherchais* quelque chose ailleurs, ou bien si je me *fuyais* moi-même. Et si Gerry, en supposant qu'il disposât d'un peu plus de temps, aurait su en profiter pleinement. Je ne le croyais pas capable de voir vraiment ce qu'il contemplait. Il avait parcouru l'Afrique quand il était jeune. Mais quand il m'en avait parlé, pas une seule fois il n'avait mentionné ce qu'il y avait mangé, touché, vu, respiré ou même ressenti. Quand il parlait de ce voyage, c'était essentiellement pour évoquer des réalités politiques, pas des réalités humaines. Et s'il savait fort bien raconter comment les « masses » étaient exploitées, appauvries, colonisées, il ne disait mot sur leur façon de vivre et de ressentir cette exploitation.

C'était la première fois qu'il venait à Hong Kong. Je lui en décrivis l'atmosphère lorsque nous fûmes dans sa chambre d'hôtel, car il ne semblait donner aucun sens à ce fatras grouillant et paradisiaque, où les tireurs de pousse-pousse côtoient les taxis au milieu de cette marée de cinq millions et demi d'êtres humains proliférant au point d'empiéter sur la baie, dans cet Eden du négoce avec ses soieries chinoises, ses brocarts japonais, ses cotonnades indiennes et ses dentelles suisses, avec ses articles les plus divers, des montres aux ivoires en passant par les denrées alimentaires, les bijoux, la drogue, les parfums, les objets décoratifs, les jades, les innombrables bibelots draînés du monde entier vers ce port franc du profit... rien de tout cela ne semblait éblouir Gerry ni le marquer. Il m'avoua même ne pas avoir goûté une seule fois à la cuisine chinoise depuis son arrivée.

Il craignait que les gardes, chargés de la surveillance de son étage, ne nous reconnaissent et ne se fassent de lui une opinion peu flatteuse. Je lui rappelai qu'en Asie aucun étranger n'échappait au zèle observateur des autochtones. Mais cela n'avait guère d'importance : l'essentiel pour eux était d'être au courant.

Il avait écouté comme un conte de fées le récit que je lui avais fait de ma visite au fin fond de Kowloon, bien au-delà des boutiques de soieries, des fabriques de jade, des magasins de montres suisses et du quartier résidentiel où vivaient ses compatriotes britanniques. Je lui avais parlé du Star Ferry et de la baie où les voiles cramoisies des jonques venues du continent glissaient doucement. Je lui avais parlé de Cat's Street, où les étalages regorgent de tout ce qu'on peut imaginer. Je lui avais raconté mon escalade jusqu'au sommet de la Pointe Victoria, pour contempler d'en haut le spectacle des bateaux dans le port. Il s'était émerveillé de la description étourdissante que je lui avais faite des diamants, des perles, des objets rares, des mets de luxe, des pièces de tissage artisanal et des ouvrages d'une grande perfection que fabriquent ces enfants à peine plus âgés que douze ans, voués à des activités d'adultes avant même de comprendre que ces activités allaient faire d'eux des hommes. Je lui avais décrit la cohue des touristes... européens, africains, japonais, malais, indiens, américains, et de tant d'autres nationalités venus là traquer la bonne occasion.

Je lui avais décrit l'odeur des épices dans l'air, les bribes de Rock and Roll mêlées à celles de l'opéra chinois, et aussi les marchands de pacotille ambulants s'accroupissant pour s'enfourner dans la bouche, à l'aide de baguettes d'ivoire sculptées, le contenu d'un bol de riz en fine porcelaine. Ici touristes, marchands, enfants, autobus, coolies attelés à leur pousse-pousse... c'était à qui irait le plus vite dans cette course dont l'enjeu était d'acheter et de vendre le plus possible, en un minimum de temps.

Tout le monde y trouvait son compte. Les gens ne paraissaient se soucier que de l'argent, sans s'illusionner ni prétendre y faire autre chose que ce que tout le monde y faisait. Hong Kong ressemblait à Las Vegas : une ville qui ne cherchait pas à se faire passer pour autre que ce qu'elle était. L'accepter telle quelle faisait partie du jeu. En un certain sens, elle répondait à ce qu'on attendait d'elle, puisque tout le monde pouvait y traquer la bonne aubaine. On pouvait s'y ruiner en faisant des économies.

Chaque soir, les yeux de Gerry brillaient quand je lui racontais ce que j'avais fait de ma journée, pendant qu'il assistait à ses réunions. Certes, il ne pouvait se libérer autant qu'il l'aurait souhaité mais, lorsqu'il lui arrivait de pouvoir le faire, tout se passait exactement comme s'il était resté dans sa chambre.

Pour notre dernière journée là-bas, j'avais réservé un petit bateau qui devait nous conduire aux Nouveaux Territoires, où je connaissais un endroit agréable pour pique-niquer. J'avais d'ailleurs, à cette fin, emporté de la citronnade, quelques sandwiches et des tartes.

Mais à peine avions-nous mis le pied à bord qu'il s'était remis à évoquer les conditions misérables dans lesquelles vivaient les Chinois, à parler de la disparité des revenus entre riches et pauvres, déclarant qu'il était du devoir des riches de partager de leur plein gré leurs profits avec les moins fortunés. Il ne lui était jamais venu à l'esprit que les réprouvés pussent détenir une richesse spirituelle que les nantis leur envieraient s'ils la soupçonnaient, jamais venu à l'esprit qu'un riche pût ressentir une autre forme de misère, davantage de solitude et d'aliénation. Il ne parlait d'ailleurs jamais « d'un riche ». Il disait « les riches », « les pauvres », comme s'il s'agissait là d'entités amorphes.

Je me souvenais combien une de mes amies avait un jour ébranlé mes réflexes populistes en m'accusant de ne manifester absolument aucune indulgence pour les riches, et d'avoir un cœur qui ne saignait que pour les pauvres. Cette vérité m'avait beaucoup secouée.

— Gerry, l'avais-je interrompu, que penses-tu de ces collines de jade dans le lointain, dont même les pauvres, ici, peuvent jouir ?

Il avait levé les yeux vers les collines.

— Et de ces sampans qui glissent autour de nous, avec leurs voiles écarlates ? Et de ces signes que nous font les gens à bord ?

Il s'était redressé.

— J'ai bien peur de m'exprimer comme le *Sunday Observer,* avait-il répondu avec un sourire timide. J'en suis désolé. Il m'arrive d'être ennuyeux, non ?

Nous avions accosté dans une crique des Nouveaux Territoires et avions débarqué. L'équipage était resté sur le bateau. Gerry avait porté le panier du pique-nique ; moi, je m'étais chargée de la bouteille thermos et d'une couverture. Les arbres surplombant le bord de l'eau bruissaient sous la brise marine tandis que nous entreprenions de gravir la colline verdoyante. Nous respirions l'air odorant. Gerry avait ôté ses chaussures et ses pieds s'enfonçaient dans la terre. Il avait soupiré, puis étendu les bras pour les offrir à la chaleur du soleil. Il s'était arrêté devant chaque arbre, chaque fleur sauvage, s'était posé une marguerite sur l'oreille.

Nous avions gagné un ruisseau étincelant sous le soleil, bordé de buissons en fleurs que traversait le va-et-vient incessant des oiseaux. Il n'y avait personne alentour. Après avoir retiré chemise et pantalon, Gerry s'était laissé glisser dans l'eau bondissante. Puis il m'avait tendu les bras pour m'inviter à me joindre à lui. J'avais ôté ma robe pour entrer dans l'eau et m'allonger à ses côtés. Nous percevions sous nos corps les rochers glissants, tandis que le courant nous déportait mollement vers l'aval. Au-dessus de nous, les oiseaux gazouillaient dans les arbres.

Dans un même élan, nous nous étions étreints, de petites gouttes scintillantes ruisselant de nos cheveux. Il m'avait pris la tête dans ses mains et pressée contre sa poitrine. Puis nous étions revenus nous habiller, silencieux.

Je me tenais debout près de lui.

— Merde ! avait-il juré en posant les deux bras sur mes

épaules et en me regardant dans les yeux. Comment faire pour te concilier avec tout le reste ?

— Je ne sais pas, lui avais-je dit. Je ne sais pas.

— Il avait déplié la couverture pour l'étaler sur le sol, nous nous étions allongés dessus en regardant le ciel à travers les grands arbres.

Une heure plus tard, nous regagnions le bateau.

Et je me demandais comment il allait bien pouvoir se concilier, *lui*, avec tout le reste.

Le lendemain matin, j'étais assise dans le patio tandis que Marie préparait mon petit déjeuner. Je n'étais pas sûre de ce que je pensais... Mes idées étaient trop embrouillées et se bousculaient. Certes, ma relation avec Gerry ne me satisfaisait pas pleinement. Mais il y avait bien d'autres choses. Je ne tournais pas mais, sur le plan professionnel, je n'avais pas lieu de me plaindre. Bientôt de nouveaux engagements, pour lesquels je me sentais prête, me conduiraient à Las Vegas et Lake Tahoe. Lorsque je comparais ma vie à celle de mes semblables, j'avais toutes les raisons de m'estimer heureuse. Mais je ne me sentais pas particulièrement en paix avec moi-même.

David m'appela. Il venait d'arriver à Los Angeles et voulait savoir si j'irais au cours de yoga. Je lui donnai rendez-vous là-bas.

J'aimais le hatha yoga, parce qu'il faisait appel à l'exercice physique et non pas à la méditation, encore qu'il exigeât de la concentration et un certain sens de la relaxation. Le soleil qui entrait à flots par la fenêtre et la voix du professeur rendaient agréables ces exercices qui m'obligeaient à bander chaque muscle, chaque tendon de mon corps pour sentir l'énergie l'envahir. L'effort physique me clarifiait les idées.

— Respecte ton corps et il sera docile, me disait le professeur (c'était un Hindou). Vas-y en douceur. Le yoga est affaire de bon sens. Ne prends pas ton corps par surprise. Échauffe-toi avant les étirements. Ne joue pas de mauvais tours à tes muscles. Comme les gens, ils ont besoin d'être mis en condition, sinon ils s'affolent et se raidissent. Tu dois respecter leur rythme. Considère-les comme un explorateur considère le nouveau territoire sur lequel il s'engage. Un explorateur avisé progresse lentement, parce qu'il ne sait jamais quel danger le guette. C'est seulement en y allant en douceur que tu percevras le seuil dangereux bien avant de l'avoir atteint. Vois-tu, le yoga apporte l'estime de soi parce qu'il permet d'établir le conctact avec notre être profond. Il y a en toi une grande paix. Apprends à vivre avec elle et tu en ressentiras les bienfaits.

J'écoutais ses préceptes entre deux postures.

— Pour atteindre à la parfaite maîtrise du yoga, disait-il encore, il faut avoir ces quatre dispositions d'esprit : la foi, la persévérance, la patience et l'amour. Comme dans la vie. Et si, dans cette vie, tu luttes avec foi et bonté, la prochaine vie te sera plus facile.

Mon collant était trempé de sueur. « Si tu luttes avec foi et bonté, la prochaine vie te sera plus facile. » Pour énoncer un tel boniment, il ne pouvait qu'y croire. Il était Hindou après tout. Je remis ma jupe, mon T-shirt et quittai le cours en compagnie de David.

— Je vais à la librairie de l'Arbre de la Bodhi, me dit-il, tandis que nous marchions inondés de soleil. Tu m'y accompagnes ?

— L'Arbre de la Bodhi ? Ce n'est pas l'arbre sous lequel Bouddha a médité pendant une quarantaine de jours ?

— Si.

— De quel genre de librairie s'agit-il donc ? Orientale ?

— Un peu, fit-il. Ils ont un tas de trucs sur le surnaturel et la métaphysique. Tu n'en as jamais entendu parler ?

Confuse, je dus admettre que non.

— Tu sais, je crois que ça va te plaire, affirma-t-il avec gentillesse. Si tu adhères autant à ton yoga, tu te passionneras forcément pour les écrits des anciens mystiques. Je suis surpris que tu aies pu séjourner aussi longtemps en Inde sans t'imprégner de la spiritualité des lieux. Mais peu importe. C'est sur l'avenue Melrose, près du boulevard La Cienaga. Je te retrouve là-bas.

— D'accord.

Lorsque, aujourd'hui, je regarde en arrière, je puis affirmer que la banale décision de me rendre à cette librairie peu ordinaire, prise en un après-midi d'oisiveté, aura été l'une des plus importantes de toute mon existence. Et cela renforce ma conviction que nous ne franchissons les minuscules étapes de ce genre, pourtant si lourdes de conséquences, que si nous y sommes préparés. Il y a quelques années encore, une telle démarche eût été pour moi synonyme de temps perdu, tant j'avais de scénarios à lire et de téléphones à décrocher. J'étais alors bien trop préoccupée de ma propre réussite pour me rendre compte que la vie renferme une autre dimension.

Lorsque j'arrivai à l'Arbre de la Bodhi, David m'y avait devancée. Il m'attendait à l'extérieur, adossé à un arbre. Il eut un sourire en me voyant caser ma grosse Lincoln dans un emplacement tout juste suffisant pour une Volkswagen.

— C'est une voiture de location, lui dis-je. Je ne tiens pas à en posséder une. Trop d'emmerdements. En plus, je n'y connais rien en mécanique. Du moment que je dispose de quatre roues et d'un peu d'essence, ça me suffit. Tu comprends cela ?

— Sans doute mieux que tu ne l'imagines, répondit-il, en me prenant le bras pour m'entraîner à l'intérieur.

En pénétrant dans le fouillis de la librairie, je fus saisie par l'odeur d'encens au bois de santal qui flottait dans les différentes pièces. Je regardai tout autour. Des affiches de Bouddha et de Yogi qui m'étaient inconnues souriaient du haut de leurs cadres. Un peu partout, des clients qui avaient fait provision de livres buvaient des tisanes et discutaient sans élever la voix. J'examinai les rayonnages. Le long des murs s'alignaient des livres aux titres multiples, de la vie après la mort à comment se nourrir de son vivant. J'adressai à David un faible sourire, tant je me sentais gauche et empruntée dans ce lieu.

— C'est... fascinant, dis-je, regrettant tout aussitôt de m'être sentie obligée de faire ce commentaire.

Une jeune femme en sandales et robe de gaze vint nous offrir du thé.

— Puis-je vous être utile ? nous demanda-t-elle d'une voix calme et apaisante. Elle s'accordait parfaitement à l'atmosphère des lieux, me sembla-t-il. Ou peut-être était-ce moi qui avais été mise en condition. Elle me reconnut et me proposa de me faire rencontrer le propriétaire de la librairie. Il prenait le thé dans son bureau, nous dit-elle. David acquiesça d'un sourire et nous la suivîmes.

Le bureau était plein à craquer de livres. Le propriétaire était un homme jeune, dans les trente-cinq ans, qui portait une barbe. Il parut ravi de faire ma connaissance et s'en déclara très honoré. Il me dit qu'il avait lu mes livres, ajoutant qu'il portait un intérêt tout particulier à ce que j'avais retiré de mon séjour en Himalaya.

— Jusqu'où avez-vous poussé les techniques de médita-tion ? me demanda-t-il. Utilisez-vous la respiration Kampal-bhati ? Difficile sans doute, mais efficace, non ?

J'ignorais à quoi il faisait allusion. Mais à cet instant précis, un jeune homme aux cheveux en brosse et en T-shirt de football entra nonchalemment dans le bureau, nous dévisagea tour à tour, un petit sourire narquois aux lèvres, moi, David et enfin John, le propriétaire.

— Dis donc, vieux, fit-il en s'adressant à ce dernier, qu'est-ce que c'est que cette idée de merde qui veut que si on pense bien, on est heureux ? Je veux dire... comment un type de mon âge *pourrait-il* être heureux dans le monde d'aujourd'hui, hein ? Alors, pourquoi des charlatans de votre espèce essaient-ils de vendre aux gens ce genre de salade ?

Devinant à quel point j'étais mal à l'aise, David me pressa légèrement le bras. Quant à John, il demanda à l'intrus ce qu'il pouvait faire pour lui. Mais le jeune homme ne voulait rien entendre.

— Ma parole, mais à quoi ça rime, tout votre cinéma ? reprit-il. De l'encens, des tisanes, et des posters plein la vue. Ça oui... Mais la vérité, c'est que vous êtes des petits merdeux.

John nous prit gentiment par le bras, David et moi, pour nous faire sortir de son bureau et nous acheminer vers la boutique.

— Désolé de cet incident.

— Pas grave, fit David. A lui de trouver sa propre voie, comme chacun de nous.

Je fis un signe à John pour exprimer que cette interruption n'avait pas d'importance, et David lui assura que nous nous débrouillerions fort bien pour trouver ce que nous cher-chions.

— Mon Dieu, dis-je à David, pourquoi ce garçon trouve-t-il les lieux si inquiétants ?

— Je ne sais pas. L'animosité doit jouer un grand rôle dans son fonctionnement émotionnel. Il doit lui être difficile de croire que la paix puisse exister.

David m'entraîna vers un énorme rayonnage sur lequel figurait l'inscription « Réincarnation et Immortalité ». Il y avait là des ouvrages aussi divers que la *Bhagavad Gîta* et le *Livre des Morts* des Égyptiens en passant par des gnoses de la Sainte

Bible et de la Kabbale. Je n'avais pas la moindre idée de ce que je contemplais.

J'observai plus attentivement David.

— Tu crois à tout ça ? lui demandai-je.

— A tout quoi ?

— Je ne sais pas. Tu crois vraiment en la réincarnation ?

— Écoute. Lorsque tu auras passé autant de temps que moi à étudier l'occulte, tu verras que la question n'est pas de savoir si c'est vrai, mais plutôt de savoir comment les choses se passent.

— Parce que, selon toi, c'est là un fait bien établi ?

Il haussa les épaules.

— Bien sûr. C'est même la seule chose qui ait du bon sens. Si chacun de nous n'avait pas une âme, pourquoi serions-nous vivants ? Qui sait ce qui est vrai ? La vérité, c'est ce à quoi l'on croit. Et ce principe peut s'appliquer partout. D'ailleurs, il doit forcément y avoir quelque chose de vrai : la croyance en l'existence de l'âme est la seule qui soit commune à *toutes* les religions.

— D'accord, à moins que toutes les religions ne soient bidon.

Il continuait à fureter parmi les rayonnages, non pas comme si la conversation ne l'intéressait pas, mais plutôt comme s'il était en quête de titres bien précis.

Depuis l'âge de douze ans, époque à laquelle je jouais au morpion pendant le catéchisme, j'avais assez peu réfléchi à la religion.

David se saisit d'un livre.

— Ce ne sont pas seulement les ouvrages de ce rayon que tu devrais lire, me dit-il, mais aussi Pythagore, Platon, Ralph Waldo Emerson, Walt Whitman, Goethe, Voltaire...

— Ils croyaient eux aussi en la réincarnation ?

— Évidemment. Ils ont même écrit des pages et des pages sur le sujet. Mais leurs œuvres ont invariablement abouti au rayon occultisme, comme s'il s'agissait de magie noire ou de quelque chose de ce genre.

— Voltaire aussi croyait en la réincarnation ?

— Mais oui, m'assura David. Selon lui, il n'est pas plus surprenant d'être né des tas de fois que d'être né une fois pour toutes. J'ai aussi ce sentiment.

Je le dévisageai. Ses yeux bleus exprimaient la franchise et la sincérité.

— Écoute, fit-il, connais-tu au moins la définition du mot « occulte ? ».

— Non, avouai-je.

— Occulte veut dire « caché ». Ce n'est pas parce qu'une chose est cachée qu'elle n'existe pas.

J'examinai son visage triste, aux pommettes saillantes. Il s'était exprimé d'un ton calme, sans hésiter, se rendant compte que je cherchais à comprendre ce qu'il me disait.

— Veux-tu que je te fasse une liste de livres ? proposa-t-il, pour en revenir aux détails pratiques.

J'eus une brève hésitation en songeant aux cinq scénarios que j'avais à lire et en me demandant ce que Gerry penserait s'il me voyait plongée dans ce genre de littérature.

— D'accord, répondis-je. Pourquoi pas ? On croyait bien que la terre n'était pas ronde jusqu'à ce que le contraire ait été prouvé. Je ne me refuse pas à l'idée d'en savoir davantage sur toutes les possibilités « cachées ». Qui aurait pu imaginer que notre corps était assailli de microbes avant le jour où quelqu'un s'est avisé d'y regarder de plus près au microscope ?

— Bravo, fit David. Pour moi, la vraie intelligence est synonyme d'ouverture d'esprit. Quand on éprouve le besoin de chercher, pourquoi ne pas se mettre en condition ?

— Alors c'est d'accord. Je me surpris à sourire.

— Prends tout ton temps pour faire le tour des rayonnages, dit-il encore. En attendant, je vais te préparer un tas de trucs à lire.

Il s'essuya le coin de la bouche et entreprit de passer en revue les titres, l'œil attentif. Je me mis donc à feuilleter les livres que je pouvais comprendre, sur la diététique, les exercices de yoga, la méditation et d'autres sujets touchant à l'équilibre et à la santé.

Au bout d'une demi-heure environ, David avait sélectionné une véritable brassée de livres. Alors que nous sortions retrouver la lumière du soleil californien, je le remerciai tout en me demandant si j'allais jamais en ouvrir un seul.

Je partais pour Honolulu le lendemain. Je pris donc congé de David et revins à la maison pour penser, me reposer, faire mes valises, et pour lire si j'en trouvais le temps.

66

Cette nuit-là, je me plongeai dans mon encyclopédie, à la rubrique réincarnation.

Je dois dire que je n'ai pas été élevée dans une pratique religieuse excessive. Mes parents m'envoyaient bien à l'église et au catéchisme, mais surtout parce qu'il était de bon ton d'y aller le dimanche. Je portais des jupons à crinoline et m'efforçais, quand nous chantions un cantique, de ne pas trop me servir de mon livre pour suivre des paroles que j'aurais dû connaître par cœur. Et si je m'interrogeais sur la destination finale de l'argent de la quête, je n'avais guère d'idées précises quant à l'existence ou la non-existence de Dieu.

Jésus Christ me semblait avoir été un homme intelligent, sensé et assurément très bon. Mais ce que j'avais appris de lui dans la Bible avait un côté philosophique, mythologique, hors de ma portée d'une certaine manière. Ses sermons et ses actes ne me touchaient pas, *moi*, directement. Aussi avais-je du mal à croire ou à ne pas croire. Il avait vécu comme tout un chacun et il avait accompli de bonnes choses, mais je ne le tenais pas pour le fils de Dieu. A l'approche de mes vingt ans j'avais décidé que Dieu et la religion relevaient de la mythologie, et que si certains éprouvaient le besoin d'y croire, libre à eux, je n'étais pas de ceux-là.

Ce qui n'était pas prouvé n'emportait pas mon adhésion. De plus, je ne ressentais pas le besoin de donner un but à ma vie ou de m'en remettre à un principe extérieur à moi-même. En somme, ce qui avait trait à la religion, à la foi en Dieu ou à l'immortalité de l'âme ne me préoccupait pas vraiment. Et comme, autour de moi, on n'accordait que peu d'intérêt à ces questions, je finis par les trouver fastidieuses. L'être humain, cette entité tangible et vivante, me semblait considérablement plus stimulant. Il m'est arrivé, plus tard, de m'engager dans des discussions oiseuses à propos de ces pièges que constituent nos croyances mythologiques. Je considérais qu'elles finissent par nous détourner de la véritable crise que traverse l'espèce humaine. Je n'appréciais guère l'autoritarisme de l'Église — de toutes les églises. Je trouvais dangereuse la peur de l'enfer qu'elles inculquaient aux fidèles qui ne croiraient pas en l'existence du paradis.

Mais si Dieu, la religion et l'au-delà m'importaient peu,

quelque chose me préoccupait passionnément en revanche. Depuis mon plus jeune âge, je m'intéressais à l'identité. A la mienne comme à celle de tous ceux que je rencontrais. L'identité, voilà qui semblait tangible. Qui étais-je ? Qui étaient mes semblables ? Qu'est-ce qui me poussait à agir ? Qu'est-ce qui les poussait à agir ? Pourquoi certains êtres avaient-ils de l'importance pour moi et pas les autres ? Aussi l'analyse des relations devint-elle une de mes préoccupations favorites, qu'il s'agisse de ma relation à moi-même ou de ma relation avec autrui.

Cette curiosité quant à l'origine de ma propre identité m'a peut-être révélé que quelque chose existait en moi, au-delà de ce que je percevais consciemment. Peut-être y avait-il d'autres identités, profondément enfouies dans mon subconscient, qu'il me suffisait de chercher ? Que de fois m'est-il arrivé, au cours de ma carrière centrée sur la recherche de l'expression — qu'il s'agisse de la danse, de l'écriture ou du jeu de scène — d'être surprise ou déroutée en m'interrogeant sur l'origine d'un sentiment, d'une réminiscence ou d'une inspiration. Comme la plupart des artistes, je me contentais d'attribuer ces questions à cette insaisissable notion qu'on appelle créativité. Mais il faut bien admettre qu'alors, au tréfonds de mes entrailles, je sentais une flamme que je n'étais en mesure ni de compendre ni de toucher du doigt. D'où provenait-elle, cette flamme ? Et qu'est-ce qui l'avait précédée ?

Car depuis toujours, ce qui préexistait m'intéressait bien davantage que ce qui venait ensuite. Sans doute, pour cette raison, me préoccupais-je moins de ce qu'il adviendrait de moi après ma mort que de ce qui m'avait faite telle que j'étais. Et lorsque, pour la première fois, je fus confrontée à la notion de *vie avant la naissance*, j'éprouvais tout naturellement le vif désir d'aller y voir de plus près.

Mon encyclopédie expliquait que la doctrine de la réincarnation remontait aux premières traces écrites de l'histoire humaine. Cette doctrine suggérait l'existence d'un lien entre toutes les choses vivantes, la purification graduelle de l'âme, ou si l'on veut de l'esprit, jusqu'à son retour vers la source et l'origine communes à la vie, autrement dit vers Dieu. L'âme, immortelle, se réincarnait successivement un certain nombre de fois, jusqu'à ce qu'elle eût accompli sa purification morale. L'encyclopédie ajoutait que les deux objectifs corollaires du karma — à savoir l'acceptation de ses malheurs et la réincarnation, ou possibilité physique de vivre son karma — comptaient parmi les plus anciennes croyances de l'humanité. De plus, elles étaient plus universellement admises que n'importe quel autre concept religieux. Information très nouvelle pour moi, qui avais vaguement associé la réincarnation, jusque là, à des esprits immatériels, aux fantômes, au surnaturel et aux craquements inquiétants de la nuit. Il ne m'était jamais encore venu à l'esprit de l'associer à aucune des religions majeures et dignes de foi.

Je passai ensuite à la rubrique religion. Bien qu'il fût impossible de donner d'elles une définition exacte, la plupart des religions avaient en commun certaines caractéristiques : la croyance en l'existence de l'âme, l'acceptation d'une révélation surnaturelle et, entre autres, la quête constante du salut de l'âme. Des Égyptiens aux Grecs, en passant par les Bouddhistes et les Hindouïstes, l'âme était considérée comme une entité préexistante, venant successivement habiter plusieurs corps, dans lesquels elle s'incarnait pour un temps avant de redevenir forme astrale, entité désincarnée, puis de se réincarner à nouveau, de façon répétitive. Et si chaque religion avait sa propre explication quant à l'origine de l'âme, aucune n'échappait à cette croyance que l'âme fait partie intégrante de l'homme et qu'elle est immortelle. En Occident, l'ancien concept de la réincarnation s'était perdu, quelque part entre judaïsme et christiannisme.

Je refermai les volumes de mon encyclopédie pour réfléchir pendant un certain temps.

Des centaines de millions de gens croyaient en la théorie de la réincarnation, quelle que fût l'appellation qu'ils lui donnaient. Alors que moi, qui avais reçu une éducation chrétienne, je n'avais jamais eu la moindre idée de ce qu'elle pouvait bien signifier.

Je me préparai à partir pour rejoindre Gerry, en me demandant si d'autres choses, encore, existaient en ce monde, dont je n'avais pas non plus la moindre idée.

Chapitre 4

« Tout subsiste et rien ne meurt jamais, mais se dérobe aux regards pour revenir à nouveau, tel est le secret du monde... Jésus n'est pas mort : il est même bien vivant ; et ainsi de Jean, de Paul, de Mahomet et d'Aristote. Il nous arrive parfois de croire que nous les avons vus, et nous pourrions aisément dire les noms sous lesquels ils se meuvent aujourd'hui ».

Ralph Waldo Emerson
Nominaliste et Réaliste

DE Los Angeles à Honolulu, le vol s'effectua dans un ciel d'azur et fut des plus paisibles. Pendant tout le trajet ou presque, je sommeillai ou pensai à Gerry. Et aussi à mon amitié pour David, me demandant s'il m'était arrivé déjà de fréquenter d'autres êtres avec qui je m'étais promenée, mise à table, sans jamais les connaître *vraiment*. Je m'inscrivis au Kahala Hilton sous un nom d'emprunt. Nul ne me reconnut. Je gagnai ma chambre et me mis à attendre.

Et voilà que ça recommençait... j'étais là, plantée sur le balcon d'une chambre d'hôtel, à contempler la houle apaisante et mélodieuse du Pacifique, le soleil rouge qui déclinait sur l'eau... là à attendre. A attendre un homme. L'homme que j'aimais ou croyais aimer, peu importe. Je savais que j'éprouvais pour lui un sentiment très puissant, et que je serais allée n'importe où pour le retrouver. Nous avions tous les deux une vie bien remplie, une activité créatrice, et pourtant il nous manquait quelque chose. C'était vrai pour moi, en tout cas. Aussi loin que je fouille dans ma mémoire, j'ai toujours ressenti le besoin d'aimer. Un homme semblait être l'objet le plus propre à combler ce désir. Mais au fond, n'éprouvais-je pas le besoin de *ressentir l'amour* faute d'avoir su m'assigner dans la vie un but plus profond ? Au fond, qu'en savais-je ?

Honolulu est un des lieux que je préfère au monde, surtout à l'heure où le soleil se couche. Même si, comme ce jour-là, y grouillent les touristes vêtus du *mumu* local, kodak en bandoulière, attirés par quelque congrès. Sans compter que le Kahala Hilton est l'un des plus ravissants hôtels qui soient, avec ses jardins intérieurs se prolongeant au-dehors, son bar sous-marin et son bassin d'eau de mer où, en contrebas, s'ébattent joyeusement des dauphins. J'écoutais, recueillie, la rumeur berceuse de la houle venant mourir sur la plage et le bruissement des cocotiers. Il y eut un choc assourdi. Une grosse noix trop mûre venait de tomber d'un arbre. Je surveillais la marche de ma montre. Gerry m'avait dit qu'il serait là vers six heures trente. Il était sept heures et demie. Il faisait trop beau pour que les avions aient été retardés. Et l'aéroport m'avait assuré qu'il ne pouvait y avoir eu aucun ennui de météo au décollage de Londres. Gerry avait donc dû partir à l'heure. Bof ! Le monde n'était qu'une balle de golf. Bientôt il allait arriver. Mais ce retard me contrariait car nous n'avions, je le savais, que trente-six heures à passer ensemble. Dieu ! Comme le temps jouait contre moi ! Quoi que j'entreprenne, il était toujours trop court. J'étais si avide de jouir de tout que le manque de temps était cause continuelle de frustration. Le passé et l'avenir ne cessaient de me faire obstacle, le premier avec son sillage, le second avec ses incertitudes. Quand je n'aurais voulu vivre qu'au présent.

Je respirai l'air chaud du crépuscule, rentrai dans ma chambre et mis en marche la télévision.

Carter était très mécontent de Begin. Teddy Kennedy était très mécontent de Carter. Au parlement canadien, Pierre Trudeau avait insulté un député en usant d'un qualificatif grossier. Décidément, le monde était amusant, ou bien désespérant. Question de point de vue. C'était tout l'un ou tout l'autre.

Je contemplai la chambre. Ne voulant pas attirer l'attention, je n'avais pas pris de suite. Mais cette chambre conviendrait parfaitement, compte tenu du peu de temps que Gerry et moi passerions ensemble. Je savais qu'il aimerait Honolulu. Il n'y était encore jamais venu. J'espérais qu'il saurait en *ressentir* le charme. Son premier geste serait d'aller sur le balcon pour observer les alentours. Chez lui, c'était un besoin. Il regarderait au loin Diamond Head et ferait un commentaire à propos des palmiers. La nature exerçait sur lui un effet lénifiant. Au spectacle d'un arbre ruisselant de pluie sur lequel un oiseau secouait ses ailes détrempées, son esprit pouvait se mettre au point mort. Quand il regardait, au petit matin, le soleil s'embraser avec des chatoiements de flamant rose, il cessait de se soucier de la marche du monde et des aléas de sa réélection. L'idée que la nature était belle, plus puissante que tout le reste, semblait apaiser son esprit. Sans doute parce qu'il avait grandi dans la campagne anglaise, enduré les hivers anglais, marché à travers prés et pâturages anglais, et nagé dans les eaux glacées de la Manche. La vie urbaine le déprimait. Il avait besoin d'espace et d'affrontement avec la nature.

J'étais heureuse de le retrouver à Honolulu. Il allait en aimer la paix profonde. Une fois de plus, je me surprenais à penser à Gerry comme si j'étais à sa place.

Un autre quart d'heure s'était écoulé. Quinze minutes qui nous étaient ravies et que nous ne retrouverions jamais. L'épaisse moquette de la chambre était rouge grenat. Et le dessus de lit d'un vert olive, avec des fleurs grenat. Pourquoi fallait-il que les rideaux soient invariablement assortis aux dessus de lit ? Je me demandai si la chaîne Hilton construirait un jour un hôtel à flanc de montagne en Chine. Que les Chinois avaient donc l'air godiche quand, à la réception sino-américaine, ils s'étaient mis à danser sur la musique du film *Saturday Night Fever* ! Je me demandai encore comment ils allaient s'y prendre pour faire aboutir leur constant effort de modernisation. Le jeu en valait-il vraiment la chandelle ? Je ne savais plus très bien ce qui comptait au juste.

J'allumai une autre cigarette. Gerry avait tenté, un an plus tôt, de cesser de fumer. Il me reprochait de ne pas essayer aussi. S'il fumait toujours, prétendait-il, c'était parce que chaque fois qu'il entrait quelque part il trouvait quelqu'un en train de fumer aussi. Je le comprenais fort bien. J'aurais pu m'interdire la cigarette. Je l'avais fait des tas de fois. Mais quand je devais prendre de grandes décisions, j'avais besoin de cette compagne

73

silencieuse, de cet objet qui ne bouge pas, se consume et n'intervient jamais. Comme je n'ai jamais avalé la fumée, le tabac ne m'a pas empêchée de chanter ou de danser, encore qu'il m'ait irrité la gorge et donné envie de tousser. Mais soit, me dis-je, dès que Gerry sera là je cesserai de fumer. Peut-être fera-t-il comme moi.

A présent, la lune se levait au-dessus de Waïkiki, et Diamond Head n'était plus qu'une masse noire qui se reflétait dans la mer. Aurait-il manqué son avion à Londres ? Je présumais que sa présence à la conférence Nord-Sud n'était pas indispensable. Mais pour moi, elle l'était.

Le téléphone de chevet sonna. Il était presque huit heures.

— C'est moi ! fit Gerry, comme si nous nous étions quittés la veille.

Sa voix tranquille me faisait fondre. Il changeait de voix quand il était loin de son bureau.

— Une heure d'attente dans le salon de réception de l'aéroport, dit-il. Quelqu'un devait, paraît-il, s'occuper de nos bagages pendant que nous attendions, mais personne ne l'a fait. Si bien que je me suis chargé moi-même du mien. Tu es ici depuis quand ?

— Quelques heures. Je ne voulais pas qu'il sût combien j'avais compté les minutes.

— Le temps d'expédier un groupe de braves femmes qui tiennent à prendre un verre avec ma délégation et j'arrive.

— De braves femmes ? demandai-je.

— Oui, de braves femmes. Pas très futées, mais pleines de bonnes intentions. Je m'occupe d'elles et j'arrive sitôt que je peux m'en débarrasser. Il me tarde de te revoir.

Je raccrochai, m'examinai une fois de plus dans un miroir, décidai de ravaler l'irritation que m'avait valu son commentaire de phallocrate sur les braves femmes. Je décidai de porter un pull de laine vert, celui que je préférais.

J'entrebaillai la porte afin que Gerry n'eût pas à frapper ni à attendre que je lui ouvre. Le couloir était plein d'agents des services secrets et d'hommes politiques venus du monde entier. Je me demandai comment il allait bien pouvoir arriver jusqu'à moi sans être reconnu. J'essayais de me dépêtrer de mon pull quand je l'entendis pousser la porte et entrer dans la pièce. Je savais qu'il était là, mais ne pouvais le voir car, en enfilant le

74

lainage, j'avais accroché les mailles à une de mes boucles d'oreilles. Je sentis ses bras m'entourer la taille. Je ne voyais rien que de la laine verte. Il m'embrassa dans le cou. Je me sentais défaillir sous l'ardeur de sa bouche. Et aussi de douleur, car le pull tiraillait mon oreille. Impossible de me dégager. Il plongea les mains sous le lainage et prit entre elles mon visage.

— Ne bougeons plus, jamais plus ! C'est telle que tu es en cet instant que je t'aime. Attends, je vais t'aider.

Il retira ma boucle et me fit un baiser sur l'oreille. Puis il s'éloigna de quelques pas pour me contempler.

— J'aime cette couleur, apprécia-t-il. C'est joli.

Il fit le tour de la chambre, me dit qu'elle ressemblait exactement à la sienne et, comme je l'avais prévu, passa immédiatement sur le balcon pour observer Diamond Head.

— Tu as vu les palmiers ? fit-il. On jurerait qu'on les a peints sur fond de ciel. C'est Diamond Head ?

— Oui. On dirait un décor, mais c'est bien réel.

— Un paradis, tu ne trouves pas ?

Il me prit le bras pour que je lui enserre la taille.

— Tu as faim ? reprit il. Bien sûr. Tu as toujours faim.

— Effectivement.

— Moi aussi. Si nous mangions quelque chose ?

Je pris le téléphone et commandai deux Maï-Taï et de quoi dîner. Gerry n'avait jamais goûté au Maï-Taï. Il trouva cocasse que je commande un supplément d'ananas et se rendit à la salle de bains.

Il était dans l'eau quand on vint nous apporter le dîner. Je couvris les assiettes et portai les deux verres à la salle de bains. Je lui en tendis un dans la baignoire et m'assis sur la cuvette des toilettes. Il but à petites gorgées, sans avaler la cerise qui flottait dans le Maï-Taï. Il remua les jambes pour augmenter le volume de la mousse. Elles étaient trop longues pour la baignoire.

— Alors ? questionnai-je. Quoi de neuf ? Et comment te sens-tu ?

— Bien, me dit-il.

— C'est tout ? Tu me fais toujours la même réponse.

— Oh, quelques problèmes à Londres. Tu as dû le lire dans les journaux. Rien de bien grave. Mais toi, ta vie ?

Je lui parlai de la nouvelle chorégraphie de mon show, de l'exercice que je prenais chaque jour pour me maintenir en forme, des régimes diététiques que j'avais essayés, de la difficulté pour une actrice de trouver de bons scénarios. Il me demanda pourquoi. Je lui dis que c'était peut-être les conséquences du mouvement féministe. Plus personne ne semblait capable d'écrire des rôles féminins, car on ne savait plus très bien ce que les femmes voulaient. Tout au moins, les scénaristes hommes ne le savaient-ils pas. Quant aux femmes, elles n'écrivaient plus que sur le malheur et le sentiment de frustration qui frappaient leur sexe. Mais qui cela intéressait-il ? Le public voulait se distraire. Qui donc paierait pour aller voir ces films ?

— Je ne sais pas, dit Gerry. J'ai déjà suffisamment de mal à essayer de deviner ce que veut *le peuple* pour essayer de comprendre ce que désirent les femmes. Je ne voudrais pas te sembler méprisant, mais notre économie est en train de s'effondrer, et je doute que nous puissions garder bien longtemps la tête haute.

Je lui dis que je le comprenais. Il me demanda comment les choses allaient en Amérique. J'hésitai à lui répondre, car je n'étais pas très sûre de le savoir. Il n'est pas si facile de schématiser en une formule les Américains. A mon tour, je l'interrogeai sur ce qu'il se passait dans le monde, et nous discutâmes ainsi à bâtons rompus, chacun savourant les questions, les sourires et les réponses de l'autre, même si notre conversation se situait au-delà des mots. Ce n'étaient pas tant de *dire* qui importait, que la *façon de le dire*. Nous prenions l'un et l'autre un égal bonheur à ce jeu, à cette fascination réciproque. Nous tirions un plaisir subtil à voir nos mains se mouvoir, à observer les expressions de nos visages, notre façon de nous soutenir la tête pour réfléchir. Deux acteurs, hypnotisés l'un par l'autre.

Il fut donc question de Carter, de l'inflation, du dollar, et même d'Amine Dada et de l'énergie solaire. Que la conversation porte sur le nouveau projet fiscal, la montée des prix de l'OPEP ou les rôles féminins au cinéma, il se créait entre nous un échange subtil, que des mots ne peuvent traduire, mais qui nous était familier à tous deux. Il suffisait que je parle des gisements de pétrole iraniens ou de la nécessité pour les travailleurs de se syndiquer pour que je voie au fond des yeux de Gerry quelque chose qui fondait, et où moi aussi je me fondais. Quand il m'écoutait, je sentais sourdre en lui un bouleversement semblable à la lave d'un volcan, qui se déversait dans son regard. Je me retins de m'approcher de lui, de le toucher, de l'embrasser ou d'entrer dans son bain. J'aimais contenir mes impulsions émotionnelles pour que nous puissions communiquer sur un double plan. Ce recours aux mots de surface tempérait l'élan des profondeurs où, je le sentais bien, ma fougue allait exploser sans que je sois très sûre d'en connaître la raison.

Je contemplai son corps dans l'eau chaude. Des bulles de mousse en soulignaient les contours. Je regardai son sexe affleurant à la surface de l'eau, me demandant quel effet cela faisait d'en avoir un, encore que j'eusse le sentiment de le savoir.

Gerry s'allongea de tout son long dans la baignoire et ferma les yeux. Je laissai s'écouler quelques secondes.

— Gerry ?

Il ouvrit les yeux

— Quoi ? me demanda-t-il.

— Tu crois en la réincarnation ?

— La *réincarnation* ? Il était ahuri. Mon Dieu..., pourquoi cette question ? Bien sûr que non.

— Pourquoi dis-tu : bien sûr que non ?

— Mais... parce que c'est une pure extravagance, répondit-il en riant. Ce sont les gens qui n'ont pas le courage de vivre *ici* et *dans le présent* qui éprouvent le besoin de croire à ces chimères.

— Possible, dis-je, quelque peu blessée de constater qu'il se moquait ouvertement de cette hypothèse. Tu as peut-être raison. Pourtant, des multitudes de gens y croient. Qui te dit qu'ils n'ont pas raison, eux aussi ? »

— Mais c'est parce qu'ils sont bien *obligés* d'y croire, ces pauvres bougres ! Ils n'ont rien d'autre dans la vie. D'ailleurs, je suis loin de les en blâmer. Mais s'ils croyaient un peu plus à ici, maintenant, cela nous faciliterait grandement la tâche, à moi et à beaucoup d'autres.

— C'est-à-dire ?

— Ces gens-là ne se prennent pas en mains, alors que, s'ils le faisaient, ils pourraient avoir une vie plus décente. Ils se contentent d'exister, comme si les choses allaient s'arranger d'elles-mêmes la prochaine fois, en considérant que cette fois-ci est sans importance. Non, Shirl, poursuivit-il d'un ton assuré, c'est *dès aujourd'hui* que je veux agir pour améliorer les conditions de vie désespérées du peuple. Parce que cette vie, c'est tout ce que nous possédons. Et je la respecte. Mais pourquoi cette question ? Tu y crois, toi, à ces sornettes ?

Je fus décontenancée par cette rebuffade. J'avais espéré qu'il se montrerait plus ouvert, à la discussion au moins.

— Je ne sais pas, répondis-je. Pas vraiment.

Il fit dans l'eau un geste de la main et referma les yeux.

Seigneur ! me dis-je, tout ce qui touche à la métaphysique est décidément bien dérangeant. Mais pourquoi ? Moi, je n'étais pas dérangée par ces notions. Au contraire, il me semblait qu'il y avait là toute une dimension à explorer. Quel mal y avait-il à le faire ? Je comprenais fort bien le point de vue de Gerry sur les gens qui se refusent à prendre en mains leur destin ici et maintenant. Mais comment admettre l'injustice qui vous fait naître par accident, pauvre et démuni, quand d'autres naissent dans l'aisance ? La vie était-elle à ce point cruelle ? A moins que la vie ne soit qu'un accident ? Cela semblait tout de même trop simple, trop commode.

— Que c'est bon ! fit Gerry qui se prélassait mollement dans le bain savonneux. Une bien jolie salle de bains, avec une baignoire un peu courte, mais tant pis. L'hôtel est fort agréable, et la salle de bains encore plus. Ta présence doit y être pour quelque chose.

— Sans doute, répondis-je, désertant mes pensées. Une salle de bains, c'est pourtant un lieu très intime, non ? Pour s'y sentir à l'aise en présence de quelqu'un d'autre, il faut qu'une sorte de communion s'établisse.

Gerry sourit et acquiesça d'un signe de tête. Les salles de bains *avaient* toujours été pour moi des lieux très intimes, des refuges primitifs pour les passions instinctives. Je pensai alors à cet incident survenu quelques années auparavant. L'un de mes amants avait tout saccagé dans la salle de bains d'un hôtel de Washington. D'un revers du bras, il avait fait voler en éclats les verres qui se trouvaient sur le lavabo, puis projeté mon séchoir à cheveux contre un miroir, dont les morceaux étaient tombés dans la baignoire. Dans la chambre, nous nous étions querellés à propos de sa jalousie, mais sa violence s'était déchaînée dans la salle de bains.

Une autre scène me revint en mémoire. Un incident de mon enfance. A l'école de danse, on avait attribué le rôle principal dans un ballet à une autre que moi. Et ce rôle, j'en rêvais depuis cinq ans. Ce jour-là, me regardant fixement dans le miroir du lavabo, je me demandais ce qui m'avait valu d'être éliminée quand, tout à coup, avant même d'avoir compris ce qui se produisait, je m'étais mise à vomir.

Je me remémorai aussi le premier dîner que j'avais donné en Californie. Je m'étais sentie si nerveuse et si peu capable d'assumer mon rôle d'hôtesse que j'étais allée m'enfermer dans la salle de bains jusqu'à ce que le service fût terminé.

Un autre souvenir. Mon frère Warren et moi, jouant dans des flaques d'eau fangeuses par une journée d'hiver. Maman était furieuse. Elle avait plongé Warren dans la baignoire pour le laver. Ses hurlements me parvenaient de la salle de bains. C'était là encore que mon père l'avait transporté le jour où il était tombé sur les débris d'une bouteille de lait cassée et s'était blessé au bras. Comme le sang jaillissait de la blessure, il le maintenait au-dessus de la baignoire. Je revis le visage suppliant de Warren tendu vers mon père qui semblait dire : « Papa, fais quelque chose pour que j'aie moins mal. »

Je songeai aussi à une de mes gouvernantes, qui tous les soirs à six heures allait s'enfermer dans la salle de bains, pour y prier devant une bougie qu'elle allumait dans la baignoire. Aussi loin que remontent mes souvenirs, le lieu privilégié entre tous, le plus intime, le plus approprié, le plus reposant et le plus indispensable, celui dans lequel je me retranchais toujours, où que je fusse de par le monde, était cette pièce bien éclairée, pourvue d'une bonne baignoire étincelante de propreté, où se déversait lentement l'eau chaude. C'est là que je me retrouvais quand je me sentais dépressive, désemparée et quand j'avais travaillé dur ; j'y retrouvais mon énergie, je m'y disposai au sommeil ; là, je soulageais mes jambes endolories, le soir venu ; là, je m'éclaircissais les idées à mon réveil ; j'y coordonnais mes activités physiques et mentales, je puisais en moi des idées neuves, je reprenais espoir et je mettais en ordre mes esprits. Et chaque fois que je passais la journée loin de chez moi, à l'idée qu'au retour m'attendrait une bonne baignoire que j'emplirais d'une eau chaude accueillante, dans une salle de bains confortable, je me sentais ragaillardie.

Gerry finit son Maï-Taï, me tendit son verre, se lava et me demanda de lui savonner le dos.

— Tu sais, me dit-il lorsqu'il fut sorti de l'eau pour se sécher, contribuables ou pas, je suis reconnaissant au téléphone d'exister. D'ailleurs, pour ta gouverne, tu avais raison et c'est *moi* seul qui paie les notes. Cela dit, je n'aurais pas pu vivre pendant ces longues semaines sans entendre ta voix.

— Moi non plus. Je le regardais se frotter le dos avec sa serviette.

— Sais-tu que je suis véritablement obsédé par ta voix ? Et Dieu sait si je n'aime pas me sentir obsédé !

— Qu'est-ce que tu veux dire ? J'eus un léger frisson.

— Tu vois, je me rends compte que je passe toute la journée à attendre le moment de t'appeler. Ça me vide de toute mon énergie, je n'aime pas ça. »

Je le regardai. De quoi parlait-il au juste ? Ce qu'il venait de dire me faisait peur.

— Tu ne manges pas la cerise ?

Immobile, la serviette autour des reins, il désignait du regard mon verre vide.

— Non. C'est trop sucré pour moi.

— Je peux la prendre ?

Je la lui tendis et lui pris la main. Il m'entraîna vers la chambre. Sur le plateau, les crustacés à la Newburg avaient eu le temps de refroidir. On ne nous avait apporté qu'une seule fourchette, je la tendis à Gerry. Il ne remarqua même pas que je mangeais avec mon couteau. Je lui entourai les épaules de mon trench coat pour qu'il ne prît pas froid. Tel qu'il était vêtu, il ressemblait à un chérubin bourru qui aurait grandi trop vite.

— Tu te souviens des vieilles godasses que je portais constamment et que tu aimais tant ? questionna-t-il. — Je fis un signe de tête. — Ma fille les a jetées à la poubelle. Elle s'est dit que c'était la seule façon de m'en faire acheter des neuves.

— Ta fille a jeté mes chaussures préférées ?

— Eh oui.

Il se pencha en avant, appréhendant ce que j'allais dire. Son sourire s'était envolé. Je ne savais trop quelle réponse il attendait de ma part.

— Peut-être les a-t-elles jetées parce qu'elles sentaient le parfum, elle aussi ? ironisai-je.

Il se leva d'un bond, rejeta mon manteau de ses épaules, me souleva et me serra contre lui avant de me jeter sur le lit. Ses mains douces et chaudes s'affairaient partout sur mon corps et ses cheveux me caressaient le visage. Son nez heurta le mien et

80

l'écrasa. Sa peau tiède et soyeuse sentait le bain moussant. Il tremblait légèrement en me serrant très fort contre lui.

J'ouvris les yeux pour le dévisager. Il semblait à la fois étonné, extasié et perdu. Je me redressai, pris sa tête dans mes mains et jouai avec ses cheveux.

— Comment fais-tu pour garder les ongles si longs ? me demanda-t-il.

— Tu les trouves trop longs ?

— Pas du tout. Je les trouve splendides. Ils doivent être très solides, non ?

Il leva la main gauche, pointant le petit doigt : il avait perdu un bout de phalange terminale à la suite d'un accident stupide, quand il était tout petit. Il s'en était si bien guéri qu'on n'en remarquait rien, sauf quand il attirait lui-même l'attention sur son auriculaire.

— J'ai de l'arthrite dans le petit doigt, ça me fait souffrir, me dit-il. C'est tout récent. Je me demande bien pourquoi.

— Tu dois manquer de vitamine C. Et tu ne fais aucun exercice.

Nous étions étendus côte à côte. Je le regardais faire jouer son petit doigt.

— Tu sais ce que je pense ? reprit-il. Je pense que j'ai de l'arthrite parce que je me vide de toute mon énergie. Tu m'obsèdes trop. C'est sûrement ça. Nous avons tous, dans la vie, des révélations brèves, mais aveuglantes de certitude.

— Je sais.

— Il faudrait que je tempère un peu mes sentiments, que je retrouve mon équilibre.

— Parfait. Il ne tient qu'à toi de te simplifier l'existence.

J'avais senti mon cœur cesser de battre et se glacer.

— Comprends-moi, poursuivit-il, rien de semblable ne m'est jamais arrivé. Rien qui ressemble à ça. Et je ne sais qu'en penser. Je me demande pourquoi tu m'attires à ce point, comme malgré moi, sans que j'y puisse rien.

Je contemplais mes ongles, mes ongles effilés.

— Peut-être nous sommes-nous déjà connus dans une autre vie ? — Je me tournai vivement vers lui pour observer sa réaction. — Peut-être y a-t-il eu entre nous des choses inaccomplies, des choses que nous ressentons le besoin d'accomplir, dans cette vie-ci ?

Le rouge de l'embarras envahit son visage. Pendant un court instant, il ne sembla pas juger ridicule cette éventualité. Puis ses traits reprirent leur expression habituelle. Il me sourit.

— Pourquoi pas, fit-il. Mais revenons aux choses sérieuses. Je ne sais quelle attitude adopter en ce qui nous concerne, toi et moi. Je voulais te le dire.

— Je comprends. Moi non plus je ne sais pas quelle attitude adopter. Alors, pourquoi ne pas laisser les choses courir, nous contenter de ce que nous avons dans le moment présent ?

— Mais je tiens à être loyal avec toi. Comme je tiens à être loyal avec tout le monde. J'ai toujours fait passer mon travail avant tout. Si je me mets à gaspiller mon énergie, je vais perdre tout le fruit de mes efforts. J'ai tant à faire dans les onze mois qui viennent que j'hésite à me disperser.

Je me tournai vers lui et le regardai en soupirant.

— Oui, Gerry, tout cela, je le sais. Mais qu'as-tu envisagé ? De mettre un terme à notre liaison ? De retrouver ta liberté ?

— Non ! répliqua-t-il avec conviction et sans la moindre hésitation. Une anxiété manifeste apparut sur son visage quand il me demanda : Et toi ?

— Moi non plus, jamais. — Je mentais, et pourtant j'ajoutai : — Jamais je ne l'envisagerai.

Il poussa un profond soupir.

— Tu vois, je ne peux me départir de cette horrible pensée que, peut-être, je risque de te décevoir. Je ne fais qu'y penser. Je ne veux pas te décevoir.

— De la même façon que tu ne veux pas décevoir tes électeurs ?

— Il faut que tu me répondes, fit-il. Qu'attends-tu de moi, au juste.

Sa question me prit au dépourvu. Je réfléchis un instant avant de répondre, comme si, de tout temps, je m'en étais convaincue :

— Je veux que nous soyons heureux quand nous sommes ensemble. Moi non plus je ne comprends pas pourquoi nous sommes ensemble. Mais je ne veux pas te contraindre à choisir entre moi et qui que ce soit, ou quoi que ce soit. Tu peux conserver tout ce que tu possèdes sans pour autant me perdre.

82

Pourquoi ne pas tout avoir à la fois ? Tu ajouterais une dimension à ta vie. Où est le mal ? La vie comprend peut-être de multiples dimensions que nous n'avons pas eu encore le courage d'explorer. Je ne te demande pas de prendre le moindre engagement. Je n'en attends aucun de toi. Je ne veux qu'une chose, c'est que tu sois heureux quand tu es avec moi, et qu'un jour nous sachions pourquoi nous avons été attirés l'un par l'autre.

— Mais plus tu me donnes de ta présence, et plus j'en exige.

— Alors, sers-toi. Qu'est-ce qui t'en empêche ?

— Pour ça, il faudrait que je renonce à autre chose.

— Mais pourquoi ?

— Parce que je ne dispose pas d'assez de temps pour me consacrer à toi et à tout le reste.

— Si tu prenais un peu plus de temps pour te persuader que tu as le droit d'être heureux, tu trouverais aussi celui de te consacrer au reste.

— Je ne le peux pas. Je suis constamment préoccupé par le reste.

— Pourquoi ne pas te préoccuper uniquement de ce que tu *fais* dans l'instant ?

— Parce que, quoi que je fasse, je pense que je devrais être en train de faire autre chose.

— Mais, et *toi* dans l'affaire ? Pourquoi ne prendrais-tu pas le temps d'être plus heureux chaque fois que tu le peux ? Pourquoi te refuses-tu à t'accorder un moment de joie ?

— Parce que j'ai des choses plus importantes à faire dans la vie que de m'accorder un moment de joie. Je n'ai pas le droit de ne penser qu'à moi.

— Peut-être devrais-tu commencer par là. Si tu savais mieux qui tu es, sans doute pourrais-tu venir en aide à davantage de gens.

Je pensai au journaliste qui m'avait questionnée sur mon premier séjour en Chine. Mon enthousiasme devant la lutte menée par la Chine pour obtenir son identité neuve le rendait sarcastique. Il me trouvait naïve d'être aussi émue par la révolution chinoise. J'avais beau lui expliquer qu'en Chine le sort du peuple s'était amélioré par rapport aux années précédentes, lui répéter combien j'avais été frappée par cette foi en eux-mêmes des chinois, il paraissait de plus en plus énervé. « Qu'entendez-vous par " croire en eux-mêmes " ? me demanda-t-il. Ce n'est là que propagande, que vous avez avalée toute crue. » En admettant même qu'il se fût agi de propagande, pourquoi l'idée d'un peuple cherchant à se suffire à lui-même le dérangeait-elle tant ? Il passait de la colère au bord des larmes. Selon lui, nul ne devait se croire capable de tout entreprendre et de tout obtenir... parce que cela ne pouvait mener qu'à la destruction. Je compris que c'était de lui qu'il s'agissait, qu'il se sentait indigne, *lui*, qu'il manquait de confiance en lui.

Cinq heures après avoir quitté mon appartement de New York il me téléphona. « J'ai passé toute la soirée à tourner en rond en voiture, me déclara-t-il, à repenser à ce que vous m'avez dit. La vraie raison de l'échec de mon mariage se situe là. Ma femme dit la même chose : notre couple ne marchera jamais tant que je ne croirai pas davantage en moi, tant que je ne *croirai* pas à la possibilité d'être heureux. C'est pour ça que je me suis mis dans cet état en votre présence. J'ai peur de ne pas m'accomplir, de ne pas être assez fort. Voilà pourquoi je me suis fabriqué, dans le journalisme, une solide réputation de cynique. Elle m'autorise à ridiculiser quiconque ambitionne, rêve ou ne craint pas de s'affirmer tel qu'il se veut. Moi compris. Comment prendre au sérieux ceux qui croient en eux quand on ne croit pas en soi ? »

Je formulai l'espoir qu'il écrirait un bon papier et lui souhaitai bonne chance. J'avais brusquement compris pourquoi les succès de la révolution chinoise dérangeaient tant de gens : quel que fût leur système, les Chinois avaient osé croire en eux-mêmes, en leur capacité de réussir sans l'appui du reste du monde.

Gerry s'endormit en me tenant dans ses bras. Comme il semblait vulnérable dans son sommeil ! Tant d'irrésolution cachée, chez un homme si plein d'assurance normalement, ne laissait pas de me tourmenter. Se pouvait-il qu'il se crût responsable, en quelque sorte, de la fin tragique de son premier mariage, avec la mort en couches de sa femme ? Son remariage était venu assurément fort à propos, puisqu'il avait donné une mère à l'enfant du premier lit. Mais si Gerry se sentait coupable aujourd'hui, n'était-ce pas qu'il percevait, derrière ces faits, comme un parfum de trahison.

84

Je me remémorai une récente conversation téléphonique avec mon père. En dépit de sa forte personnalité, lui non plus n'avait jamais cru en lui-même. Et pourtant, il comptait parmi les êtres les plus doués que j'aie jamais connus. Non seulement il se comportait en comédien hors de pair dans la vie courante, mais il était aussi excellent violoniste, pédagogue dans l'âme, et doué d'un esprit pénétrant.

Il en était à la fin de sa vie... du moins le croyait-il. Mais il avait toujours bu inconsidérément. Maman avait récemment subi une grave opération de la hanche. Affolé à la perspective de vivre sans elle, mon père s'était mis à boire, dès le matin. Avec un tel acharnement, que ma mère m'avait téléphoné pour m'en avertir, plus inquiète que jamais à l'idée que, cette fois, il s'agissait rien moins que d'un suicide. Papa se trouvait à côté d'elle quand elle me parla ouvertement au téléphone. Et cela ne sembla les gêner ni l'un ni l'autre. Depuis des années nous redoutions tous ce qu'il adviendrait de mon père s'il continuait à boire ainsi, mais cette crainte ne fut jamais aussi vive que durant cette conversation à distance.

— Je crains beaucoup pour lui, Shirl, me dit ma mère, et je me sens totalement impuissante. Tu sais combien il est doué et plein de ressources, et pourtant il n'y croit pas.

Je lui demandai de me passer Papa.

— B'jour, p'tit singe, me dit-il en m'appelant par mon surnom. Et je l'imaginai, assis dans son fauteuil, son nécessaire de fumeur de pipe à portée de la main, le téléphone coincé entre le cou et l'épaule. Je pouvais deviner qu'il cherchait sa pipe, qu'il l'allumait avec le briquet de collection que je lui avais rapporté d'Angleterre.

— Je vais être directe, Papa, d'accord ?

— D'accord.

— Pourquoi bois-tu autant, depuis quelques mois ?

Je ne lui avais encore jamais posé une question semblable. Jamais je n'aurais pu le faire. Par crainte, je le suppose, d'entendre la réponse.

Il se mit à pleurer. J'avais toujours eu peur de cela. De le voir d'un coup s'effondrer.

— Je bois parce que j'ai gâché ma vie, m'avoua-t-il. J'ai eu beau faire le fanfaron, au fond, je n'ai jamais eu la moindre confiance en moi. Ma mère m'a trop bien enseigné la peur et, chaque fois que je prends conscience du degré de ma peur, ça m'est insupportable. Alors il faut que je boive.

Je savais que ses mains tremblaient, comme chaque fois qu'il voulait déguiser son émotion.

— Je t'aime, Papa, lui dis-je. — Et, à mon tour, je pleurai. Il me sembla que je ne lui avais encore jamais dit une chose semblable. — Pense plutôt à ce que tu as fait de bien, papa. C'est toi qui nous as élevés, Warren et moi, non ? Cela ne compte pas pour toi ?

— J'ai toujours su que vous ne vouliez pas me ressembler. Et pour cela, vous êtes devenus ce que vous êtes. Parce que vous ne vouliez pas être des zéros comme moi.

Nous nous efforcions tous les deux de parler malgré nos larmes et nos sanglots. Avait-il, comme d'habitude, fait tomber sa cendre par terre ?

— Ce n'est pas tout à fait la vérité, lui dis-je. La vérité, c'est que nous avons mieux réussi grâce à ton aide et que *toi*, on ne t'a jamais aidé.

— Je me trouve si minable quand je constate le peu que j'ai fait de ce qui m'a été donné.

— D'accord, mais il n'est jamais trop tard, tu sais.

— Comment cela ? m'avait-il rétorqué en s'éclaircissant la gorge. (Maman était-elle en train de l'observer ?)

— Pourquoi ne prends-tu pas un stylo et du papier, pour y coucher ce que tu éprouves chaque fois que tu te sens minable ? Tu veux parier qu'il en sortirait quelque chose de très personnel sur le sentiment de se croire minable ?

Il sanglotait maintenant sans retenue.

— Il m'arrive de ne même plus pouvoir me supporter. Si je bois suffisamment, au moins je n'aurai plus le cauchemar de me réveiller le matin.

J'avalai ma salive.

— Papa, je ne t'ai jamais demandé de ma vie de me promettre quoi que ce soit, n'est-ce pas ?

— C'est vrai, p'tit singe.

— Alors, me promettras-tu quelque chose à présent ?

— Oui, ce que tu veux. Que faut-il que je te promette ?

— Me promets-tu que chaque soir, au lieu de boire, tu écriras au moins une page sur ce que tu ressens ?

86

— Moi, écrire ! Seigneur ! J'aurais tellement honte que quelqu'un me lise !

— Alors, ne laisse personne te lire. Écris seulement pour toi.

— Mais... je n'ai rien à dire !

— Comment peux-tu le savoir avant même d'avoir essayé ?

Je l'entendais tousser et je pouvais le voir chasser de la main un brin de peluche sur son épaule gauche.

— Je suis incapable d'écrire sur moi-même. Je suis même incapable de penser à ce que je suis.

— Alors écris sur moi, sur Maman, sur Warren...

— Sur toi et sur Warren ?

— Pourquoi pas ?

— Un tas de gens aimeraient lire ça, n'est-ce pas ? dit-il d'un ton moqueur.

Je savais qu'à cet instant, il souriait.

— Oui, mais surtout parce qu'il s'agirait de ton point de vue.

— Tu le penses vraiment ?

— Vraiment, fis-je. — Je l'imaginais se balançant dans son fauteuil.

— Tu te souviens de la vieille Madame Hannah, mon professeur à l'université ? Un jour elle m'avait dit que je devrais écrire. En fait elle me conseillait de parler un peu moins et d'écrire un peu plus.

— C'est vrai ?

Je me rappelai la façon dont il nous parlait de Madame Hannah, quand j'étais petite. Elle possédait une vieille guimbarde, que mon père adorait réparer.

— Je t'ai parlé de sa vieille voiture ? Elle aurait mieux fait d'avoir une carriole et un cheval ! Et pourtant, sa maudite vieille guimbarde, elle la traitait comme une compagne. Sais-tu qu'un jour, dans un champ de foin...

— Dis-donc, papa, pourquoi ne pas commencer à écrire sur la voiture de Madame Hannah dans les champs de foin ? Tu risque de défraîchir ton histoire si tu me la racontes au téléphone.

— C'est donc comme ça que ça marche ? me demanda-t-il en s'éclaircissant la voix. Tu ne vas tout de même pas me dire que si j'avais écrit chaque fois que j'ai posé pour la galerie j'aurais pu faire un livre ?

— Mais si ! Madame Hannah t'a toujours dit que tu parlais trop, et trop longtemps, sans rien en retirer.

— Elle m'en rebattait les oreilles, cette vieille emmerdeuse ! Je t'ai raconté aussi qu'elle avait mis le feu à sa baraque pour toucher l'assurance et lever le pied avec le gars qui la lui avait fait prendre ?

— Voilà qui me semble être un personnage de roman tout trouvé, commentai-je.

— Et toi, tu me liras si j'écris quelque chose ?

— Mais naturellement. J'ai même hâte de le faire. Envoie-le moi à New York. On me le fera suivre partout.

— C'est vrai, tu crois réellement que j'ai quelque chose à dire ?

— Écoute, papa, voilà plus de quarante ans que je t'écoute, et j'ai toujours su que tu avais de l'humour et de la sensibilité. Pourquoi n'écris-tu pas quelque chose à propos de ta pipe ?

Nous avions tous deux cessé de pleurer.

— Vas-tu vraiment t'y mettre ? Essayer ?

— Je suppose que je n'ai plus le choix, p'tit singe.

— Non Monsieur, plus le choix.

— Alors c'est promis, promis.

— Je t'aime, papa.

— Moi aussi je t'aime, p'tit singe.

Nous raccrochâmes tous les deux. J'errai à travers la maison en pleurant pendant une bonne heure. Puis je téléphonai à un fleuriste pour faire envoyer chaque jour une rose à mon père. Une rose accompagnée de ces quelques mots : « Une rose par page. Je t'aime. »

Depuis ce jour, mon père écrivit tant et plus. Je ne suis pas sûre qu'il ait totalement renoncé à la bouteille, mais je ne connais aucun écrivain qui ne boive pas. Si seulement la vieille Madame Hannah avait pu le convaincre de son talent et lui dire plus souvent qu'elle croyait en lui !

Les notes qu'il m'envoie sont courtes, et chacune conte une histoire. Une histoire de la vie d'un homme qui m'a profondément influencée, puisque, sans le vouloir, il m'aura appris à aimer les êtres sensibles et compliqués qui ont besoin qu'on les libère.

Chapitre 5

« Je doute énormément qu'aucun d'entre nous ait la moindre idée de ce que peut être la réalité de l'existence de quoi que ce soit, si ce n'est de celle de son propre ego. »

A. Eddington
La Nature du monde physique

NOUS nous étions endormis, Gerry et moi. Au moindre mouvement, nous nous rapprochions l'un de l'autre pour ne pas laisser la moindre espace entre nos corps. Au milieu de la nuit, il murmura quelque chose à propos du réveil téléphonique. Sa délégation ne devait pas s'inquiéter de son absence le lendemain matin. J'appelai l'opératrice et me disposai à veiller jusqu'à l'aube, sachant qu'il aurait alors à s'absenter. Le regarder dormir me rendait triste, tant il me semblait lointain. Les yeux clos, il avait sombré dans son propre inconscient. En le contemplant ainsi, je finis par m'assoupir. Des images superposées de mon père et de Gerry se bousculèrent dans mon sommeil.

Dès que le réveil-téléphone sonna, Gerry se dressa sur son séant, comme si un clairon avait battu le rappel. Il m'embrassa très vite, s'habilla et me dit qu'il serait de retour dès qu'il pourrait se débarrasser de son attaché de presse et des journalistes.

— Je vais probablement prendre le petit déjeuner avec eux, me dit-il. Tu ferais donc mieux de prendre le tien maintenant. Je vais raconter à tout le monde dans la délégation que je suis sous l'effet du décalage horaire, pour que nous puissions passer la journée ensemble.

Il disparut avant même que j'aie pu m'apercevoir qu'il avait oublié de mettre une chaussette. Je commandai des papayes et des toasts, que je mangeai sur le balcon. Au-dessous, un employé nourrissait les dauphins. Je me souvins de Sachi à califourchon sur leur dos, quand elle était petite. Nous venions voir Steve à Hawaï, parce que c'était à mi-chemin du Japon. Elle nous racontait qu'elle comprenait les dauphins et qu'ils étaient pour elle des compagnons de jeu.

Quelque part en contrebas, j'entendais des journalistes discuter de ce qui pourrait faire un bon papier sur Hawaï, assortissant leurs propos de diverses plaisanteries de métier, évaluant les expériences du Dr Lilly sur les dauphins. Je me demandai si ces animaux étaient aussi supérieurement intelligents que l'affirmaient les scientifiques, s'ils possédaient vraiment un langage à eux, très évolué. On m'avait dit un jour que les cerveaux des dauphins avaient recueilli tous les secrets d'une vaste civilisation disparue, du nom de Lemuria. J'avais bien entendu parler de l'Atlantide, mais jamais encore de Lemuria.

J'observai les agents des services secrets et les journalistes qui regardaient les dauphins. Je me demandais comment Gerry et moi allions nous y prendre pour passer toute une journée sans qu'on nous reconnût.

Il m'appela environ une heure plus tard.

— Écoute, me dit-il, viens me retrouver sur la plage, vers la gauche. Pratiquement tout le monde restera dans les parages de l'hôtel. Je te retrouve dans un quart d'heure.

J'enfilai un jean et une chemise par-dessus mon maillot de bain, nouai un foulard autour de ma tête et mis des lunettes de soleil à monture noire.

Je traversai le hall pour sortir par la porte de derrière : personne ne me remarqua mais, craignant l'indiscrétion des journalistes, je n'osai pas m'arrêter devant les dauphins. Je contournai donc rapidement leur bassin, gagnai le sable chaud de la plage, où des touristes s'étaient déjà allongés, leurs radios hurlant du rock and roll. L'air avait des senteurs d'huile solaire parfumée à la noix de coco.

Je pris sur la gauche, le long de la plage que venaient lécher des vagues d'azur. Personne encore ne se baignait. Une douce brise d'alizé inclinait les palmiers. En guise d'exercice matinal, je fis quelques mouvements au creux des vaguelettes. Mon prochain spectacle me semblait si lointain...

Je m'arrêtai quelques centaines de mètres plus loin sur la plage déserte. Je m'assis sur le sable et offris mon visage au soleil, en attendant Gerry. Un sentiment tout à fait ordinaire m'envahit : je détestais l'atmosphère du secret. Il me répugnait de vivre dans la dissimulation, la clandestinité, le faux-semblant. Cela me rendait malade. Tout ce que j'espérais c'était que notre liaison ne vaudrait pas à Gerry une gifle publique, comme il arrive à certains d'en recevoir, si on nous démasquait.

Je l'aperçus qui longeait la plage d'un pas tranquille, vêtu d'un pantalon kaki et d'une ample chemise blanche. Il avançait en suivant la ligne où venaient mourir les vagues, balançant les bras le long du corps, une paire de sandales à la main. Il ne me fit aucun signe quand il me vit. Je me levai pour le rejoindre et poursuivre avec lui la promenade.

— Je vois que tu as tout de même une paire de chaussures de rechange, lui dis-je.

— Mes chaussures de vacances. Il rit et me caressa le visage.

— Ta délégation a avalé ton histoire de décalage horaire ?

— Naturellement. Ils vont sans doute faire la même chose. Un congrès à Honolulu, tu penses, c'est vraiment trop tentant.

Il attacha ses sandales l'une à l'autre, les pendit à son épaule, et lorsque nous fûmes à bonne distance de l'hôtel, il me prit la main. J'appuyai ma tête contre son épaule tout en marchant.

Un rocher de corail s'avançait dans l'océan. Nous fîmes un détour pour marcher dessus, ce qui nous donna l'impression de nous déplacer sur les eaux. Gerry me dit en plaisantant qu'il se vantait auprès de tout le monde de pouvoir le faire. Le corail était coupant. Nous nous arrêtâmes pour regarder un gros rouleau se briser, au loin dans la mer.

— Tu sais prendre la vague et te laisser porter ? me demanda-t-il.

— Je le faisais à vingt ans, répondis-je, avant d'avoir l'âge de me rendre compte du danger.

Je me souvins de l'insouciance avec laquelle je traitais mon corps quand j'étais plus jeune. Il ne me venait jamais à l'esprit que je pourrais me briser ou me détraquer quelque chose. Alors que maintenant, je devais y penser à deux fois, même quand il ne s'agissait que de sortir d'un taxi. Mon métier de danseuse ne me permettait ni de me fouler une cheville, ni de me donner un coup sur le genou. Lorsque j'étais plus jeune, j'avais pris beaucoup plus de risques en dansant. En fait, je crois bien qu'à cette époque je faisais pratiquement tout sans trop y réfléchir. Ce qui m'avait permis aussi de passer de merveilleux moments. Adulte, j'étais devenue de plus en plus consciente des conséquences de chacun de mes actes, qu'il s'agisse de plonger dans les vagues ou d'avoir une aventure.

Le fait d'être consciente ne diminuait en rien mon plaisir ou mon émerveillement. Au contraire, puisque désormais je voulais apprendre à vivre totalement *dans le présent*, l'instant qui passe, avec la certitude renforcée que c'était la seule chose qui comptât vraiment. Car si j'avais effectivement vécu des vies antérieures et si j'étais appelée à en vivre d'autres dans le futur, croire à cette hypothèse ne pouvait qu'intensifier mon engagement *dans le présent*, avec tout mon cœur et toute mon âme.

Bien sûr, la réincarnation était un concept tout nouveau pour moi. Mais j'avais vite fait de découvrir que, chaque fois que j'y pensais, j'entrevoyais des perspectives qui me procuraient un vif plaisir. L'infini du temps et de l'espace était-il si écrasant, qu'il ne servait qu'à mieux nous faire percevoir combien était précieux le moindre des instants que nous vivions sur Terre ? Mon esprit avait-il besoin d'accomplir par l'imaginaire des bonds quantiques dans d'autres réalités possibles pour apprécier les joies de la réalité présente ? Ou le bonheur véritable n'était-il que l'addition de toutes ces autres réalités possibles, dont l'effet serait d'intensifier notre conscience du présent ?

Supraconscience... Un mot de plus en plus répandu. Il était inutile de troquer sa vieille conscience pour une neuve. Il suffisait de développer celle qu'on avait déjà... d'acquérir une conscience plus vaste, capable de nous révéler l'existence de dimensions jusque-là insoupçonnées... celles de l'espace, du temps, de la couleur, du son, du goût, du bonheur, que sais-je encore ? Ce qui nous opposait, Gerry et moi, ne traduisait-il que la différence de nos démarches vers cette supraconscience ? Qui sait si je n'essayais pas de le forcer à adopter mon rythme plutôt que de le laisser suivre le sien ? Avais-je le droit de juger son rythme à lui ? Il était différent du mien, voilà tout. Je me rendais compte que mes exigences risquaient d'être trop excessives, du fait de mon intense curiosité, de mon impatience vis-à-vis de ceux qui ne poursuivaient pas la même quête. Ma vie était vouée à l'interrogation incessante ; Gerry consacrait la sienne à donner des réponses.

Nous tournions le dos à Diamond Head, Waïkiki et Kalala, et nous dirigions vers l'épais sous-bois, situé dans le coin désert de l'île. Plus nous nous éloignions de l'hôtel, plus Gerry se montrait tendre. Maintenant nous marchions étroitement enlacés. L'instant était trop précieux pour le désenchanter par des mots. Le soleil disparut derrière les nuages et les cocotiers se mirent à ployer sous le vent. Bientôt, ce fut la pluie. Nous nous mîmes à courir, en nous éloignant du bord de l'eau, pour nous mettre à couvert sous un bosquet. Le sol était jonché de noix de coco mûres. Réfugiés sous un arbre, nous regardâmes tomber la pluie sur les azalées pourpres qui nous entouraient. Un oiseau bleu secoua ses ailes, puis s'envola dans le sous-bois. Gerry m'entoura de ses bras en regardant la mer.

— C'est tellement beau, dit-il.

Il me serra davantage.

La pluie se mit à tomber plus fort, une de ces grosses pluies tropicales qui sont comme des rideaux de perles étincelantes.

— Ça te dirait d'aller te baigner sous la pluie ? lui demandai-je.

Sans répondre, il retira sa chemise et son pantalon. Lui aussi portait un maillot de bain. Il roula ses vêtements en boule, les déposa au pied d'un arbre, sous ses sandales, et courut vers l'océan.

J'enlevai mon jean et ma chemise pour le suivre.

Les vagues étaient maintenant plus hautes et se frangeaient d'écume. Nous fûmes éclaboussés par les embruns salés et la pluie rafraîchissante. Nous nous mîmes à rire et à nous asperger l'un l'autre. Je m'essuyai les yeux pleins de sel, songeant que j'avais été bien avisée de ne pas m'être mis de mascara. Gerry s'éloigna à la nage, me faisant signe de le rejoindre. J'avais peur. Aussi me contentai-je de garder pied sous la pluie sans m'éloigner du rivage. Il s'arrêta pour faire la planche quand il eut passé la barre où les vagues se brisaient. Puis il se retourna sur le ventre, attendant la vague propice.

Lorsqu'elle arriva vers lui, il se hissa jusqu'à sa crête, s'y maintint et se laissa porter par elle dans ma direction. Il me rejoignit, me souleva dans ses bras. J'embrassai son visage plein de sel, et il m'attira au creux de son épaule musclée. Nous rejoignîmes le rivage à la nage, puis restâmes allongés dans l'eau peu profonde, à regarder tomber la pluie qui nous inondait le visage.

— Pendant ces quelques instants, j'ai été heureux comme jamais encore, dit-il. — Il respirait fortement et devait crier un peu pour couvrir le bruit des vagues. — Sais-tu que c'est la première fois que j'essaie, que je n'avais encore jamais fait de surf sur une vague ? Quand je pense à ce que j'ai manqué !

Je ne répondis rien. Je me retournai simplement dans l'eau en pensant que, moi non plus, je n'avais pas été si heureuse depuis longtemps. Je regrettais seulement de ne pas m'être laissée porter par la vague en même temps que lui.

Nous restâmes ainsi, allongés dans l'eau, jusqu'au retour du soleil de sous les nuages. Alors, toujours sur le dos, nous nous traînâmes hors de l'eau pour nous étendre sur le sable humide, jusqu'à ce que le soleil nous séchât.

— Gerry, lui demandai-je, si tu regardes en arrière, quel a été ton plus grand moment de bonheur ?

Il réfléchit un instant et me regarda d'un air de légère surprise :

— Tu sais, puisque tu me poses la question, je crois bien que tous mes moments de bonheur, je les dois à la nature et parfois à des êtres, mais jamais à mon travail. J'en suis moi-même tout étonné. *Mes plus grands instants de bonheur ne me sont jamais venus de mon travail !* Mon Dieu, mais pourquoi ?

— Je ne sais pas. Peut-être parce que tu as toujours considéré ton travail comme un devoir ?

— Même quand je gagne, je me sens déprimé. La dernière fois que j'ai été réélu, par exemple, j'ai fait une dépression qui a duré des jours et des jours. — Il regarda le ciel. — Tu ne crois pas que je ferais bien d'y réfléchir ?

Je me levai pour m'habiller.

— C'est tout de même un comble que tu te sentes déprimé quand tu gagnes, lui dis-je. Et que ressens-tu quand tu perds ?

Il se leva, se dirigea vers l'arbre sous lequel nous avions déposé nos vêtements.

— Quand je perds ? Je veux ma revanche. J'éprouve le besoin de me battre, de me battre à tout prix. Rien que pour ça le jeu en vaut la chandelle. Je crois que dans ces cas-là je me battrais contre des moulins à vent.

En continuant notre promenade autour de l'île, nous tombâmes sur un kiosque au bord de l'eau, où l'on vendait des ananas et des papayes. Nous arrosâmes quelques papayes de jus de citron et nous nous assîmes sur le sable. Le patron du kiosque, un Hawaïen, lisait un roman de Raymond Chandler et, de temps à autre, jetait un coup d'œil sur la mer. Gerry et moi parlâmes de l'Asie, du Proche-Orient et de mon séjour au Japon. Il ne me posa aucune question sur ma vie privée. De mon côté, j'évitai d'y faire allusion.

Nous poussâmes jusqu'au zoo aquatique pour y voir les dauphins et les épaulards. C'était l'heure où on les nourrissait. Un des dauphins se débrouilla pour accaparer plus de nourriture que ses congénères, ce que Gerry estima injuste. A ses yeux, la loi qui ne permet qu'aux plus aptes de survivre était cruelle. L'homme pouvait modifier les règles élémentaires de la sélection naturelle s'il s'en donnait les moyens. La civilisation n'avait-elle pas pour but, de rendre le monde meilleur ? Il éprouvait de la compassion pour ceux qui étaient incapables de se défendre seuls dans la vie. Dans le grand bassin, on nourrissait un épaulard. Au-dessus, tournoyaient des mouettes, à l'affût d'un poisson que le monstre pourrait laisser échapper au moment où l'employé, en combinaison de plongée, le lançait dans sa gueule gigantesque. Le fait se produisit. Alors une mouette s'abattit sur le poisson, s'en saisit et s'envola vers l'autre extrémité du bassin. L'épaulard s'en aperçut et, d'un mouvement brusque, tenta de rattraper la mouette. Laquelle s'était déjà installée sur le bord du bassin, hors d'atteinte. Elle clignait des yeux en observant l'épaulard qui avait abandonné son repas pour la foudroyer du regard. Cela dura trois bonnes minutes ; Gerry éclata de rire. Enfin l'épaulard revint se faire nourrir par l'employé.

Nous quittâmes l'aquarium pour gravir les collines qui surplombaient la mer. Des oiseaux multicolores voltigeaient et piaillaient dans l'exubérance des arbres tropicaux. Nous tentâmes d'ouvrir une noix de coco sèche, mais dûmes y renoncer, faute de machette. Je parlai à Gerry du temps où j'étais allée dans la grande île de Hawaï, pour m'y réfugier dans la solitude. J'y avais loué une petite maison sur la côte Kona et avais passé là des journées entières, assise sur les rochers volcaniques, à réfléchir, entre autres choses, à l'esprit de compétition et à l'arrivisme.

A l'époque, je travaillais à Hollywood depuis cinq ans. Le spectacle des coups bas que pouvaient se donner d'excellents amis pour obtenir un bon rôle me démolissait le moral. De plus, je venais d'être sélectionnée pour un nouvel Oscar, et la tension factice que provoquait l'attente de la remise du prix me mettait mal à l'aise. Je ne voyais pas en quoi gagner une statuette de cuivre pouvait être plus satisfaisant qu'effectuer consciencieusement son travail. Fait déconcertant, à Hollywood, les gens pensaient que tout se résumait à cela. Je ne voyais pas pourquoi untel devrait gagner plutôt qu'un autre. Je n'aimais pas voir la déception assombrir le visage des perdants. Et, par-dessus tout, j'étais choquée par les fortunes dépensées pour tenter d'influencer les votes, à grand renfort de réceptions ou de publicités dans les journaux du spectacle. Quand j'expliquai cela à Gerry, il sembla fort intéressé. Mais il ne sembla pas comprendre pourquoi il m'était à l'époque franchement indifférent de gagner ou de perdre.

— Comment cela pouvait-il t'être égal ? me demanda-t-il.

— Je ne sais pas. Mais le fait est que ça m'était égal. Et que ça m'est toujours égal. Je crois que j'aurais été gênée de gagner dans une compétition qui n'a pas de raison d'être. Je n'en aurais probablement pas été déprimée, comme toi tu peux l'être quand tu gagnes ; non... mais plutôt gênée. Toi, tu dois gagner, parce que le jeu de la démocratie et le principe de la majorité l'exigent. Et parce qu'il n'y a pas d'autre moyen de réussir en politique. Mais les artistes devraient être tenus à l'écart de ces joutes. Je crois que nous ne devrions entrer en compétition qu'avec ce que nous avons de meilleur en nous.

Étais-je vraiment seule dans mon île ? m'interrogea-t-il. Je le lui affirmai, ajoutant que cela m'était arrivé nombre de fois dans ma vie. J'avais besoin d'être seule. Besoin de temps pour réfléchir. Il me dit qu'il l'avait soupçonné à la lecture de mon premier livre, *Don't Fall Off the Mountain*, lequel était à son dire l'un des livres préférés de sa fille. Il me demanda encore si je ne me sentais jamais seule. Je lui répondis qu'il y avait une différence entre se sentir seule et être solitaire. Mais je me considérais comme quelqu'un de fondamentalement solitaire en connaissance de cause. Il ne me posa aucune question, ni sur mon divorce, ni sur mes relations avec d'autres hommes. S'il avait voulu m'en parler, il aurait choisi cet instant-là pour le faire. J'en conclus qu'il préférait ne pas connaître la vérité.

Nous fîmes une halte et regardâmes les crabes creuser leurs trous dans le sable jusqu'à ce que le soleil ait franchi le zénith. L'un d'eux bascula sur le dos, et, en souriant, Gerry le remit d'aplomb à l'aide d'une brindille. Je lui décrivis alors la colonie de fourmis que j'avais observée devant ma petite maison de Kona. Toute la journée elles s'affairaient à transporter un croûton de pain rassis, miette par miette, du rocher sur lequel je le déposais jusqu'à leur cachette, quelque part sous un autre rocher. Elles faisaient preuve d'organisation, d'esprit de décision dans leur tâche. Mais elles n'existaient pas en tant qu'individus. Rien ne les distinguait les unes des autres. Il leur était impossible d'avoir une vie propre.

Faire abstraction de ses intérêts personnels pour le bien de l'espèce était, certes, une bonne chose. Gerry avait-il l'impression de se conduire de la sorte ? Il me questionna sur la Chine. Bien qu'il n'y fût jamais allé, il en savait long sur le chapitre. Après m'avoir parlé un moment de la révolution chinoise, il m'avoua qu'il aurait bien aimé, quand nous étions à Hong-Kong, disposer d'un peu de temps pour franchir la frontière et séjourner même brièvement, en Chine populaire.

Nous nous endormîmes au soleil de l'après-midi. A notre réveil, un petit vent frais s'était levé. Nous courûmes ensemble le long des vagues, riant et nous taquinant par de petites bourrades. Il s'arrêta pour faire ricocher des galets plats sur la houle, puis nous revînmes main dans la main, jusqu'à ce que l'hôtel fût en vue. Alors, nous nous séparâmes. Il prit de l'avance et se fondit dans l'affluence, autour de la piscine. Je restais debout à contempler le soleil couchant. Et je me rendis compte de l'air détendu qu'avait eu Gerry pendant toute cette journée passée au grand air, lui qui pouvait être si compassé entre quatre murs. Le contraste me frappa. Il changeait du tout au tout quand il ne subissait plus de contraintes. J'étais persuadée que son travail s'améliorerait s'il apprenait à se détendre davantage. Son mariage aussi, sans doute, et notre relation, à tous deux.

A peine fut-il entré dans le hall de l'hôtel, qu'il fut assailli par les membres de sa délégation. « Mais où donc étiez-vous passé ? Vous vous sentez mieux ? » Je pus saisir ces bribes de conversation comme une musique de fond tandis que je traversais le hall. Ni lui ni personne ne me remarqua.

Je pris l'ascenseur, heureuse de m'y retrouver seule, en compagnie d'un bagagiste de l'hôtel.

Je prenais une douche brûlante pour éliminer le sel de mes cheveux quand le téléphone sonna. « J'ai l'impression que ça fait une éternité que nous sommes séparés », me dit-il.

Cinq minutes plus tard, il était assis par terre dans ma chambre. La télévision diffusait une émission tournée à Las Vegas, avec pour invités Sinatra, Sammy Davis Junior, Paul Anka et Ann-Margret. Assis en tailleur, le buste incliné, Gerry voulait en savoir davantage sur la comédie musicale. Chantait-on en direct ? En play-back ? Les chanteurs apprenaient-ils les paroles par cœur ? Avaient-ils recours à un prompteur ? Combien de fois répétaient-ils avant de jouer pour de bon ?

Au cours de la conversation, nous décidâmes d'aller dîner dans un restaurant japonais de ma connaissance. Il était situé un peu à l'écart, de l'autre côté de Waïkiki. Il fallait trouver un taxi qui fasse notre jeu pour nous y conduire. Ensuite, tout irait bien.

Je quittai la chambre la première. La cabine d'ascenseur qui descendait fut très longue à venir. Gerry prit celle qui montait, pour éviter d'arriver dans le hall en même temps que moi.

La réception grouillait de journalistes et d'agents des services secrets. Je m'absorbai dans un magazine, jusqu'au moment de quitter l'hôtel. Un taxi attendait. Chaque fois qu'une figure connue, appartenant à l'une ou l'autre des délégations, entrait ou sortait de l'hôtel, les photographes actionnaient leurs flashes. Je sautai dans le taxi et demandai au chauffeur d'attendre un court instant. Il me dit qu'il ne pourrait pas s'attarder longtemps. Anxieuse, je surveillais le hall, où Gerry s'était laissé arrêter par une délégation étrangère. Je comptais les secondes. « Mon ami arrive, dis-je. Ce ne sera pas long. » Le chauffeur consentit à attendre.

Au bout de quelques minutes, Gerry parvint à se dégager. Il me vit lui faire un signe tandis qu'il souriait au photographe qui lui projetait en pleine face l'éclair de son flash. Il vint nonchalamment vers le taxi et prit place à l'intérieur. Nul ne s'était rendu compte de rien.

Le taxi nous déposa devant le restaurant. Je connaissais la propriétaire : il lui importait peu de savoir en quelle compagnie je venais chez elle. Je lui demandai en japonais de nous faire dîner dans un tatami particulier ; elle nous en attribua un, où elle nous servit du saké chaud avant d'aller préparer notre sushi. Gerry eut quelque réticence devant le poisson cru, mais il finit par en manger.

La lueur de la bougie déposée sur la table dansait devant son visage.

— Comme j'ai aimé cette journée, me dit-il.

Je lui souris.

— Et comme j'aime te parler.

Je souris à nouveau.

— Et comme j'aime ta présence.

Je souris encore, lui faisant les gros yeux et une mimique de reproche dont il connaissait bien le sens.

— Et comme je t'aime.

Je me mis à pleurer. Il se pencha pour me prendre la main. J'étais incapable de dire un mot.

— Je suis désolé de t'avoir attristée, dit-il.

Je sortis un Kleenex et me mouchai.

— Oh ! Gerry, arrivai-je à articuler, pourquoi t'est-il si difficile de me le dire ?

Son visage était grave.

— Parce que je le dis autrement qu'avec des mots. Je le dis avec mes mains, avec mon corps.

— Mais... pourquoi ?

— Je ne sais pas. Sans doute parce que je passe mes journées à jongler avec des mots, et qu'avec toi cette jonglerie n'est pas de mise.

— C'est ta façon d'être loyal avec moi ?

— Oui.

— Moi, c'est avec des mots que j'ai besoin de jongler pour exprimer mes sentiments. Est-ce déloyal, pour toi ?

99

— Je ne peux pas me mettre à ta place.

— Je ne suis pas sûr que l'amour soit loyal non plus.

— Je crains de ne pas savoir grand-chose de l'amour, dit-il. Tout ce que je sais, c'est que ça me fait du bien de m'exprimer avec mon corps. Ça ne m'était encore jamais arrivé... ni de parler comme je ne cesse de le faire en ce moment.

J'essayais de saisir ce qu'il me disait. Voulait-il insinuer qu'il n'était pas vraiment digne de confiance ? Ou qu'il ne voulait pas être tenu plus tard pour responsable de tout ce qu'il me disait ce soir ?

— Mais alors, lui demandai-je, si tu te méfies des mots, comment m'exprimeras-tu ce que tu ressens quand nous serons séparés ?

Il eut un haussement d'épaules.

— Je ne sais pas. Tout cela est bien contradictoire, n'est-ce pas ? Il faut que j'y réfléchisse.

Tout en dînant, nous parlâmes du Japon, du sacrifice que ce pays faisait de sa culture au bénéfice de son développement industriel. Après le repas, nous fîmes quelques pas ensemble, avant de prendre chacun un taxi.

Il y avait un banquet de congressistes dans la salle à manger. Les dauphins bondissaient gracieusement dans leur bassin, et les palmiers bruissaient sous l'alizé.

Une demi-heure plus tard, nous étions couchés. Gerry me dit qu'il avait accumulé du retard dans son travail et qu'il avait du pain sur la planche pour les deux jours suivants. Il se lèverait tôt. Quant à moi, je repartais le lendemain, en fin de matinée.

Tout à coup, il se leva d'un bond, pour arpenter la chambre de son pas décidé. Je me mis à rire en le voyant heurter une chaise. Il se rendit à la salle de bains, puis revint dans la chambre faire les cent pas au pied du lit.

— Quelque chose ne va pas ? lui demandai-je.

— Je ne sais que penser. Je ne sais que faire. Je ne suis même pas en état de réfléchir sur ce que je pense.

Je le regardai en silence. Il prit une pomme dans la corbeille à fruits et, se remit à arpenter la pièce en la gardant à la main. Puis il revint se coucher et entreprit de croquer la pomme. Il mastiquait longuement chaque bouchée, sans dire un mot, intensément préoccupé, comme s'il n'était pas conscient

100

de ma présence. Il ne mangeait pas la pomme comme on le fait ordinairement, en épargnant le trognon ; il la mordait de haut en bas pour finalement la dévorer toute entière, pépins et trognon compris.

Je ne pus me retenir de rire, ce qui le surprit.

— Je ne mange pas beaucoup, me dit-il. Mais quand je mange, je mange tout.

Et s'appuyant sur un coude, il ajouta :

— Souviens-t'en.

J'essayai de m'endormir. Je ne savais pas quand je le reverrais. Je songeais au lendemain matin, à ce que je ressentirais quand il franchirait la porte et la refermerait derrière lui. Il m'était impossible de trouver une position confortable. Je me tournais dans un sens, puis dans l'autre. Et chaque fois que je me retournais, il posait la main sur moi. Toute la nuit fut ainsi entrecoupée d'épisodes de sommeil et de veille agitée. Chaque fois que je remuais, il posait une main sur moi. Quand enfin la lumière du jour s'infiltra à travers les rideaux, il s'assit, tira sur moi la couverture et me prit le visage.

— Écoute, me dit-il, nous venons d'avoir trente-six heures de quelque chose de trop extraordinaire pour être décrit. La plupart des gens ne connaîtront jamais cela. Il ne faut voir que le côté positif des choses. Je pars toujours du principe que je démarre à zéro... que tout ce qui est au-dessus vient en plus.

J'avalai un grand coup.

— Pas moi, répliquai-je. Je pars du principe que je démarre là où je le décide, et que, dès lors, je peux aller aussi loin que je le veux. J'ai le sentiment de pouvoir obtenir n'importe quoi si je le veux. C'est pourquoi je ne rends pas grâce au ciel de ces trente-six heures passées ensemble. J'en veux bien davantage. Je veux tout ce qu'il m'est possible d'obtenir.

Il se mit à rire et leva les mains au ciel. Puis il sortit du lit. Je me rendis compte que, déjà, il se mettait en condition pour entreprendre la journée de travail qui l'attendait. Il s'estimait comblé par la Providence d'avoir pu jouir de ma présence pendant quelque temps ; le moment était venu de faire face à ses obligations, comme l'exigeait son sens du devoir si britan-

101

nique. Pour lui, c'était aussi simple que cela. N'avait-il pas bâti toute sa carrière sur l'abnégation ?

— Gerry, pourrais-tu vivre sans... nous, dorénavant ? lui demandai-je.

Il réfléchit un instant, le visage grave.

— La vie serait triste, morne, vide, fit-il. Maintenant embrasse-moi longuement, tendrement...

Il prit mon visage entre ses mains. Je me haussai pour lui caresser les cheveux et les laisser filer entre mes doigts. Il se vêtit très vite et, avant même que je me sois rendue compte de ce qui se passait, il était presque arrivé au seuil de la chambre.

— Je t'appellerai dès mon retour à Londres.

Il ne me dit pas au revoir. Il ne se retourna pas. Il marcha droit vers la porte, l'ouvrit et disparut. Soudain, la chambre ne fut plus la même. C'était le moment que j'avais le plus redouté. Mes oreilles bourdonnaient de tant de silence. Je me sentais mal. Je m'assis, les jambes hors du lit, cherchant du regard quelque objet qu'il aurait pu oublier. Mais non, me dis-je, c'est ridicule. Je ne vais tout de même pas me complaire dans cette situation. Je me levai, pris une douche froide, commandai un petit déjeuner et fis mes valises. Puis je lui écrivis une lettre pour lui dire qu'il avait raison, qu'un verre d'eau était à moitié plein et pas à moitié vide.

Au retour, je dormis d'un sommeil agité pendant tout le vol transpacifique.

« Qu'attends-tu de *moi* au juste ? » Je l'entendais encore me poser cette question. Il avait raison. Souhaitais-je qu'il brise sa vie privée, compromette sa carrière politique, en un mot, ce qui donnait un sens à son existence ? Pour le moment, c'était *moi* qui ne voulais pas trop y penser.

« Je dois accomplir ce que j'ai entrepris il y a des années », m'avait-il dit aussi. Allais-je risquer ceci pour cela ? Et puis, que signifiait exactement *cela* ? Était-ce vraiment de l'amour ? Était-ce ce quelque chose pour lequel on est prêt à tout abandonner ? Le ferait-il jamais ? Et moi, étais-je capable de vivre à Londres ? Comment réagiraient les électeurs anglais s'ils l'apprenaient ? Cela le démolirait-il complètement ? Il affirmait avec une totale conviction que sa femme ne le supporterait pas. Mais les gens, qu'en penseraient-ils ?

« Il faut que je me calme, m'avait-il dit encore. Que je reprenne mes esprits. J'ai été bien trop obsédé par toi. Il faut

102

que je regarde les choses d'un œil objectif. Je ne veux pas penser à ce qui me revient à l'esprit. » Oui, il m'avait dit tout cela, et j'avais tenté de lui simplifier les choses en adoptant une attitude de détachement. « Ne crois pourtant pas que tu vas te débarrasser de moi si facilement », avait-il ajouté. Moi non plus, je ne savais plus où j'en étais... Triste, morne et vide... La vie serait-elle triste, morne et vide pour moi aussi ? Pourrais-je vivre sans lui ? Que faisais-je exactement *avec* lui ? Et qu'étais-je en train de faire de moi ?

Chapitre 6

« Il est très difficile d'expliquer ce sentiment à quiconque en est dépourvu, d'autant qu'il n'existe pas de conception anthropomorphique de Dieu qui lui corresponde. L'individu ressent l'inanité des désirs et des buts humains, tout comme il ressent la sublimité et l'ordre merveilleux qui se révèlent, tant dans la nature que dans le monde de la pensée. Il considère l'existence individuelle comme une sorte de prison et veut appréhender l'univers comme un tout signifiant. »

Albert Einstein
Comment je vois le monde

JE revins à la maison irritée, frustrée, mécontente de moi-même et plus agacée que jamais par quelque chose que je n'arrivais pas à comprendre. Oui, j'étais ennuyée par les problèmes indéniables que me posait Gerry. Mais il y avait bien plus.

J'appelai David. Il était toujours en Californie. Il perçut immédiatement que je n'allais pas bien et me demanda comment s'était passé mon week-end, tout en sachant que, sur ce point, je serais discrète. Mais il fit de son mieux pour me manifester son amitié, pour me prodiguer son aide. Je lui demandai s'il pouvait me retrouver à Malibu.

Il y vint immédiatement, muni d'un sac de pêches fraîches. Nous descendîmes sur la plage. Les pêches étaient juteuses, suaves et poisseuses.

— Quelque chose ne va pas ? questionna David, sachant qu'il pouvait aller droit au but puisque j'avais fait appel à lui.

J'avalai un gros morceau de pêche, ne sachant trop comment m'y prendre pour lui confier ce que je ressentais.

— Je ne sais pas, répondis-je. J'éprouve une sorte de malaise... enfin, pas exactement un malaise. Je sens simplement qu'il y a une raison à mon existence que je n'arrive pas à saisir. Pourtant, je suis heureuse, je jouis pleinement de la vie... et ce n'est pas la quarantaine qui m'affecte beaucoup. C'est quelque chose d'inexplicable. L'âge n'a rien à y faire, sinon que passé un certain nombre d'années on en vient à se poser les bonnes questions.

J'hésitai, espérant que David me tendrait une perche. Mais il se tut, attendant que de moi-même j'en dise davantage.

— Peut-être n'est-ce pas moi qui suis en cause, mais... le monde, continuai-je. Pourquoi ne serait-ce pas le monde qui irait de travers, plutôt que moi qui ne tournerais pas rond ? Comment se fait-il que *toi*, par exemple, tu ne te sentes jamais déboussolé. Détiendrais-tu un secret qui m'échappe ?

— Pourquoi existons-nous, et quel est le sens de notre vie ? C'est ça ?

— Quelque chose de ce genre. Tu sais... quand on reçoit autant de la vie, quand on a vécu aussi intensément que je l'ai fait, il arrive qu'un jour on finisse par se demander très sérieusement : à quoi ça sert, tout ça ? Si je me pose cette question, ce n'est pas parce que je suis malheureuse. Je crois avoir assez bien réussi, tant dans ma vie privée que dans ma carrière. Et cela suffit à mon bonheur. Je ne me drogue pas, je ne bois pas, j'aime mon métier et mes amis. J'ai une vie intense, même si celle-ci n'est pas exempte de complications. Mais on dirait... que les vrais desseins de l'existence sont bien plus vastes que ce que je puis en comprendre.

David essuya le jus de pêche qui avait coulé sur son menton. J'étais surprise de la facilité avec laquelle je lui avais posé cette question, comme si, à l'évidence, il pourrait y répondre. Alors que je n'aurais même pas osé la poser à Einstein, à supposer que je l'eusse connu assez pour m'asseoir en sa compagnie sur une plage et y manger des pêches.

En se débarrassant du sable qui collait à ses doigts, il me dit :

— Pour citer Al Jolson, je crois que c'est dans notre arrière-cour que se trouve le bonheur.

— Me voilà bien avancée ! fis-je en riant. Regarde. Tu la vois, mon arrière-cour ? C'est le Pacifique. Et après... ?

— Et après ? Tout est en *toi*. Le bonheur, le but et le sens de ta vie, c'est *toi* qui es tout cela.

— Écoute, David, tu es gentil, adorable, mais ne pourrais-tu l'être un peu moins et parler plus clairement ?

— D'accord, fit-il, sans paraître se formaliser de ma pointe d'humeur. Tu es toute chose. Tu portes en toi tout ce que tu veux découvrir. L'univers, c'est toi.

Seigneur ! me dis-je. Quel galimatias ! Voilà qu'il va user d'un jargon qui m'est parfaitement inconnu. Résultat : l'intérêt que je porte à ce qu'il peut bien me dire risque d'être découragé par des mots étrangers à mon vocabulaire philosophique ou intellectuel. Mais si c'étaient mes propres conceptions, mes propres cadres de référence, qui appauvrissaient la portée de mes paroles, de mes phrases, de mes idées ? Qu'à cela ne tienne pensai-je, méfions-nous des mots et gardons l'esprit en éveil.

— David, explique-moi ce que tu veux dire, je t'en prie. Ça me semble si énorme, si solennel, si... prétentieux. J'ai déjà bien du mal à saisir le sens de mes actes au jour le jour, et tu voudrais qu'en plus je comprenne que l'univers, c'est *moi* !

— Soit, fit-il, avec un petit rire affectueux pour le dépit que je ne pouvais dissimuler. Quand tu étais en Inde et au Bhûtân, t'est-il arrivé de songer à l'aspect spirituel de ta propre existence ? L'idée t'a-t-elle traversé que ton corps, ton esprit, ne sont peut-être pas les seules dimensions de ta vie ?

Je réfléchis un instant. Oui, bien sûr que cette pensée m'était venue. Je me rappelais combien, au Bhûtân, je fus fascinée par un lama lévitant dans la position du lotus, à un mètre au-dessus du sol, les genoux croisés. Cette image me subjugua au point que je pensai : suis-je moi, en train de m'imaginer qu'il lévite. On m'avait alors expliqué qu'il accomplissait cet exploit et défiait, pour ainsi dire, la pesanteur en inversant ses polarités (allez comprendre) ; ce qui m'avait semblé scientifiquement acceptable. En même temps, cette interprétation stimulait mes penchants vers la métaphysique. Je m'en contentai donc et n'eus aucun mal à accepter le phéno-mène, qu'en toute honnêteté j'étais bien incapable d'expliquer. « Tu n'aurais pas pu être le témoin de cette lévitation si tu n'avais pas été disposée à la voir », m'apprit ensuite un autre lama. Cette idée fit son chemin en moi : peut-être n'avais-je rien fait d'autre que *croire* que j'en avais été témoin. Je me souvenais encore de l'époque où j'avais vécu dans une tribu Massaï du Kenya : plus tard, j'étais allée en Tanzanie, j'avais rencontré là d'autres Massaï qui connaissaient mon nom et savaient que j'avais été acceptée comme « sœur de sang » par ceux du Kenya, alors que personne ne le leur avait dit. Les explications des chasseurs blancs du safari, selon lesquelles les Massaï avaient perfectionné l'art de la transmission de pensée m'avaient paru dignes de foi. Ne disposant d'aucun moyen pour communiquer entre eux, ils auraient réussi, par nécessité et aussi parce qu'ils poursuivaient des buts semblables, à faire ce dont le monde blanc, civilisé et trop obsédé par la compétition, est incapable : échanger des messages, clairement, entre frères de race, par transmission de pensée.

J'avais accepté les explications des chasseurs blancs. D'une part parce qu'ils avaient une grande connaissance des Massaï : pendant des années, ils avaient observé leurs coutumes et leurs mœurs ; d'autre part, parce que leur version me paraissait crédible. Je n'avais éprouvé nulle réticence à accepter que l'énergie constitutive de la pensée humaine pût survivre et se propager hors du cerveau de l'homme. Cette idée ne m'avait paru ni incongrue, ni déraisonnable. Pas plus qu'aux chasseurs blancs, observateurs doués, pour la plupart, d'esprit pratique, et depuis longtemps familiers des tribus primitives.

Je repensai à tous les instants de ma vie où j'avais *su* que se préparait quelque chose d'important, qui par la suite s'était produit ; où j'avais su que telle personne avait des ennuis ou bien souhaitait m'approcher, et où je ne m'étais pas trompée. Bien souvent j'avais eu de tels pressentiments à propos de mes proches. Un jour, par exemple, je pressentis qu'un de mes amis venait d'arriver à l'International de Séoul. J'appelai l'hôtel, sans trop y croire. Or il s'y trouvait. Il se demanda comment j'avais été avertie de sa présence en Corée. A maintes reprises, j'avais eus des visions de ce genre et, s'il faut en croire la rumeur, ce sont là des pressentiments fort communs, dont nous avons tous entendu parler.

En ce qui me concerne, je n'en avais jamais douté. C'était un *fait*, un point c'est tout. Mais de là à ressentir une complicité spirituelle avec ce genre de chose... Certes, je m'intéressais aux pouvoirs de l'esprit sur la matière, aux phénomènes métaphysiques, à la méditation dans le recueillement et à la supraconscience. Mais comment y parvenir ? Étais-je déjà en possession de cette forme de conscience, sans m'en rendre compte ?

J'avais, par exemple, rencontré dans l'Himalaya un lama qui, depuis vingt ans, méditait dans un isolement presque absolu. Pour atteindre la grotte dans laquelle il vivait à flanc de montagne, j'avais dû grimper près de cinq mille mètres. Quand j'y étais parvenue, il m'avait offert du thé et un morceau de tissu couleur safran qu'il avait béni. J'aurais bien besoin de ce talisman, me dit-il, pour me protéger des ennuis que je n'allais pas tarder à traverser. Il ne se trompa point. A peine eûmes-nous pris la route pour redescendre, mon guide sherpa et moi, qu'un léopard mangeur d'homme nous talonna. Le lendemain, à la suite d'un tortueux coup d'état, je fus appréhendée par les autorités locales, puis détenue pendant deux jours à la pointe d'une baïonnette ; mes ravisseurs tentèrent d'entraîner mon guide et de le jeter dans un *dzong*, ces oubliettes himalayennes auxquelles il est bien rare qu'on survive. Cette mésaventure, digne d'un film de série B, semble incroyable. Mais je l'avais bel et bien vécue et le lama contemplatif ne s'était pas trompé quand il m'avait prédit un danger tout proche ; son chiffon ne m'avait guère secourue, malgré le réconfort moral qu'il m'avait apporté.

S'agissait-il là de prémonition, de préconnaissance spirituelle ? Jamais encore je n'y avais sérieusement songé, trop attachée que j'étais à ce qui est pragmatique. Je respectais, certes, les choses que je ne comprenais pas. Mais je me sentais plus à l'aise face aux phénomènes logiques ou scientifiques dont je percevais mieux la *réalité*.

— Oui, dis-je à David. Je pense de plus en plus à cette dimension spirituelle. Que ce soit la mienne ou de celle du monde. Peu importe le nom que tu lui donnes.

Il changea de position. Entre nous s'amoncelaient les noyaux de pêche couverts de sable.

— Si j'ai bien compris, fit-il, l'aspect spirituel de ta vie te semble exister ?

— Oui... Pourtant, ça ne me semble pas *vraiment* faire partie de notre vie de tous les jours. Peut-être parce que c'est invisible, justement, et que je ne crois qu'à ce qui est prouvé ?

— Bien sûr. Comme la plupart des Occidentaux. Au

départ, c'est probablement ce qui différencie le plus l'Orient de l'Occident, ce qui les rend inconciliables.

— Mais toi, alors ? Cette connaissance spirituelle, tu l'as, ce me semble ? En vivant dans un monde matérialiste. En étant un Occidental. Comment as-tu adopté ces croyances ?

Il s'éclaircit la voix, comme pour éluder une question à laquelle il savait pourtant qu'il ne pourrait se dérober.

— J'ai pas mal voyagé et roulé ma bosse, fit-il... Je ne pensais pas à ces choses. Mais un jour quelque chose s'est passé. Il faudra que je t'en parle plus tard. Crois-moi, j'étais un vrai playboy à la Charlie Crass... bagnoles de sport et filles faciles... la vie à cent à l'heure. Ça ne mène nulle part, mais je dois dire que j'en ai tiré le maximum.

Ses yeux s'étaient embrumés tandis qu'il évoquait ses souvenirs. Je me demandais ce qu'il entendait par « un jour quelque chose s'est passé », mais ne voulais pas le presser de questions, sachant qu'il me le dirait le moment venu.

— Ainsi donc, tu as beaucoup voyagé ?

— Oui.

— Moi aussi. J'aime ça. J'adore prendre l'avion, partir à l'aventure, voir de nouveaux visages. Je ne crois pas que je pourrai jamais rester à la même place.

Il me regarda à la dérobée.

— J'ai fait de l'auto-stop, reprit-il. J'ai travaillé sur des cargos pour payer mes traversées. Je me suis aperçu que le *comment* des choses n'importe pas, c'est le *pourquoi* qui compte. On a dû rechercher la même chose, toi et moi, même si on ne partait pas des mêmes points d'appui.

— Sans doute. Où que je sois allée, j'ai toujours su que j'étais à la recherche de moi-même. Un peu comme si tous mes voyages étaient intérieurs.

— Moi aussi, dit-il. Ça va de soi. Voilà ce que je voulais te faire comprendre en te disant que les réponses sont en *toi*, que tu *es* l'univers.

— Juste ciel ! Combien de billets d'avion nous aurions pu économiser si nous avions su cela dès le départ, non ? Il aurait suffi que nous nous asseyions dans notre arrière-cour pour méditer !

— Je crois que tu viens de dire en blaguant une profonde vérité. C'est même pour ça que nous sommes tous absolument égaux. Parce que *nous* avons une *individualié*, quelle que soit la

110

condition sociale dans laquelle nous sommes nés. D'ailleurs, une personne jugée stupide par les autres peut fort bien avoir une vie spirituelle supérieure à celle d'un génie patenté. L'idiot du village est peut-être plus proche de Dieu que ne l'était Einstein... Encore qu'Einstein ait été convaincu que les forces spirituelles sont infiniment plus puissantes que celles dont il pouvait démontrer l'existence.

— Pourtant, dis-je, génie et spiritualité — peu importe le sens qu'on attache à ce mot — ne s'excluent pas l'un l'autre, que je sache ?

— Non.

Une anecdote qu'on m'avait contée à Princeton à propos d'Einstein, me revint en mémoire. Il avait essayé d'expliquer, par une démonstration théorique, pourquoi ces petits oiseaux mécaniques qu'on pose sur le bord d'un verre se gorgent d'eau, puis finissent par perdre l'équilibre et rejeter l'eau qu'ils ont ingurgitée, avant de recommencer inlassablement le cycle. Incapable d'expliquer mathématiquement le phénomène et déçu de cette incapacité, Einstein était allé un jour en ville manger un double cornet de glace à la fraise. Il avait une prédilection pour la fraise. Tout en marchant sur le trottoir, se délectant de sa crème glacée, et l'esprit obsédé par l'oiseau mécanique, il avait fait un léger faux pas, si bien qu'une partie de sa crème glacée était tombée dans le caniveau. Einstein en avait été si accablé qu'il avait fondu en larmes... Il avait beau compter parmi les grands génies du monde, son angoisse face à ce qui échappe à l'entendement était aussi difficile à maîtriser que pour le premier venu.

Je me souvenais aussi d'avoir lu quelque part qu'Einstein était un lecteur assidu de la Bible, qu'il avait pour elle un profond respect. Qu'en pensait-il au juste ? Je ne l'ai jamais su. Je me demandais ce qu'il aurait pensé de l'empreinte supposée du corps du Christ sur le Saint Suaire de Turin. Certains scientifiques avançaient l'hypothèse que cette empreinte résultait d'un intense rayonnement d'énergie radioactive. Les spiritualistes, eux, y voyaient une émanation de l'intense énergie spirituelle que Jésus-Christ dégageait.

— Et le Christ, qui était-il, selon toi ?

Je fus moi-même surprise de lui avoir posé cette quetion. Il se redressa, comme s'il venait de découvrir un sujet sur lequel il consentait à s'étendre.

— Pour moi, c'est l'être humain le plus évolué qui soit venu sur cette planète... une âme très élevée, spirituellement. Sa mission aura été de nous dispenser les enseignements d'un Ordre Supérieur.

— Que veux-tu dire par Ordre Supérieur ?

— Un ordre spirituel supérieur, fit-il. Le Christ en savait bien évidemment plus que nous tous sur la vie, la mort et la divinité. Je crois que sa résurrection l'a prouvé.

— Mais comment pouvons-nous croire qu'il est véritablement ressuscité ?

David haussa les épaules.

— D'abord, beaucoup de gens en ont été les témoins et ont rapporté qu'ils avaient été frappés d'effroi et de terreur. Ensuite, on n'a jamais pu retrouver sa dépouille mortelle. Enfin, il aurait été difficile de créer de toutes pièces une légende de cette stature. Et puis, comment pourrions-nous *connaître* quelque chose en histoire si nous n'en portions pas nous-mêmes témoignage ? C'est bien pourquoi Son enseignement exigeait de nous un acte de foi, celui de croire en l'authenticité des faits. Sinon, pourquoi nous fatiguer à apprendre quoi que ce soit sur le passé ?

— Autrement dit pourquoi ne *pas* y croire ?

— Exactement. Examine de près ses paroles. Écoute, mais *écoute* vraiment ce qu'Il a dit. Tout l'enseignement du Christ repose sur cette notion : l'unité de la raison, du corps et de l'esprit. Vois le Premier des Commandements de Dieu à Moïse : Croire en l'Unité Divine. Celle de la raison, du corps et de l'esprit. Christ a dit de ce Premier Commandement qu'il était le commandement essentiel. Que le mal comprendre équivaudrait à méconnaître les lois universelles qui en résultent. Mais, pour appréhender en totalité ce Premier Commandement, Il a ajouté que nous devions comprendre ceci : l'âme et l'esprit de l'homme sont immortels et notre âme doit s'élever graduellement vers la perfection, jusqu'à atteindre à la béatitude.

Je regardais David, m'efforçant d'assimiler ses paroles. Quelques années plus tôt, je l'aurais traité d'illuminé, et aurais illico tenté de lui démontrer qu'il adoptait une croyance dont le but était de détourner des vrais problèmes qui affligent le monde. Aujourd'hui, je commençais à penser différemment.

— D'accord. Mais comment faire cadrer ça avec le monde dans lequel nous vivons ? lui demandai-je. Comment la croyance en l'âme, le respect du Premier Commandement et tout le reste peuvent-ils assainir un monde où nous n'avons mis que corruption ?

Je ne voulais pas m'emporter, mais il s'en serait fallu d'un rien que je ne le fasse.

— Si tu veux mon sentiment, fit David, toutes nos doctrines en " isme ", nos guerres au nom du bon droit, nos techniques industrielles, nos masturbations intellectuelles, nos mesures sociales bien intentionnées, tout cela n'a fait qu'empirer les choses. Et plus nous ignorerons l'aspect spirituel de l'existence, plus les choses s'aggraveront.

Il replia les jambes sous lui et se mit à ponctuer son discours de gestes de la main.

— Regarde, poursuivit-il, Christ, la Bible et les enseignements spirituels ne se préoccupent pas des questions sociales ou politiques. La spiritualité, elle, va droit au *cœur* du sujet, touche directement l'individu. Si, chacun de notre côté, nous nous mettions dans de meilleures dispositions, je suis sûr que nous serions socialement et politiquement sur la bonne voie. Tu comprends ?

— Oui, je crois.

— Si nous percevions mieux le sens de notre propre mission, notre raison d'être par rapport à Dieu — ou même par rapport au genre humain, si tu préfères pour l'instant laisser Dieu de côté —, alors nous aboutirions forcément à l'harmonie sociale et à la paix. Plus de guerres, de conflits, de pauvreté et de tout le reste : nous saurions tous que la cupidité, la concurrence effrénée, la peur et la violence ne sont pas des nécessités.

Ce n'était pas nouveau. Bien avant nous, les Quakers avaient fait de la responsabilité de l'individu vis-à-vis de lui-même un pilier de leur dogme. Et l'une des idées maîtresses de la pensée anarchiste, telle que l'avait formulée Kropotkine, consistait à tenir Dieu à l'écart de nos affaires, comme le suggérait David.

— Pourquoi dis-tu qu'on doit comprendre le sens de notre mission individuelle, et aussi notre raison d'être par rapport à Dieu ? lui demandai-je. Pourquoi pas simplement par rapport aux autres hommes ?

David sourit et acquiesça d'un signe de tête.

— Ce serait un bon départ : se soucier de l'humanité, *c'est* se rapprocher de Dieu, de l'étincelle divine qui est en chacun de nous.

Il observa un silence avant de poursuivre.

— Mais les choses sont plus simples si tu commences par découvrir qui tu es, *toi*. Parce que c'est là qu'intervient la justice cosmique. On ne peut pas considérer notre vie présente comme si c'était la seule que nous ayons vécue. Nos existences antérieures nous ont modelés. Nous sommes le produit de toutes nos vies passées.

Je songeai à Gerry et à sa démarche politique. Lui était-il jamais venu à l'esprit — au sien ou à celui d'autres politiciens — que de tels concepts spirituels pourraient s'appliquer à la gestion des affaires terrestres ? Les électeurs ne prendraient-ils pas pour des fous les dirigeants qui énonceraient des idées semblables ? Jimmy Carter s'y était risqué. Il était même allé plus loin que tout autre sur cette voie. Mais la plupart des « bons esprits » de ma connaissance s'étaient flattés de penser qu'il lançait un coup de sonde, histoire de voir si, dans les médias, « Dieu passait bien ». Le président y croyait-il, lui ? Pouvait-il ajouter foi à ces histoires de réincarnation ? Personne n'en savait trop rien. On avait donc ri de lui, comme on se rit d'un homme qui a ses petites manies, en espérant qu'à l'avenir il se montrerait plus ferme dans l'administration et la conduite des affaires publiques. La vérité, c'est qu'on en avait par-dessus la tête de l'écouter parler de Dieu, à un moment où l'économie du pays partait à vau-l'eau. Quant à l'éventualité du phéno-mène de réincarnation, elle avait tout simplement fait crouler de rire les chrétiens. J'imaginais donc les dessins humoristiques de la presse anglaise si, d'aventure, Gerry s'avisait de rendre publique sa croyance en Dieu et en la réincarnation ! En admettant même que notre liaison, demeurée secrète, n'ait point anéanti ses chances, aborder ce thème était le plus sûr moyen d'aller au fiasco électoral.

Les idées nées de ma conversation avec David se bouscu-laient dans ma tête. Et ces idées, je n'étais pas très sûre de les accueillir favorablement. Car si, d'une part, les propos qu'il m'avait tenus me semblaient plausibles et ne heurtaient pas mon idéalisme, de l'autre, ils me semblaient nébuleux et irréalisables.

— La justice cosmique ? lui demandai-je. C'est donc là qu'intervient ton histoire de réincarnation ?

J'avais posé ces questions d'un ton moqueur, le menton tout humide de jus de pêche.

— Oui.

— Tu crois donc que nos âmes ne cessent de s'incarner, de prendre une forme physique, et cela jusqu'à ce que nous soyons dans le vrai ?

— C'est pourtant vraisemblable, non ? Aussi vraisemblable que bien d'autres choses.

— Je ne sais pas. Peut-être.

— Les grandes vérités nous sont cachées. Cela ne veut pas dire qu'elles ne soient pas des vérités.

— Soit. Mais si j'accepte de croire que chacun de mes actes entraîne une conséquence, j'ai bien peur de me sentir totalement paralysée.

— C'est pourtant ce qui se passe, répliqua-t-il. Seulement, tu n'en es pas encore consciente. C'est ce que le Christ a voulu nous faire comprendre : dans nos vies de tous les jours, le moindre de nos actes, la moindre de nos paroles, entraînent des conséquences. Ce que nous sommes aujourd'hui n'est que le résultat de nos actions passées. Si chacun de nous percevait cela, le comprenait dans sa chair, le monde serait bien meilleur. Nous récoltons ce que nous semons, en mal *ou en bien.* Nous devrions tous en être conscients.

— Et tu crois que si nous prenions plus au sérieux nos actes, si nous les placions dans une perspective cosmique, nous aurions pour les autres plus de bienveillance, et vis-à-vis de nous-mêmes plus de responsabilité ?

— Mais bien sûr. Tout est là. Nous faisons partie d'une vérité, d'un dessein universels. Je te l'ai déjà dit, c'est vraiment simple. Il faut *absolument* que tu en sois consciente, si tu veux, au bout du compte, atténuer le mal que tu t'infliges.

— Tu es convaincu que nous sommes les propres artisans de notre karma, pour reprendre une expression des hippies ?

— Absolument. Et ce n'est pas sorcier à comprendre. Les Indiens le savaient déjà il y a des milliers d'années. Bien avant tes hippies. Ce qui compte, c'est *comment* nous menons notre vie. Dès que nous suivons cette règle, notre bienveillance à l'égard des autres grandit. Et si nous ne la suivons pas, nous en payons les conséquences. C'est inscrit dans le dessein universel. Nous ne vivons pas par hasard. Tu sais bien qu'il n'y a pas de hasard. Tout procède d'un dessein beaucoup plus vaste.

— Libre à toi d'y croire, puisque telle est ta conviction, dis-je. Mais moi, je serais curieuse de savoir ce que les six millions de Juifs massacrés pensent du rôle qu'ils ont dû jouer dans ce vaste dessein cosmique qui les dépasse.

— Pourquoi uniquement les six millions de Juifs ? Et les vingt-cinq millions de Russes ? Et les innombrables pèlerins de la Croisade des Enfants, morts d'épuisement sur la route des Lieux Saints ? Et les je ne sais combien de supposés hérétiques brûlés vifs sur les bûchers de l'Inquisition ? Si tu me demandes de répondre de chaque injustice apparente, de chaque horreur dont le monde a été le témoin, je te réponds tout net : je ne le peux pas. Et je doute fort que tu le puisses jamais.

— Mais alors, pour l'amour de Dieu, pourquoi tout cela ?

— Shirley, je ne peux parler que de ce que je crois. — Il fit une pause et ajouta — Toute cause exerce un effet...

— Oh ! *Arrête !*

— Écoute-moi. La science elle-même admet le principe de causalité. Et la plupart des gens doués de raison y croient eux aussi, d'accord ? Déclare au premier venu que, s'il récolte, c'est parce qu'il a semé, il n'en disconviendra pas. Alors, pousse cette idée un peu plus loin... Si tu ne récoltes *rien* dans cette vie, *quand* donc le feras-tu ? Au paradis ? En enfer ? La religion elle-même croit à la causalité. Et si elle considère la réincarnation comme une hérésie, il lui a bien fallu inventer le ciel et l'enfer, pour que le croyant y soit jugé et traité selon ses mérites sur terre. Mon Dieu, tu trouves donc plus facile de croire en un ciel et en un enfer hypothétiques qu'en la justice d'une réincarnation sur terre ? L'un te semble-t-il plus acceptable que l'autre ?

— Qui te dit que je crois au ciel et à l'enfer ? Et si la vie n'était qu'un accident dépourvu de sens ?

— Alors, nul n'est plus responsable de rien, et ma vie n'aboutit qu'à une impasse. Je ne peux pas vivre en songeant qu'il n'y a, devant moi, rien d'autre qu'une impasse. Et je ne crois pas que tu le puisses, toi non plus. Si ?... Pour moi, tout se ramène à l'individu, à la personne, Shirley. Et en *fonction de ça,* le karma prend son sens. Quoi que l'individu fasse, il en subira les effets bons ou mauvais. Pas nécessairement au cours de cette incarnation, mais à un moment quelconque du futur. Et personne n'y fait exception.

116

Je me levai et m'étirai. J'avais besoin de bouger. Peut-être cela m'aiderait-il à clarifier mes idées ? J'éprouvais le sentiment de vivre pour de vrai *The Twilight Zone*. J'avais été conditionnée à ne croire que ce que je *percevais* ou *ressentais*. Les convictions de David me semblaient, en un sens, acceptables. Tout au moins quand il s'était référé à la responsabilité individuelle. Mais j'avais toujours eu besoin de preuves... de preuves visibles, palpables, audibles. Un besoin typiquement occidental, sans doute ; nous avions grandi dans le culte des sciences physiques et de la psychologie. Pourtant, les Occidentaux étaient revenus sur leurs positions, admettant que ce qui ne cadrait pas avec leurs idées reçues n'en était pas moins respectable.

Si la dimension spirituelle de l'humanité était un jour authentifiée, ne créerait-elle pas une trame cohérente à l'existence ? Et par là-même, n'augmenterait-elle pas le pouvoir et les effets des autres disciplines — de la chimie à la médecine, en passant par les mathématiques et les sciences politiques ? Toutes nos sciences semblaient bien résulter de notre quête d'harmonie, de notre tentative d'attribuer un sens, une finalité à la vie. Peut-être manquions-nous d'une science de l'esprit, qui savait ?

— De toute façon, me dit David, la science occidentale elle-même affirme que la matière ne meurt jamais, qu'elle ne fait que prendre une forme différente. Pourquoi en serait-il autrement de la mort physique ?

— Je ne comprends pas, dis-je. Quel rapport ?

— Quand nous mourons, ce sont nos enveloppes charnelles qui meurent. Nos âmes les quittent et se perpétuent dans le monde astral. Quelles que soient les formes qu'elles empruntent, elles sont la permanence. Nos corps ne sont que les demeures temporaires de nos âmes. Et ce qui compte, c'est ce que nous avons fait de nous-mêmes durant nos vies. *Qui* nous sommes est sans importance. Si nous portons préjudice à quelqu'un dans cette vie, on nous portera préjudice dans notre prochaine vie, ou dans la suivante. « Tout cela est nécessaire à l'accomplissement de l'âme. » C'est Pythagore qui l'a dit. Et il ajoutait : « Quiconque pénètre au cœur de *cette* vérité pénètre au cœur *même* du Grand Mystère. »

— Pythagore ! Le grand mathématicien ?

— Lui-même.

117

— Tu veux dire que *lui aussi* y croyait ?

— Absolument. Il a même laissé d'abondants écrits qui en témoignent. Platon aussi, d'ailleurs. Et une kyrielle d'Occidentaux.

Il me sourit et rassembla les noyaux de pêche enrobés de sable pour les déposer dans le sac de papier.

Mon Dieu, pensai-je, comme j'aimerais pouvoir m'entretenir de tout ça avec Gerry. Mais à partir de l'instant où nous nous attachons à un être, nous nous accommodons de tout, tant nous craignons de porter atteinte à cette illusion aveugle qu'est l'amour. Cette illusion aveugle nous est parfois si nécessaire que nous la laissons corrompre notre véritable identité. Je chassai délibérément Gerry de mes pensées. Pour l'instant, ma propre quête m'importait bien davantage.

Nous nous sommes levés pour faire quelques pas sur la plage.

Si la nature humaine (ou bien tel être humain en particulier) était douée du *pouvoir* de résoudre l'énigme de son identité, de son origine, de son aboutissement, une telle faculté susciterait-elle un sens accru de la responsabilité ? Si je comprenais que mon corps et mon esprit ne sont pas seuls, qu'une âme les habite, une âme qui existait bien avant ma venue au monde, et qui continuera d'exister après ma mort charnelle, que se passerait-il ?

Supposons que le comportement de nos âmes détermine non seulement ce qui nous est donné dans cette vie, mais explique aussi nos bonnes et nos mauvaises fortunes. Adopterais-je alors une attitude de plus grande responsabilité ? Ressentirais-je un plus grand besoin de justice, d'adhésion à chacun de mes actes ? Et si je me persuadais que mes actes m'étaient comptés — les bons comme les mauvais —, finirais-je par comprendre que ma vie a un sens plus élevé que celui que je perçois ?

Me conduirais-je de façon plus responsable, plus indulgente vis-à-vis de moi-même et des autres ? Reconnaîtrais-je que ne pas le faire aboutirait à retarder la quête de cette perfection que je devais atteindre par des voies qui m'étaient propres ? Puisque seule cette perfection peut donner un sens et un but à la vie ? Et cela valait-il pour tous les êtres ? Pour le cheikh arabe haussant le cours du pétrole comme pour le Juif qu'on a poussé vers la chambre à gaz ? Pour le parrain de la

Mafia comme pour le terroriste palestinien ou le mendiant des rues de Calcutta ?

Mes idées tournoyaient, virevoltaient, se dérobaient à mon raisonnement. Je n'étais pas très sûre de me complaire dans les perspectives qu'ouvraient ces spéculations. C'était trop nouveau, trop extravagant et, en fin de compte, trop simpliste.

— Croire en la réincarnation moraliserait-il notre monde ? demandai-je à David, ajoutant aussitôt : pas nécessairement, n'est-ce pas ? Car j'imagine le nombre de ceux qui exploiteraient cette croyance à des fins personnelles, pour acquérir davantage de pouvoir ou vivre plus fastueusement, que sais-je ?

— Bien sûr, admit David. Mais cette vie n'est pas la seule qui compte. Tout est là.

— Je te l'accorde. Mais suppose que tout *soit* aussi clair et net que tu l'affirmes. Suppose que, dans la vie, tout se ramène à récolter ce qu'on a semé, comme dans la nature. Qu'à chaque instant de chacun de nos jours, nous créions et dictions par nos actes, positifs et négatifs, les termes de notre propre avenir...

J'inspirai profondément, soudain consciente de ce que mes propos impliquaient.

— ...Mon Dieu, continuai-je, combien de temps nous faudrait-il, selon les critères de ta justice cosmique, pour devenir des « justes » ?

— Ce n'est pas le temps qui importe, fit calmement David. Pas à partir du moment où l'on ressent les choses dans leur totalité, où l'on possède la conviction d'avoir déjà vécu d'autres vies et d'en avoir plusieurs autres à vivre. Pour toutes les grandes religions, souviens-t'en, la vertu cardinale est la patience. La patience avec nous-mêmes comme avec nos semblables.

— C'est donc la patience qu'il nous faudrait opposer à tous les Hitler de ce monde ?

— Ce que je veux dire, c'est que tes six millions de Juifs ne sont pas réellement morts. Seuls, leurs corps ont péri.

— Merveilleux ! Ça alors, ça vaut mille ! Va raconter aux familles de ces six millions de bienheureux que leurs corps seuls ont péri et que c'est un moindre mal !

Il grimaça comme si je venais de le gifler. Il regarda au loin un point imprécis sur l'océan, et la tristesse inonda son visage.

— Je sais que c'est difficile à concevoir. Aussi difficile que de tendre l'autre joue.

Il s'était exprimé très paisiblement, après avoir marqué une longue pause.

— Tu sais quoi ? dis-je. Moi, j'aurais volontiers cloué Hitler sur une croix.

Il se détourna de sa contemplation pour me regarder au fond des yeux.

— Je vois, fit-il simplement.

Je me rendis compte de ce que je venais de dire.

— Mais, bon sang ! Qu'en aurais-tu fait, toi, de Hitler ? Merde ! Bien des gens pensent que si les Britanniques, au lieu de désarmer, s'étaient armés jusqu'aux dents, on aurait pu neutraliser Hitler avant même qu'il n'ait commencé. Était-ce un *mal* en soi de désarmer ? A ce petit jeu, on n'en finirait plus de s'empêtrer dans les contradictions.

— Je le sais, dit David. Voilà pourquoi tu dois te soucier de toi en premier. Réfléchis une minute... Si Hitler avait eu le sens de la responsabilité morale, comme un être humain digne de ce nom, il se serait abstenu d'agir comme il l'a fait, tu ne le penses pas ? C'est à l'intérieur de soi que tout doit se passer. Je ne crois pas à la nécessité de tuer qui que ce soit. Ta remarque à propos de Dieu et de son grand dessein prend ici tout son sens, car Dieu est le seul juge. Un individu ne peut juger que de sa *propre* conduite. En dernier ressort, personne ne peut juger quelqu'un d'autre. Et tu sais fort bien qu'Hitler n'est pas le seul monstre de l'histoire. Que dire d'Amine Dada, des Khmers Rouges, de Staline ? Le génocide est vieux comme le monde. Que dire des pilotes qui ont lâché leurs bombes sur les hôpitaux du Nord-Viêt-nam, sans le moindre sentiment d'humanité pour ceux qui se trouvaient dessous ?

— En somme, l'homme est un loup pour l'homme, c'est bien ce que tu veux dire ?

— Oui. Si les hommes comprenaient que leurs actes leur *seront comptés*, ils y réfléchiraient à deux fois avant de les commettre.

— La réincarnation comme forme de dissuasion... ?

— Oui, mais dissuasion par décision personnelle, auto-dissuasion, si tu veux. Encore ne s'agit-il là que de l'aspect négatif des choses, tu es bien d'accord ? Il reste les conséquences positives.

120

— Comment peux-tu être si sûr de ces conséquences ? En as-tu des preuves ?

— Aucune. As-tu des preuves du contraire ?

— Aucune.

— Alors, pourquoi ne pas me faire crédit ? Où est le risque ? Actuellement, tout ne va pas pour le mieux dans le meilleur des mondes, c'est le moins qu'on puisse dire.

— Te faire crédit ? Mais... de quelle façon ?

— Je l'ignore, dit-il. Il te suffirait d'y penser, je suppose. Tu me dis que rien n'a véritablement de sens, et moi je prétends que tout a un sens. Tu me déclares que tu n'es pas en paix avec toi-même, et tu veux savoir pourquoi moi je le suis. Pourquoi ? Parce que je crois en cette formule qui, toi, te répugne : la Justice Cosmique. Je crois que ce que nous mettons dans la balance, en bien ou en mal, nous devrons un jour en faire le bilan. Voilà pourquoi je suis en paix. Mais sans doute as-tu mieux à proposer...

David me fit une bise sur la joue et me dit qu'il m'appellerait plus tard.

Je regardai fixement les vagues. J'avais mal à la tête. Tout bien pesé, me disais-je, mieux vaudrait encore être poisson.

Chapitre 7

« J'ai vécu en Judée il y a mille huit cents ans, mais je n'ai jamais entendu dire que parmi mes contemporains existait quelqu'un ressemblant au Christ. »

Henry David Thoreau
Lettres

LORSQUE je me réveillai le lendemain matin, je me surpris à me demander si ma fille n'était pas la réincarnation de quelque autre adulte. Qui donc pourrait bien vivre dans le corps d'une personne dont je pensais qu'elle était ma fille ?

Tout au long de nos relations, j'avais souvent eu le sentiment que Sachi me connaissait mieux que je ne la connaissais. Bien sûr, toute mère a l'impression de tirer un enseignement de ses enfants. C'était là le miracle de l'éducation. Mais, si je laissais libre cours à mes pensées, mon esprit finissait par se concentrer sur l'éventualité de la réincarnation, et Sachi m'apparaissait alors dans une perspective totalement différente. Lorsque le médecin me l'avait présentée sur mon lit d'hôpital, un certain après-midi de 1956, avait-elle déjà vécu d'innombrables vies antérieures ? Avait-elle déjà été élevée par d'autres mères ? Avait-elle pu être *ma* mère ? Se pouvait-il que son petit visage, né une heure plus tôt, abritât une âme vieille de quelques millions d'années ? Et, au fil des jours, avait-elle oublié progressivement sa dimension spirituelle, afin de s'adapter au monde physique auquel elle se trouvait confrontée ? Était-ce cela qu'on appelait « le voile de l'oubli » ? N'en avions-nous pas tous fait l'expérience en nous retrouvant prisonniers de nos enveloppes physiques ?

Peut-être avait-elle prévu, avant de venir au monde, qu'elle partirait vivre au Japon avec son père ? Et ce don qu'elle avait pour les langues, ne venait-il pas de ce qu'elle les avait déjà parlées au cours de vies antérieures ? Était-il plausible qu'elle soit devenue japonaise, qu'elle parle la langue du Japon, parce qu'elle avait effectivement vécu dans ce pays durant une autre vie ? Et lorsque plus tard, devenue adulte, elle nous persuada, son père et moi, de lui laisser plus d'indépendance et de respecter ses choix, répondait-elle à une légitime voix intérieure lui soufflant qu'elle connaissait déjà sa véritable identité ? Peut-être les parents étaient-ils de vieux amis, plutôt que des représentants de l'autorité convaincus d'en savoir plus que leurs enfants. Et les conflits non résolus dans nos vies antérieures contribuaient peut-être à réveiller ces antagonismes si fréquents aujourd'hui entre parents et enfants.

Après avoir pris mon petit déjeuner, je sautai dans un taxi pour retourner à l'Arbre de la Bodhi.

John, le propriétaire de la librairie, lisait dans son bureau en buvant une tisane.

— Tiens ! Bonjour, me dit-il, cordial, mais un rien solennel. Vous avez avancé dans vos lectures ?

Mon Dieu, pensai-je, pourquoi faut-il que les férus de métaphysique soient si compassés et prennent une attitude si patiente qu'ils finissent par en devenir irritants ?

Je lui dis que j'avais réfléchi sur mes lectures, que j'en avais discuté avec David, et que je souhaitais cinq minutes d'entretien avec lui.

— Certainement, fit-il. Quel domaine désirez-vous aborder ?

— Eh bien... celui de la réincarnation, je crois. La réincarnation et l'enfant. Je me demande qui sont nos enfants, et si chaque âme a déjà vécu plusieurs vies.

Il sourit et retira ses lunettes.

— Les enseignements..., commença-t-il avec un rien d'indulgence, nous recommandent de ne pas traiter nos enfants comme s'ils étaient notre propriété. Vous venez de le dire vous-même, ils ne sont que de petits corps habités par des âmes qui ont déjà vécu maintes expériences. Les principes de la

124

réincarnation nous aident à comprendre la violence des crises qui surgissent parfois entre parents et enfants.

Je songeai au documentaire que j'avais vu à la télévision, à propos des adolescents qui maltraitent et brutalisent leurs parents. Agissaient-ils ainsi parce qu'eux-mêmes avaient été battus dans une vie antérieure ? Ou bien parce que leurs parents avaient roué de coups un de leurs semblables dans une vie passée ? Lesquels accomplissaient le karma des autres ? John poursuivit :

— Je peux vous le dire : certaines réminiscences d'une vie antérieure me donnent la certitude que mon fils de huit ans a déjà été mon père.

J'éclatai de rire, me souvenant de ce que j'avais pensé le matin même à propos de Sachi. John mit un doigt sur ses lèvres et sourit.

— Pardonnez-moi, dis-je, mais... en avez-vous parlé à votre fils ?

— Bien sûr. Ça l'a bien fait rire lui aussi. Il m'a répliqué que je ferais bien de me tenir à carreau, sinon, gare à la Justice Cosmique !

Nous y revoilà ! pensai-je. Pour en savoir davantage, aucun doute, il me faudra subir tout ce jargon « astral ». Eh bien, d'accord ! L'occultisme a bien droit à son propre ver biage, après tout. Comme n'importe laquelle des sciences, des religions ou des philosophies. Je pris un siège.

— Je ne suis pas très sûre de comprendre comment ça fonctionne, dis-je. Comment faut-il s'y prendre pour découvrir qui on a été dans une vie antérieure ?

— Il suffit de frapper à la bonne porte.

— Mais encore ?

— Un médium, par exemple. Ça relève de son domaine.

— Les diseurs de bonne aventure ?

— Certes, il existe des charlatans, mais aussi des médiums très estimables. Edgar Cayce, par exemple. L'avez-vous lu ?

— J'ai entendu parler de lui, mais je n'ai jamais rien lu, confessai-je, alors que je n'avais pas la moindre idée de qui pouvait bien être Edgar Cayce.

— Alors, ce sera votre prochaine lecture.

John se hissa vers le haut de la bibliothèque et en descendit quelques livres d'Edgar Cayce.

— C'était un homme sans aucune instruction, reprit-il.

Comme la plupart des médiums. Il avait la faculté d'entrer en transes médiumniques. Tous les médiums ont le pouvoir d'entrer en résonance avec les Tables Akashiques, tant sur le plan spirituel que sur le plan psychique. Vous connaissez les Tables Akashiques ?

Je me penchai en avant, à m'en faire craquer les vertèbres.

— J'avoue... que ça me dépasse complètement, dis-je dans un souffle. Quelles tables, dites-vous ?

J'étais incapable de me souvenir du nom qu'il venait de prononcer.

— Les Tables Akashiques ?

— Oui. Qu'est-ce que c'est ?

— Je vois. Il est malaisé de trouver des écrits sur les Tables Akashiques, mais si vous me le permettez, je vais tenter de vous en donner une explication. On parle d'elles comme de la Mémoire Universelle de la Nature, ou comme du Livre de la Vie. Akasha est un mot sanscrit qui signifie « substance éthérée fondamentale de l'univers ». Vous me suivez ?

— Mon Dieu... oui, je crois. Mais qu'entendez-vous par « éthérée » ?

— L'univers tout entier serait composé d'éthers, c'est-à-dire d'énergies gazeuses ayant des propriétés vibratoires et électromagnétiques diverses. Comme vous le savez, le moindre de nos actes, de nos perceptions, de nos pensées, de nos paroles et de nos réactions — bref, tout ce que nous sommes — émet ou crée des charges énergétiques. Des charges appelées vibrations. Le son, la pensée, la lumière, le mouvement ou l'action réagissent en émettant des vibrations dans ces éthers électromagnétiques. Ceux-ci constituent une sorte de plaque magnétique qui attire les vibrations. En fait, *tout* est composé de vibrations électromagnétiques. Par conséquent, les Tables Akashiques sont en quelque sorte un tableau panoramique de toutes les pensées, de tous les sentiments et de toutes les actions qui ont jamais existé. Et si vos sens sont en parfaite harmonie avec votre enveloppe physique, vous pouvez entrer en résonance avec ces vibrations, et véritablement « voir » le passé, dans le sens cosmique du terme. Voilà ce qui permet à un bon médium de vous révéler ce qu'ont été vos vies antérieures.

— Bonté Divine ! Vous croyez à tout cela ?

— Bien sûr, fit-il simplement. Et qui plus est, je crois que

126

n'importe qui a la faculté d'accéder à ces tables. D'ailleurs, tous les écrits l'affirment. Il faut développer en nous cette faculté qui implique, pour commencer, une plus grande harmonie avec nous-mêmes. On peut arriver à cette harmonie en développant notre puissance spirituelle et mentale. Ce n'est pas plus difficile que de développer notre perception extra-sensorielle. Or, même les scientifiques ne rejettent plus aujourd'hui ce phénomène, vous voyez ?

— Il nous suffirait donc d'amplifier notre champ de conscience ?

J'étais heureuse de comprendre.

— Exactement, dit-il.

— Donc, en prenant davantage conscience de ces autres dimensions, nous en apprenons plus sur nous-mêmes et sur notre existence, c'est ça ?

— Écoutez, ce n'est pas plus extraordinaire que les ondes sonores ou lumineuses. Là, il s'agit simplement d'ondes de pensée. La science ne peut ignorer leur existence, puisqu'aucune énergie ne meurt jamais. Par conséquent, si vous avez la sensibilité suffisante pour intercepter ces ondes de pensée, qui elles-mêmes interfèrent avec les ondes akashiques, vous pouvez percevoir bien des phénomènes survenus dans le passé. Et si vous prenez conscience de la souffrance que vous avez endurée dans le passé, ou de celle que vous auriez pu infliger à quelqu'un d'autre, vous en tirerez forcément un enseignement. Vous me suivez toujours ?

— Oui.

Bien entendu, je mentais.

— Vous avez lu les anciens initiés, n'est-ce pas ? reprit-il.

— Les anciens initiés ? Lesquels ?

— Eh bien, fit John, dont je soupçonnais l'indulgence, Platon, Pythagore, Bouddha, Moïse...

— Ah bon, eux aussi s'intéressaient au psychisme ?

— Évidemment. Sinon, comment auraient-ils écrit tout ce qu'ils ont écrit ? Moïse, par exemple : comment croyez-vous qu'il aurait pu écrire sur la genèse du monde, s'il n'avait été en résonance avec les ondes psychiques ? Et c'est pareil pour le Christ. Je veux dire que ces êtres avaient atteint un haut degré de spiritualité. Ils savaient que leur mission était de faire partager leur connaissance. Voilà pourquoi la Bible présente autant de valeur. C'est un monument de savoir. En outre, la plupart des écrits des initiés s'accordent. On ne trouve pratiquement pas de contradictions entre leurs ouvrages.

— Parlaient-ils de la réincarnation ?

— Ils n'utilisaient pas tous ce mot-là. Mais ils ont insisté sur la relation entre l'âme *éternelle* de l'homme et le Divin. *Tous*, ils ont parlé des lois d'une morale universelle. Ils n'employaient pas nécessairement les mots *karma* ou *réincarnation*, mais le message était le même. Je parle trop, peut-être ?

Je secouai la tête en souriant, et toussai pour m'éclaircir la gorge.

— Mais comment explique-t-on qu'on ne se rappelle *pas* ses vies antérieures ?

— Ils parlent d'une sorte de « voile de l'oubli » qui protège l'esprit conscient, afin que nous ne soyons pas traumatisés par ce qui a pu nous arriver avant. Ils disent que seule notre vie *présente* compte vraiment. Mais, de temps à autre, nous éprouvons un sentiment de « déjà vu * », celui d'avoir déjà vécu quelque chose, ou bien de connaître quelqu'un, en sachant fort bien que nous ne l'avons jamais rencontré au cours de cette vie. Il a dû vous arriver, à vous aussi, de reconnaître un endroit où, pourtant, vous veniez pour la première fois.

— Absolument.

J'étais terriblement soulagée de comprendre John. Je me souvins de ce que j'avais ressenti durant mon séjour en Himalaya : l'impression d'y avoir vécu pendant longtemps, seule. Là, en atteignant la grotte, à flanc de montagne, où un moine m'avait fait cadeau d'un morceau de tissu safran, je m'étais sentie en pays de connaissance. Cette sensation de déjà vu m'avait fait prendre au sérieux les avertissements de ce moine, et c'est pour ça que j'avais conservé le morceau de tissu. Sans m'expliquer pourquoi, j'ai toujours eu le sentiment que ce chiffon avait une plus grande signification que le lama n'avait bien voulu le dire.

John demanda du thé à l'une des vendeuses, puis vint s'asseoir près de moi, au-dessous d'un rayonnage de livres.

— Je sais que je parle trop, reprit-il, mais quand je suis lancé sur ce sujet, je ne peux m'arrêter. C'est d'une telle

* En français dans le texte.

importance, voyez-vous. Pour des esprits comme Pythagore, Platon et les autres, tous les malheurs de l'existence, la maladie, les difformités, les injustices, toutes les calamités s'expliquent par ce fait : chaque incarnation est la récompense ou la punition d'une précédente incarnation. L'être dont l'âme s'améliore d'une vie à l'autre se voit récompensé par des possibilités de réincarnation plus nombreuses, et ce, à des fins morales, pour accomplir son karma. Une âme réellement supérieure, par exemple, choisira de s'incarner sous une forme qui exigera d'elle un esprit de sacrifice. Mais chaque identité suit sa propre voie. Et, apparemment, plus l'âme progresse, plus elle s'élève spirituellement, et mieux elle se rappellera ses incarnations passées.

— Et si une âme refuse de s'améliorer ? Si elle choisit de tout ignorer ?

— On a beaucoup écrit aussi sur cette éventualité. L'âme est libre de progresser ou de régresser. Si elle choisit de régresser de vie en vie, elle finira par perdre son humanité, pour se réincarner sous une forme animale, sans qu'aucune possibilité d'amélioration ne lui soit plus offerte. Refuser l'évolution spirituelle équivaut à perdre sa chance au bout d'un certain temps. C'est ça, précisément, l'enfer.

— Quand on nous menaçait d'aller en enfer, pays du non-être et du grand jamais, si nous ne croyions pas en Dieu, ça voulait dire la même chose ?

— Exactement. La croyance en Dieu garantit l'immortalité absolue de l'âme et l'accomplissement de l'expiation ou, si vous préférez, de la réparation morale. Savez-vous ce que signifie « réparer » dans ce cas ?

— Je ne crois pas.

— Il suffit d'y réfléchir. Ça veut dire : réparer la brisure qui nous a séparé du Créateur et de la création originelle. Nous sommes à la fois créateurs, et malheureusement, destructeurs. Mais lorsque nous nous identifions complètement à la création, nous sommes mieux en mesure de réparer la brisure. Vous voyez, il suffit de découvrir quelques éléments pour que le tableau tout entier commence à se dessiner.

— Par conséquent, ce principe de réincarnation de l'âme justifierait *aussi* le Mal et la souffrance, demandai-je.

— Évidemment : rien n'arrive sans raison. Toutes les souffrances physiques, tous les bonheurs, tous les désespoirs et toutes les joies procèdent des Lois karmiques de la Justice. C'est ce qui donne un sens à la vie.

John s'interrompit et fit un geste de la main, comme pour aborder un autre point. Puis, remarquant peut-être l'expression de mon visage, il s'immobilisa.

— Buvons notre thé, proposa-t-il.

Dans son bureau, nous avions pris place près d'une fenêtre, à l'ombre d'un arbre de l'avenue.

— Comment se fait-il que vous vous soyez intéressée à toutes ces choses *après* votre séjour en Inde ? me demanda-t-il.

Je bus une gorgée de thé brûlant parfumé au gingembre.

— Qui sait si, dans une autre vie, je n'ai pas été moine himalayen, lui dis-je. Et si je ne vais pas réapprendre maintenant ce que je sais déjà ?

Il rit.

— Selon vous, beaucoup de gens chez nous croient en la réincarnation, en la justice karmique et à tout le reste ?

— Beaucoup. Vous le savez bien. Les illuminés de notre sorte sont légion.

Il me fit un clin d'œil et se leva.

— Bon, conclut-il, vous avez donc vos livres sur les messages des médiums célèbres. Vous verrez bien le résultat d'ici à une ou deux semaines. Je serai là si vous voulez en reparler.

Après avoir fini ma tasse de thé, je le remerciai, payai mes livres et sortis. Dans l'avenue Melrose, la circulation était dense. John pouvait bien croire ce qu'il voulait, ça le regardait. Je l'avais écouté, et maintenant j'allais me mettre à lire.

Je revins à Encino. Marie me servit du thé avec une baguette de pain toute chaude et du Brie. Elle avait l'art de conserver le Brie à la française, le gardant à température ambiante jusqu'à ce qu'il fonde et s'étale sur le plat en porcelaine de Limoges qu'elle utilisait toujours à cet effet. J'appréciais son sens du détail. Peu importait qu'elle ne voulût pas de moi dans sa cuisine.

Je savais que je n'aurais pas dû manger de pain ni de fromage, mais tant pis. Je montai le plateau, m'installai dans ma chambre en compagnie de mes nouveaux livres, et me plongeai dans Edgar Cayce.

Edgar Cayce était né en 1877 près de Hopkinsville, dans le Kentucky. C'était un homme simple et profondément croyant (il était chrétien), qui n'avait reçu qu'une instruction élémentaire avant de se mettre au travail, très jeune.

Souffrant d'asthme chronique, il était allé consulter un hypnotiseur sérieux et de grand renom, afin d'obtenir de lui le soulagement qu'aucun médecin conventionnel n'avait pu lui procurer.

Alors que Cayce était sous hypnose, il lui arriva une chose bizarre : il se mit à parler d'une voix qui ne ressemblait en rien à la sienne. S'exprimant à la première personne du pluriel, il se prescrivit à lui-même un traitement très détaillé. Quand la séance fut terminée, l'hypnotiseur lui rapporta ce qui s'était produit et lui conseilla de suivre le traitement. Cayce l'essaya. L'asthme ne tarda pas à disparaître. Mais lorsque l'hypnotiseur lui avait décrit la « voix », qui, apparemment parlait par sa bouche, Cayce en avait été horrifié, considérant que c'était là un blasphème. La Bible n'enseignait-elle pas à l'homme de ne légitimer aucune autre entité spirituelle que Dieu ? Or, Cayce croyait en la Bible.

Mais il éprouvait aussi une grande compassion pour les êtres. Puisque la voix semblait avoir vocation de venir en aide aux gens, il décida de s'en accommoder quelque temps. Ainsi, afin d'aider les autres, Cayce apprit-il très vite à entrer en transes. La Voix — qui elle-même se désignait par « nous » — empruntait toujours une terminologie médicale, et ses prescriptions indiquaient une connaissance approfondie de la médecine, totalement étrangère à Cayce. Chaque fois que le traitement prescrit était suivi à la lettre, il amenait la guérison. Cayce commença donc à se fier au phénomène de la même façon que lui faisaient confiance les gens venus lui demander secours.

Le mystérieux pouvoir de Cayce finit par être connu. Des gens de sa propre région d'abord, puis du pays tout entier, vinrent le consulter. Il n'avait nul besoin de voir ou de rencontrer les patients en quête de secours. Le « nous » semblait capable de pénétrer leurs esprits et leurs organismes, d'examiner leur condition physique et de leur prescrire un traitement qui, s'il était scrupuleusement appliqué, s'avérait toujours efficace.

Le *New York Times* mena une enquête très approfondie sur le cas de Cayce, et en conclut qu'il n'existait pas d'explication rationnelle du phénomène. On ne pouvait pas prouver que c'était le subconscient de Cayce qui s'exprimait (il n'y entendait rien en médecine). Quant à l'intervention d'entités « spirituelles »... Sur ce point, le *Times* ne voulait pas se prononcer.

Cayce devint célèbre dans le monde entier.

Puis, les gens commencèrent à poser à la « Voix » de Cayce des questions relevant de la métaphysique. Quelle était la finalité de la vie ? La vie après la mort existait-elle ? La croyance en la réincarnation était-elle fondée ?

La Voix répondait par l'affirmative et décrivait aux participants leurs vies passées. Elle établissait le rapport entre certaines expériences des vies antérieures des patients et les maladies dont ils étaient atteints.

Là encore, Cayce en fut stupéfait et troublé. Jamais l'éventualité de tels rapprochements cosmiques ne lui avait effleuré l'esprit. Il avait fini par admettre son pouvoir de guérison, mais tenait pour sacrilège tout ce qui se rapportait aux vies antérieures. La Bible ne disait mot à ce sujet. Pendant quelque temps, il refusa de tenir pour vrais ces messages. Ils étaient trop étranges. Mais, bien vite, à force d'expériences venant confirmer l'existence de vies antérieures, il commença à s'interroger. Trop de gens revenaient lui apporter la preuve qu'ils avaient bel et bien vécu par le passé, dans les conditions exactes qu'il leur avait décrites. Évidemment, ils ne pouvaient démontrer qu'ils avaient été M. ou Mme Untel, mais chaque fois qu'ils se livraient à des recherches approfondies, ils se sentaient extrêmement proches de ce que Cayce leur avait décrit.

L'aspect moral du karma et de la réincarnation était clairement mis en évidence dans tous les messages.

Une femme de trente-huit ans s'était plainte de son indécision face au mariage : elle éprouvait une méfiance profonde à l'égard des hommes. Il apparut que, dans une incarnation antérieure, elle avait été abandonnée par son mari, lequel était parti pour une Croisade, immédiatement après leur mariage.

Une jeune fille de dix-huit ans souffrait d'un embonpoint épouvantable qu'elle ne parvenait pas à réduire. Son obésité mise à part, elle était extrêmement séduisante. Les messages révélèrent que, deux vies auparavant, à Rome, elle avait été une athlète accomplie et d'une grande beauté, mais qu'elle avait souvent tourné en ridicule les gens gros ou empotés.

Un jeune homme de vingt et un ans se plaignait de vivre mal son homosexualité. Les message rapportèrent que du temps où il vivait à la cour du Roi de France, il s'était complu à tourmenter et à dénoncer les homosexuels. Et ces messages lui dictaient : « Tu ne condamneras point. Ce que tu condamnes chez autrui, tu le deviendras dans ton être. »

Les fichiers et les archives rassemblés par Cayce comptaient parmi les plus fournis de l'histoire de la médecine. Les quatorze mille messages qu'ils contenaient fournissaient des exemples de karmas relatifs à la santé, à la psychologie, au châtiment, à la famille, à l'aliénation mentale, à la vocation... et ainsi de suite.

Mais les messages les plus clairement mis en évidence se rapportaient à la nécessité de défendre le libre arbitre. Selon la voix, l'erreur fondamentale de l'homme consistait à croire que sa vie était prédéterminée, et qu'il n'avait aucun pouvoir d'en changer le cours. Toujours d'après la voix, il fallait considérer la vie *présente* comme prioritaire, et la démarche la plus importante à entreprendre, pour l'accomplissement du karma, était la défense du libre arbitre. A nous d'atteindre notre moi spirituel, lequel, une fois atteint, nous révélerait la finalité de notre vie. En dernier lieu, nous étions tenus de rendre des comptes pour chacun de nos actes, chacune de nos insouciances, chacun de nos dérèglements. Et si nous le souhaitions vraiment, nous pouvions comprendre de quoi ces comptes seraient faits.

La lecture de Cayce, des « messages » des voyants et autres médiums provoqua en moi une certaine fascination : et si ces gens avaient raison ? Il m'importait peu de connaître la source de ces messages. C'était le fond qui m'intéressait. Était-ce le subconscient du médium qui parlait ? Peut-être les médiums n'étaient-ils que de bons comédiens ?

Mais même si tel était le cas, nous ne pouvions nous méprendre sur le sens moral de leurs messages, car ils nous proposaient une excellente échelle de valeurs.

« Toutes les réponses se trouvent en toi. Cherche, et tu trouveras. »

Chapitre 8

> « Si nous pouvions nous voir vraiment, et voir les autres objets *tels qu'ils sont*, nous découvririons que nous sommes plongés dans un monde d'essences spirituelles, et que notre appartenance à ce monde n'a pas plus commencé avec notre naissance qu'elle ne s'achèvera avec la mort de notre corps. »

> Emmanuel Kant
> *Critique de la raison pure*

JE lus fort tard dans la nuit. Le lendemain, je me levai de bonne heure pour faire une marche dans les monts Calabasas et réfléchir. De leurs flancs raides et escarpés, on a une vue qui domine le Pacifique. Dans les hauteurs était niché « l'Ashram », campement sommaire pour qui venait y chercher oxygène et spiritualité, et station thermale pour les nantis. J'aimais les activités de l'ashram ; je venais souvent m'y mettre en forme avant une émission de télévision, ou chaque fois que je devais donner deux spectacles par soirée à Las Vegas ou à Tahoe. Je m'y nourrissais d'aliments naturels et de crudités, faisais une quinzaine de kilomètres de marche en coupant à travers les collines, pratiquais la gymnastique de plein air, et m'imprégnais de ce que les deux Suédoises qui dirigeaient l'affaire nommaient le « prana » de l'atmosphère. L'une d'elles, Anne-Marie Benström, avait créé l'ashram. Elle était secondée dans sa tâche par Katerina Hedwig. En matière de santé, elles semblaient tout connaître, et je leur faisais une absolue confiance, tant je me sentais merveilleusement bien chaque fois qu'elles me prenaient en mains.

En gravissant la ligne du coupe-feu, je rencontrai Katerina. Elle guidait un groupe de « pensionnaires » dans une escalade tortueuse. Je l'adorais et, pour simplifier, je l'appelais Cat. Il me suffisait de la regarder pour me sentir mieux. Elle *était* joie. Pétillante, drôle, d'une intelligence fine, elle s'adonnait intensément, comme Anne-Marie, à l'exploration spirituelle. Toutes deux étaient de ferventes disciples de Saï Baba, un avatara de l'Inde.

Cat était une femme de haute taille, robuste comme les montagnes qu'elle escaladait. Affable, mais ferme. Sa force communicative m'avait aidée à traverser une période particulièrement éprouvante : la campagne en faveur de George McGovern, dont j'avais soutenu la candidature à la présidence, venait de prendre fin. Elle m'avait aidée aussi à mon retour de Chine, d'où j'étais revenue avec dix kilos de trop. Cat avait su me rendre la douleur et la discipline supportables. Je jouais du diminutif que je lui avais donné, prétendant qu'il venait de Cat-alyse : surnom totalement justifié, puisqu'elle avait su provoquer des événements qui, par la suite, devaient bouleverser ma vie de fond en comble.

Nous avancions toutes deux sur l'escarpement du coupe-feu. Je ne dis rien pendant quelque temps. Elle non plus. Ce qui faisait bien mon affaire, grimper raide ne laisse guère de souffle pour bavarder. Au sommet, nous fîmes quelques étirements, face au Pacifique. Cat pressentait, semble-t-il, que j'avais quelque chose à dire, mais sans savoir comment m'y prendre.

— Comment va la femme célèbre et volage ? fit-elle.

« La femme célèbre et volage ! » Quelle façon bizarre de me désigner.

— Dis-moi, répliquai-je, serait-ce que tu me juges irrésolue ?

Je me mis à rire, sans trop savoir pourquoi j'en éprouvais le besoin.

— Oui. Face à la célébrité, tu es irrésolue. Tu n'es pas sûre d'y attacher beaucoup d'importance. Je me trompe ?

Cat avait cette façon bien à elle de mettre le doigt sur les contradictions de ses interlocuteurs, sans se tromper.

— La célébrité ? dis-je. Je ne pense pas m'en être beaucoup souciée. Beaucoup moins que de la qualité de mon travail.

136

En tout cas, pour l'instant, je me préoccupe bien davantage de ce que je cherche.

— Toi-même, c'est cela ?

— Moi-même ? Tu penses que c'est moi que je cherche ?

— Mon sentiment est... que tu te préoccupes davantage de découvrir qui tu es que d'entretenir ta célébrité. Ce n'est pas ça, Shirley ?

— Oui... oui, dis-je. Mais c'est une telle lutte... S'aventurer soudain dans une dimension de son être qu'on ne soupçonnait pas, et qu'on était encore moins tentée d'explorer.

— Ta dimension spirituelle ?

Mon Dieu, comme tout cela semblait simple, formulé par une autre personne. Et pourtant, les mots avaient cessé d'être des refuges. Je songeai au nombre incalculable de fois où j'avais porté un jugement sur les mots choisis par les gens pour décrire des expériences bouleversantes se rapportant à quelque aspect immatériel de leur vie.

— Oui, répondis-je. Ma curiosité, mon besoin d'en savoir davantage sur tout ce qui touche au spirituel ne t'a pas échappé. Je ne sais pas ce qui m'arrive, mais plus on m'en parle, et plus je veux en entendre.

J'avais tourné mon propos comme s'il s'agissait d'une requête.

— Mais... c'est merveilleux ! approuva Cat.

Tout ce qu'elle disait semblait vibrer de son rire joyeux.

— Merveilleux, reprit-elle. Quel bonheur d'obéir à l'appel de l'esprit, non ?

J'enfouis les mains dans les poches de mon blouson de jogging.

— L'appel de l'esprit ? Tu crois que c'est de ça qu'il s'agit ?

— Bien sûr, Shirley, affirma-t-elle en souriant. Tout est en Dieu, en la reconnaissance du spirituel. La raison de notre existence ici-bas est là. L'explication de la vie, de sa finalité est encore là. C'est ma raison de vivre. Il m'est égal de ne jamais connaître un autre homme. Et pourtant, tu *sais* combien j'ai pu être ardente. Mais le passé est le passé. Maintenant, je perçois ma propre lumière spirituelle. Je l'aime d'amour et n'ai besoin de rien d'autre.

Seigneur ! pensai-je, si seulement je pouvais moi aussi

aimer d'amour ma propre lumière spirituelle, que de voyages et de chagrins cela m'éviterait.

— En somme, dis-je, je devrais plonger tête la première. Mais je ne suis pas sûre de très bien savoir comme m'y prendre.

— Oh, Shirley, poursuivit Cat. Je connais une merveilleuse entité qu'il faudrait que tu rencontres. Anne-Marie est allée le voir en Suède et parle de le ramener ici et...

— Cat, j'aimerais comprendre, fis-je, interrompant son flot d'enthousiasme. Tu me parles d'une entité, en Suède, puis d'un homme. De quoi s'agit-il, au juste ?

— Mais... d'une entité spirituelle. Elle s'appelle Ambrès. Et elle s'exprime à travers un homme du nom de Sturé Johanssen.

— Une entité qui s'exprime ? Tu veux parler de transes médiumniques ?

— Mais oui, fit-elle, surprise du temps qu'il me fallait pour comprendre. Oui, bien sûr. Sturé est menuisier. C'est un homme très simple qui vit à Stockholm, et une entité spirituelle du nom d'Ambrès l'utilise comme instrument de transmission. Ses messages sont d'une beauté extraordinaire, Shirley. Il faudrait que tu l'entendes. Il ne parle, bien sûr, que le suédois, et même le suédois ancien. Mais Anne-Marie ou moi pourrions te le traduire. C'est une entité si forte, si puissante, si bienveillante, Shirley ! Je suis sûre que tu l'adorerais.

— Stockholm ? Fichtre, tu me fais faire un sacré bout de chemin pour parler à ton esprit, dis-donc...

Cat se mit à rire.

— Bon, admit-elle. Mais il se peut que l'année prochaine Anne-Marie ramène Sturé et sa femme aux États-Unis. Tu pourras alors assister à une de ses séances.

— S'y prend-il de la même façon qu'Edgar Cayce ? demandai-je, me souvenant de ce que je venais de lire sur lui.

— Exactement de la même façon. Dans les deux cas, il s'agit de médiums utilisés par des entités de l'autre bord pour parvenir jusqu'à nous.

Nous fîmes quelques pas ensemble. Cat était vraiment excitée à la perspective de me voir aborder une dimension de l'existence qui lui était depuis longtemps familière. Mais j'entendais m'assurer de l'authenticité de ses perceptions.

— Cat, lui dis-je, Tu crois sincèrement qu'il existe un « autre bord », que des esprits désincarnés peuvent nous parler, nous enseigner et... tout le reste ?

Elle se retourna pour me considérer, stupéfaite de ma question.

— Si je le *crois* sincèrement ?

Je confirmai d'un hochement de tête.

— Non, répondit-elle, me consternant au point de me figer sur place. Non, réitéra-t-elle. Je ne le crois pas, je le *sais*.

Sa profession de foi était catégorique, je la connaissais assez pour en être convaincue. Elle venait de me l'exprimer avec une telle fougue ! Et toutes mes questions dubitatives révéleraient mon incapacité à concevoir un système de valeurs qui, pour elle, était fondamental. Je paraîtrais juger ou mettre en question l'essence même de son être. Passe encore que je joue au reporter curieux de la nature humaine. Mais de là à ridiculiser son système de croyances ou, pour reprendre sa formulation savoureuse, son « connaissement » !

— En effet, dis-je, je serais ravie de connaître cet esprit du nom d'Ambrès.

De m'entendre prononcer le mot « esprit » me donnait l'impression de proférer une imposture.

— Alors, quand Sturé et sa femme viendront aux États-Unis avec Anne-Marie, nous t'appellerons, Shirley. Dommage que tu n'aies pas de raisons d'aller à Stockholm avant. Tu n'aurais pas besoin d'une paire de skis ou d'autre chose, par hasard ? Ce serait un bon prétexte !

Nous continuâmes notre marche dans la bonne humeur, bavardant bientôt de nos régimes et des effets, récemment découverts, que peuvent exercer les produits laitiers sur la digestion. Puis nous nous séparâmes après nous être embrassées, nous promettant de pousser plus avant notre exploration spirituelle.

Je revins immédiatement chez moi, impatiente d'appeler Gerry à Londres. Je ressentais le besoin de lui parler. Et plus encore de le voir. J'aurais aimé l'entendre, le toucher, m'assurer qu'il donnait un sens à mon autre monde, bien *réel* celui-là. Je ne me sentais pas disposée à voir mes amis, et j'avais un peu de temps devant moi avant de me mettre aux répétitions de mon nouveau spectacle.

Je constatai une fois de plus combien j'avais toujours

accordé mes états d'esprit aux exigences de mes partenaires masculins. Combien mes sentiments, mes interrogations, mes démarches, mes engouements me semblaient inadaptés, incomplets si *l'homme* n'y était pas associé. Il m'était pénible d'admettre que ma propre identité ne s'authentifiait qu'à travers l'homme que j'aimais. Et pourtant, le fait était là. Révéler à Gerry où j'en étais de ma quête était impossible ; mais sa proximité m'aiderait à faire le point.

J'appelai Londres. Il était dans son bureau.

— Hello ! fit-il, nullement surpris de m'entendre si peu de temps après notre rencontre d'Honolulu.

— Gerry, lui dis-je, percevant qu'il était pressé, je sais que tu es très occupé, mais j'ai besoin d'aller te voir à Londres. Je dispose de quelques semaines, je voudrais les passer avec toi.

Je le sentais hésiter à l'autre bout du câble transatlantique.

— C'est que..., finit-il par répondre, je pars pour Stockholm.

— Tu vas en Suède ? commentai-je bêtement, tant j'étais stupéfaite. Moi qui déplorais, il y a un instant, de manquer d'un prétexte pour me rendre à Stockholm !

En y repensant aujourd'hui, je puis seulement constater que là commença une longue série d'événements singuliers. Leur déroulement, la suite m'en a convaincue, faisait partie d'un plus vaste dessein. Sans doute peut-on soutenir que la vie n'est composée que de coïncidences. Mais avec le recul du temps, et la multiplication des coïncidences, force nous est de redéfinir ce que, jusque-là, nous tenions pour « accidentel ».

Gerry s'étendait sur son voyage à Stockholm, à l'autre bout de la ligne.

— Oui, un congrès socialiste sur l'économie. Je resterai là-bas une semaine.

— Alors, pourquoi est-ce que je ne t'y rejoindrais pas ? J'adore la neige.

Il ne dit rien. Je l'entendis congédier poliment quelqu'un et remuer des papiers sur son bureau.

— Gerry ?

— Oui, oui, je t'écoute.

— Gerry, j'ai des choses à te dire. J'ai besoin de toi et tu me manques. Profondément. Et puis, il faut que je sache ce que tu ressens.

140

Je me conduisais comme une gamine qui court après le prince charmant. J'attendais qu'il me dise quelque chose. Chaque seconde qui passait me semblait lourde d'une horrible angoisse.

— Tu me manques toi aussi, finit-il par articuler.

Il semblait très mal à l'aise. J'insistai pourtant :

— Alors, c'est d'accord ? Tu ne vois pas d'inconvénient à ce que j'aille te retrouver à Stockholm ? Je m'occupe de tout.

— Où veux-tu en venir, quand tu me dis qu'il faut que tu saches ce que je ressens ?

Il semblait effrayé.

— Qu'est-ce qui ne va pas, Gerry ?

— Je suis... ennuyé.

— Je le sens bien. Mais pourquoi ? Ennuyé par quoi ?

— Par... le plaisir.

— Quel plaisir ?

— Le plaisir de savoir ce que je représente pour toi.

— Mais pourquoi ? En quoi cela peut-il bien t'ennuyer ?

— Parce que je ne comprends pas *pourquoi* j'ai tant d'importance pour toi. Cela me met mal à l'aise.

Je ne savais que dire. Je ne savais pas non plus quel message, au juste, il tentait de me faire passer.

— Tu as envie de me voir, Gerry ? lui demandai-je.

— J'ai terriblement envie de te voir. Mais j'ai peur de te décevoir. Cette idée me fait horreur. J'ai horreur de sentir que je vais te décevoir.

— Le plus important est peut-être que tu ne te déçoives pas toi-même, dis-je. Pouvons-nous bavarder un peu ?

— Viens à Stockholm dans deux jours, fit-il. Je serai au Grand Hôtel. Retiens une chambre ailleurs.

Après une dernière hésitation, il chuchota un bref « au revoir » et raccrocha.

Je demeurai là, songeant à ce qu'on pouvait bien ressentir quand on craignait de décevoir l'autre. Aussi loin que remontaient mes souvenirs, je n'avais jamais éprouvé ce sentiment. Je m'étais sentie *dépendante* — de l'« homme » surtout — mais lorsque je me jugeais *insuffisante*, c'était vis-à-vis de moi-même. Ce qui, d'ailleurs, n'arrangeait rien. Si j'avais parfois éprouvé ce sentiment, c'était parce que les buts que je m'étais assignés étaient trop exigeants, hors d'atteinte.

Sans doute mon père avait-il raison d'affirmer que je ne voulais pas suivre son exemple et me décevoir.

Gerry n'était d'ailleurs pas le seul homme à avoir craint de me décevoir. Je me remémorai d'autres épisodes qui, dans ma vie, avaient compté. Des relations s'étaient achevées parce que mon partenaire avait eu peur de ne pouvoir répondre à mon attente, peur de ne pouvoir supporter le sentiment de malaise qu'il en éprouvait. De ces échecs, qui donc portait la responsabilité ? Avais-je trop demandé aux hommes ? Ou bien leur estime de soi était-elle si chétive ?

J'avais consulté à ce propos plusieurs de mes amis psychologues. Selon eux, tout homme devait affronter, en la femme qui partageait sa vie, l'image obsédante de sa propre mère. C'était aux exigences de cette image maternelle que l'homme ne pouvait satisfaire. Bien peu d'hommes considéraient la femme qu'ils aimaient telle qu'elle était : l'image maternelle leur brouillait la vue. La perspective de ce voyage à Stockolm me remit en mémoire une étude fort détaillée que j'avais lue, sur le suicide en Suède. Le taux anormalement élevé de suicides qu'on y observe ne pouvait être attribué ni au socialisme, ni au climat, ni à aucun des mythes qui alimentent les propos de cocktails. Mais aux règles et aux exigences trop élevées imposées par les mères suédoises à leurs enfants. Lesquels, se sentant incapables d'y satisfaire, tombaient dans de tels états dépressifs, que leur sentiment de frustration ne trouvait plus d'autre exutoire que le suicide.

Dans leurs rapports avec les femmes, les hommes du monde entier devaient être affligés d'un sentiment semblable, dû au dédoublement de l'image maternelle. Un sentiment moins aigu sans doute, mais tout aussi corrosif.

En cette ère de libération féminine, pendant que les femmes se plaignent d'avoir besoin d'un compagnon, les hommes eux, endurent les séquelles de pressions subies dans l'enfance. Pressions dont le préjudice est tout aussi dévastateur : elles les ont dépossédés de leur confiance en eux. Dans un cas comme dans l'autre, il s'agit d'une crise d'*identité*. Gerry ne comprenait pas *pourquoi* il avait tant d'importance à mes yeux, comme si son intelligence, ses dons naturels et ses traits de caractère ne méritaient pas mes égards. Or, il avait réussi, et sa réussite était reconnue de tous. Son sentiment d'insuffisance ne pouvait donc avoir que des racines plus profondes. En lui

142

déclarant l'importance qu'il avait prise dans ma vie, j'avais fait remonter en surface son insécurité enfouie.

Si la libération de la femme demeurait prioritaire, l'homme avait grand besoin de se libérer, lui aussi. A vrai dire, les hommes éprouveraient-ils à ce point le besoin de soumettre les femmes s'ils étaient plus libres d'être ce qu'ils étaient ? Dans mes relations avec les hommes, c'était peut-être ma nature définitivement réfractaire à la soumission qui avait amené mes partenaires à réfléchir sur le sens réel de l'égalité. Alors, chaque fois qu'un obstacle avait interdit cette égalité, la relation s'était inéluctablement dissoute : comment un homme, qui ne s'estimait pas digne de mon amour, eût-il pu se sentir mon égal ?

J'ignorais tout de la mère de Gerry. Tout bien pesé, cela n'avait pas la moindre importance. La question essentielle était de savoir ce qu'il pensait de lui-même. Et cela s'avérait aussi indispensable pour lui que pour moi.

Je commençais à comprendre, dans une optique nouvelle cette fois, que la connaissance de *soi* était la plus douloureuse, mais aussi la plus urgente de toutes nos démarches. Pourtant, nul d'entre nous ne pouvait se passer des autres et envisager de trouver le bonheur suprême dans sa propre identité. Ce dont nous avions le plus besoin, c'était d'une communication totale avec nous-mêmes. Et ce message — formulé en termes humains ou cosmiques — Moïse, le Christ, Bouddha, Pythagore, Platon, tous les sages de la religion ou de la philosophie, aussi loin que remonte l'humanité, avaient tenté de nous le transmettre... Connais-toi toi-même, et de cette vérité te viendra la libération.

Et si l'une des voies de la connaissance de notre être véritable consistait à découvrir *qui* nous avons été dans des vies antérieures ? Les cas où la psychiatrie seule était impuissante à atteindre les racines de la personnalité abondaient. La compréhension de nos vies antérieures avait-elle ce pouvoir ? Dans cette vie, le père, la mère et les expériences infantiles déterminent notre conduite face à l'existence et à la réalité : pourquoi des expériences plus anciennes encore n'exerceraient-elles pas sur nous les mêmes effets ?

Je me souvins d'une conversation avec Paddy Chaïevsky, peu de temps avant sa disparition, à propos de *Altered States*, le roman qu'il était en train d'écrire. Il avait fait des recherches scientifiques approfondies sur la vie après la mort, avant

143

de le rédiger. Il m'avait dit que l'individu détient, dans la mémoire de ses cellules, l'expérience de toute l'humanité. Je suppose que mon cerveau ne faisait pas exception à la règle. Quelle différence y aurait-il entre les réminiscences de la mémoire cellulaire depuis l'origine des temps, et les souvenirs de nos vies antérieures ? Et pourquoi les unes seraient-elles plus miraculeuses que les autres ?

Je me demandai si je n'avais pas connu Gerry au cours d'une autre vie. Si oui, quel karma avions-nous bien pu déclencher pour qu'aujourd'hui tant d'obstacles soient dressés entre nous ?

J'appelai Cat pour lui annoncer que j'allais à Stockholm, ce qui ne sembla nullement la surprendre. Elle me donna l'adresse et le numéro de téléphone du fameux médium. Je lui promis d'aller le voir.

Chapitre 9

« Il faut souvent toute une vie pour acquérir les vertus qui sont l'opposé des erreurs dans lesquelles l'homme a précédemment vécu... Les qualités que l'on acquiert, et qui se développent lentement en nous, sont les liens invisibles qui rattachent nos existences les unes aux autres. Et ces existences, seul l'esprit se les remémore, car la matière n'a point souvenance des choses spirituelles. »

Honoré de Balzac
Seraphita

J'AVAIS eu plusieurs fois l'occasion d'aller à Stockholm en tournée. Pourtant ma curiosité pour cette ville restait aussi vive. Elle était tapissée de neige quand j'y arrivai. On aurait dit une carte postale du Grand Nord, tel qu'on se l'imagine.

Un ami que j'avais prévenu m'attendait à l'aéroport. Il était sept heures du soir. Je me demandais à quelle heure la nuit tombait en hiver. J'y étais déjà venue en cette saison. J'en gardais le souvenir de mon nez gelé. En cette fin des années cinquante, pour ceux d'entre nous qui avaient vaguement entendu dire que la Suède avait *opté* pour le socialisme, son organisation économique et sociale apparaissait comme une énigme. Je me souviens encore des frissons d'émotion que j'avais ressentis quand, dans la salle où l'on décernait les Prix Nobel, on m'avait appris qu'il n'y avait en Suède ni préséances, ni différences de classe. J'avais aussi entendu parler de la liberté des mœurs suédoises, et du peu d'importance accordé aux aventures extra-conjugales. Mais une fois sur place, je m'étais aperçue de la fausseté de ce cliché, et de la réticence de nombre de Suédois, en particulier des femmes, face à cette libéralisation. Les Suédoises étaient fondamentalement conservatrices, comme le sont généralement les femmes aux quatre coins du monde, même si la politique de leur gouvernement leur accordait une liberté individuelle plus grande que partout ailleurs.

J'avais séjourné en Suède pendant le Festival des Lumières — Santa Lucia —, lequel marque la fin de la longue période des ténèbres hivernales et l'amorce du nouvel été. Les Suédois vénéraient le Soleil et, en son absence, se réfugiaient dans leur monde intérieur. Ils étaient les victimes d'une dépression institutionnalisée par de longs mois d'hiver. « L'an dernier, l'été est venu un mardi », voilà une de leurs plaisanteries favorites. L'hiver suédois n'allait certes pas embellir ma relation avec Gerry.

Mon ami m'emmena dîner. Après le repas — des huîtres et du hareng — je me rendis à l'hôtel, où il m'avait réservé une petite suite avec vue sur le port. Le salon possédait des fenêtres en avancée, et un grand lit occupait la chambre. Je sus tout de suite que je m'y plairais. Je me couchai et, environ quatre heures plus tard, m'éveillai avec une terrible envie de vomir. Ce que je fis tout le reste de la nuit. Une mauvaise huître, sûrement.

Le soleil se leva vers neuf heures le lendemain, dans un ciel couvert et légèrement brumeux. Toutes les heures, un remorqueur, décrivant des cercles continuels, brisait la glace de la baie, où des camions-bennes venaient déverser la neige dégagée des rues. Le long du quai, les vedettes pour touristes, prises dans les glaces, attendaient le printemps.

Après mon petit déjeuner, je sortis faire une brève promenade. Mais, ne voulant pas manquer l'appel de Gerry, je m'empressai de rentrer. Les rues de la ville étaient totalement verglacées, ce qui ne semblait guère affecter les Suédois dans leurs allées et venues. Pour ma part, j'avais à tout instant le sentiment que j'allais me retrouver par terre.

Après mon retour à l'hôtel, la directrice vint me demander si je n'avais besoin de rien. Il me fallait un séchoir conforme aux normes de voltage suédois, et une couverture supplémentaire ; à part cela, rien ne manquait à mon confort, je le lui assurai.

146

Une porte de service permettait d'entrer et de sortir de l'hôtel en passant inaperçu, et je pouvais compter sur la discrétion des standardistes. La directrice me l'avait garanti.

Tout le reste de la journée, j'attendis dans ma chambre. Vers six heures, il m'appela.

— Salut ! fit-il.

— Salut.

— Comment vas-tu ?

— Bien.

— Quand es-tu arrivée ?

— Hier soir.

— Hier soir ? Je pensais que tu devais arriver aujourd'hui, vers cinq heures ?

— Non, répondis-je. Je t'avais dit que j'arriverais le seize.

— Ah bon. Je peux venir ?

— Bien sûr. Tu as mangé ?

— Pas encore. Je prendrai quelque chose en route.

— Viens directement. Je vais commander un en-cas. Tu seras ici plus tôt.

— D'accord. A tout de suite.

Sa voix me semblait plus autoritaire qu'à l'accoutumée. Il donnait l'impression de se contrôler.

Je laissai la porte entr'ouverte pour qu'il n'attendît pas après avoir frappé. Une demi-heure après, il était là.

Il entra, les mains bien au chaud dans des gants fourrés. Les fameux gants fourrés que sa femme réprouvait tant. Il était pâle et avait les traits tirés.

J'allai à sa rencontre pour l'enlacer, mais il se dirigea droit vers la fenêtre, cherchant à situer mon hôtel par rapport au sien.

Il portait son manteau qui n'était toujours pas doublé de fourrure, un costume de tweed que je lui avais déjà vu à l'automne, et des chaussures de cuir à semelles de caoutchouc.

— Tu sais comment ma grand-mère s'est rendue célèbre? fit-il. En patinant sur une baie glacée pareille à celle-ci, et vêtue d'une jupe qui lui recouvrait à peine le genou !

— Eh bien, répliquai-je, espérons que tu deviendras célèbre de la même façon, mais en pantalon !

Il sourit et se dirigea vers l'autre fenêtre.

147

— Tu vois la guirlande de lumières, là-bas, en forme de pénis ? Mon hôtel est juste à côté.

Une guirlande de lumières qui s'élevait vers le ciel évoquait pour lui un pénis ? Curieux...

Je m'approchai de la fenêtre. Il se retourna et me saisit un sein à pleine main.

J'avais commandé deux épais club-sandwiches. On nous apporta une simple salade de laitue et de tomates sur canapés.

Gerry s'assit sur le divan et entama l'un des sandwiches. Il me parla des restrictions budgétaires imminentes, de l'inconvénient d'augmenter les impôts l'année des élections, ainsi que d'un journaliste américain avec lequel il s'était entretenu toute la journée. Puis il me demanda où j'en étais de mes répétitions. J'étais sur le point de m'y mettre, répondis-je. Tandis que je lui parlais, il observait intensément mes cheveux, mes moindres gestes, mes vêtements, mon corps... mais, pas une fois, il n'eut un mouvement vers moi. Je me sentais trop intimidée pour oser l'approcher. Nous continuâmes à discuter de choses et d'autres, des boat-people qui seraient beaucoup plus heureux en France s'ils choisissaient de s'exiler en Europe, de Sihanouk aux Nations-Unies et de la gauche anglaise, divisée sur la question de l'invasion vietnamienne au Cambodge. Nous évitions de parler de nous, attendant que la tension fût retombée.

Il s'étendit sur le divan. Je me rendais compte qu'il était épuisé, qu'il devait l'être depuis un certain temps déjà, et que, devant moi, il ne se défendait pas de le paraître. Je m'assis à ses côtés, lui caressai les cheveux. Il ne disait mot. Il appuya sa tête sur le dos du divan. Ses bras reposaient sur ses genoux. Il ne fit pas un geste vers moi. Je posai ma tête sur sa poitrine et, tournant vers lui mon regard, l'embrassai tendrement sur les lèvres, encore transies du froid de la rue. Il releva la tête et se dégagea pour reprendre posément son sandwich. J'attendis qu'il en eût fini. Il s'étendit de nouveau, en soupirant.

— Écoute, lui dis-je, si tu me laissais te faire un massage ? Tout ce que je te demande, c'est de t'allonger sur le lit, et rien d'autre. D'accord ?

Il se leva immédiatement et se dirigea vers la chambre. Là, il se retourna et attendit que je l'aide à se dévêtir. J'essayai de lui ôter sa cravate, mais sans y parvenir. Il se mit à rire.

— Je croyais que je n'aurais rien à faire !

Il dénoua lui-même sa cravate et resta debout, bras

pendants. Je n'eus pas le moindre geste pour lui enlever son pantalon. Je le fis pivoter et s'allonger à plat ventre sur le lit. Puis j'entrepris de lui masser le dos avec de la crème Albolène. Il soupira d'aise et glissa les bras sous son corps. Je retirai mon pull-over et mon pantalon pour me mettre à califourchon sur ses reins. Ainsi, je pouvais lui appliquer avec plus de vigueur une technique de massage que j'avais apprise au Japon.

Mes ongles me gênaient. Je devais donc me servir de la paume de mes mains. Mais il avait les épaules et les bras si musclés que mon massage semblait ne lui faire aucun effet. Pourtant, il poussa un profond soupir.

— Sais-tu que c'est mon premier massage ? me dit-il.

Je n'en doutai pas, aussi invraisemblable que cela pût paraître. Gerry ne connaissait pas grand chose au bien-être physique. Sa peau était froide. Je sentais, pourtant que mes mains lui procuraient une sensation de chaleur. Je lui massai la nuque jusqu'à ce qu'il se détendît, repris un peu de crème et me mis à descendre du cou vers la ceinture. Il se cambrait sous mes doigts. Par jeu, je lui donnai quelques petites claques en continuant à lui masser le dos et la ceinture. Il dégagea un bras pour m'enserrer la taille. Bien qu'il fût épuisé, il refusait de se tenir tranquille. Bientôt, il m'enlaça, derrière son dos, de ses deux bras.

La scène semblait irréelle. Nous avions toute liberté de nous aimer, mais on eût dit qu'il feignait de l'ignorer.

Je tentai de me dégager, tout en le massant. Mais il m'attira de ses deux bras vers son dos, jusqu'à ce que je tombe sur lui, l'écrasant de tout mon corps et le serrant entre mes jambes. Il se retourna.

Avant même que j'aie pu me rendre compte de ce qui se passait, il me saisit à bras le corps et nous fîmes l'amour. Il m'étreignait si fort que je pouvais à peine respirer. Son étreinte s'accentua. Je murmurai sans fin que je l'aimais. En guise de réponse, il se contenta de prendre une profonde inspiration, comme si, enfin, il venait de retrouver un havre.

Puis il se détendit. Nous gardâmes le silence. Il restait immobile, comme s'il ne voulait plus jamais se mouvoir. Tout à coup, j'eus peur. Je remuai sous son corps.

— Gerry !

— Oui ?

— J'ai peur. Il faut que je te parle, bégayai-je.

Je me dégageai et m'étendis près de lui. Il fixa le plafond pendant un instant, puis, prenant appui sur un bras, plongea son regard dans le mien.

— Je n'ai pas cessé de réfléchir, me dit-il. Je voudrais te résumer les choses telles que je les vois. Sans pour autant proposer de solution. Je n'en ai pas trouvé.

Je sentis mon estomac se nouer.

— Je t'aime, reprit-il. Je t'aime profondément. Mais une moitié de moi-même résiste à cet amour. Inconsciemment, je me retiens de t'aimer. Je ne me sens pas assez fort pour affronter les conséquences de notre relation, politiques ou personnelles. J'en éprouve une sorte de vide mental et physique. Et il m'est apparu très clairement que je ne suis pas assez fort. J'ai bien essayé de tenir le coup jusqu'ici, mais à présent je vois la situation en face, et je préfère être honnête avec toi.

Il me caressa les cheveux et esquissa un faible sourire contrit, comme un enfant coupable des vérités qu'il vient d'avouer.

— Je t'en prie, cesse de me caresser les cheveux, et dispense-toi de ce sourire navré, dis-je. Tout ce que je demande, c'est de me traiter en adulte et de me dire la vérité.

Son visage devint grave. Bien qu'il ne me connût pas depuis longtemps, il se rendait compte que jamais encore je ne lui avais parlé avec autant de sérieux. Il me regarda profondément dans les yeux.

— En ton absence, je peux faire abstraction de mes sentiments, dit-il. Mais dès que je te vois, j'aime ton visage, j'aime tes cheveux, j'aime t'entendre, te toucher... Je t'aime, et j'aime t'aimer. Sitôt que je te revois, ces sentiments ressurgissent, et je me sens incapable de les maîtriser.

J'avais envie de pleurer.

Il y eut un long silence.

— Je ne comprends pas pourquoi tu m'aimes, reprit-il. Subjectivement, je suppose que je le comprends. Mais objectivement, non.

Il attendait que je lui réponde.

— Tu ne comprends pas *pourquoi* je t'aime ? Ou bien tu ne comprends pas *que* je t'aime ?

— Ni l'un ni l'autre. Voilà, tu sais tout, maintenant. N'en parlons plus.

150

Je ne répondis rien. On eût dit que cette sorte de signal de sortie de scène qu'il venait de me donner lui faisait peur.

— Viens sous les couvertures, demandai-je.

Il m'obéit. Je me taisais toujours. Il finit par rompre le silence :

— Le monde est devenu fou. J'ai la ferme intention de remettre sur pied mon parti et mon pays. Mais notre liaison pourrait bien me coûter ma réélection. Je sais que c'est terrible à dire, mais c'est pourtant la vérité. Et je ne peux faire une chose pareille à mon parti. Tous comptent sur moi pour emporter les prochaines élections. Quant à moi, je n'ai pas la moindre envie de perdre mon siège au Parlement. Reconnaître publiquement notre amour, ce serait me rendre les choses trois fois plus difficiles. Ma femme et mes enfants ont déjà beaucoup sacrifié à ma carrière. Avec ma femme, ce n'est pas l'amour fou, mais elle m'a stabilité dans la vie. Et les enfants aussi. Moralement, je n'ai pas le droit de leur faire du mal. J'ai passé le plus clair de mon existence à travailler, souvent jusqu'à l'épuisement total, et les miens l'ont accepté. Tu comprends pourquoi cette situation est pour moi inacceptable ? Même en ne tenant pas compte du jugement des autres, je sais que je ne serais plus capable de me regarder en face si je devais nuire à mes proches ou à mon parti. En te parlant comme je le fais, j'ai le sentiment d'être plongé au fond d'un gouffre. D'un gouffre d'où je vois pourtant la situation en face.

Je me retournai sous les couvertures et m'appuyai sur un coude pour le regarder dans les yeux.

— Gerry, dis-moi quelque chose.

— Quoi donc?

— Non seulement tu es solitaire de nature, mais ta famille a tout fait pour te retenir, n'est-ce pas ?

— C'est vrai aussi. Mais nos rapports sont très compliqués. Il valait mieux sans doute qu'elle me retienne... Sinon, qui sait si je ne serais pas devenu une mauvaise herbe ?

Une mauvaise herbe ! Cette image était si incongrue ! Croyait-il que, libéré de ses entraves familiales, il aurait étouffé tout ce qui croît alentour, comme le font les mauvaises herbes ? Ou bien voulait-il dire que, sans la discipline imposée par la famille, il aurait sombré dans l'inconséquence et le dérèglement ? Je tournais et retournais ces éventualités dans ma tête. J'avais lu un jour que les mauvaises herbes n'étaient mauvaises que parce qu'elles poussaient sur un sol défavorable à leur épanouissement.

— Ma femme porte sur les autres des jugements très sévères, fit-il. C'est pourquoi je sais qu'elle n'accepterait jamais notre liaison. Je ne comprends pas ce trait de caractère, mais le fait est qu'il se trouve profondément ancré en elle. Elle est exclusive et mène son monde d'une poigne de fer.

— D'une poigne de fer ?

— Et je pense que c'est une bonne chose. Elle aurait donc beaucoup de mal à comprendre le besoin de toi que je ressens.

Mes remords s'envolèrent.

— Puisque tu tiens tant à ne pas faire acte d'immoralité à son égard, dis-je, comment peux-tu accepter le contraire de sa part ?

— Je ne sache pas qu'elle ait été immorale dans sa vie.

— Passons sur la définition de l'immoralité. Tu ne considères pas qu'il est immoral de juger sévèrement un être aimé ?

— Ils ont eu pour moi tant de tendresse et d'abnégation... Je n'ai pas le droit de leur faire du mal, aujourd'hui.

Je m'efforçais d'autant plus de saisir ce qu'il voulait dire que je n'avais exigé de lui aucun engagement.

— Écoute, mon chéri. Personne ne te demande de prendre une initiative quelconque. En tout cas, surtout pas moi. Comprends-le, je t'en prie. Comprends que je me soucie bien davantage de ce qui se passe dans ta tête.

— Comment ça.

— Il ne t'est jamais venu là l'esprit que tu pourrais retrouver ta liberté ?

— Ma liberté ? Mais...

— Retrouver soudain sa liberté ne va pas sans souffrance et sans responsabilités nouvelles. Peut-être étais-tu prêt à le faire quand tu m'as rencontrée, jusqu'à un certain point tout au moins. Peut-être te donnes-tu aujourd'hui de bonnes raisons de réintégrer ton cocon... pour repousser l'échéance. Pourtant, retrouver ta liberté pourrait aussi améliorer tes rapports avec les tiens, tu ne crois pas ?

— Je ne sais pas, fit-il en pâlissant...

— Et si tu redoutais la force que tu portes en toi au point

152

de te retrancher derrière ta famille ? C'est cette force qui m'a attirée vers toi. Et c'est d'elle que tu as peur.

Il ne dit rien.

— Alors, continuai-je, je veux savoir.

— Mais... savoir quoi ?

— Savoir si tu pourrais te passer de moi. Et si tu veux qu'il en soit ainsi.

Je le vis éperdu, accablé. J'attendais qu'il me réponde, frémissant secrètement d'impatience, tant il était long à se décider : il faisait un effort surhumain pour être sincère.

— Je ne sais pas, finit-il par murmurer. Je suppose que je devrais te dire oui. Te dire que je pourrais faire taire mes sentiments et revenir à ma solitude. Oui, je crois que je le pourrais.

Je me sentais trembler au fond de moi-même. A l'évidence, il ne me restait plus qu'à lui faciliter les choses, en me détournant de lui *parce qu'*il m'aimait.

Je ravalai mes larmes.

— Que faut-il que je fasse ? demandai-je. Je ne crois pas que je pourrais supporter de te savoir si seul parce que je t'ai quitté. Sans parler de mon chagrin.

— Oui, fit-il, je serais désespérément seul si tu me quittais.

— Si tu ne peux comprendre que je t'aime tant, comment peux-tu savoir que tu m'aimes ? Il faudrait que tu t'aimes davantage pour être libre de m'aimer et d'aimer les autres.

Il semblait perplexe.

— Je ne comprends pas, dit-il.

— Ce que je veux dire, c'est qu'il faut d'abord s'aimer soi-même pour être pleinement capable d'aimer les autres.

— Je ne comprends toujours pas.

— On dirait que tu as passé toute ta vie à venir en aide aux autres sans même te rendre compte que tu n'as jamais rien fait pour toi-même.

Il sortit du lit.

— Dois-je comprendre que tu refuses de poursuivre plus avant cette discussion ? demandai-je.

Il se mit à rire et se laissa tomber sur moi, la mine contrite.

— Tu sais, ce que je peux endurer a des limites, fit-il. Tu es vraiment très forte.

— Intransigeante serait plus juste. Mais tu dois y trouver ton compte. Sinon, tu ne serais pas ici.

— Très bien, répliqua-t-il en se redressant. D'après moi, il y a donc trois solutions. La première, c'est de nous accommoder de cette supercherie politique et personnelle. La seconde, la tienne, c'est de...

— Un instant, coupai-je. De quelle solution parles-tu ?

— De celle que tu viens de proposer... Tu me... bon.

« Tu me laisses tomber. » Ces mots-là, il n'arrivait pas à les prononcer.

— Et la troisième, continua-t-il, c'est de nous donner encore un peu de temps pour réfléchir.

— N'est-ce pas précisément ce que nous sommes en train de faire ?

Il rit.

— Au moins, dis-je, nous discutons *pour de bon* du problème.

Il regardait par la fenêtre.

— Tu sais, reprit-il, jamais de ma vie je n'avais eu un échange de confidences si prolongé.

— Tu dois te tromper. Je crois bien que c'est *l'unique* échange de confidences de ta vie, non ?

— C'est vrai, reconnut-il.

Nous nous regardâmes.

— Écoute, lui dis-je, je ne veux ni gâcher ton mariage, ni compromettre ta carrière. Mais je n'entends pas non plus m'associer à une tromperie, conjugale ou politique.

— Je le sais.

— Quant à la solution, disons que je serais heureuse que tu te sentes plus libre quand nous sommes ensemble, c'est tout. Ainsi gagnerions-nous du temps.

— Très bien, approuva-t-il. Je comprends. J'essaierai de me sentir plus libre si tu acceptes de faire durer encore un peu la duperie.

— Soit, j'accepte l'arrangement. Mais je voudrais ajouter une chose. Que je fasse un peu taire mon intransigeance, d'accord. Mais que de ton côté tu fasses taire aussi ta « moralité ». Alors, je t'en prie, cesse de te tourmenter à propos de ton sens moral, abandonne-toi à la joie d'être près de moi, et je baisserai d'un ton mon intransigeance.

— D'accord, fit-il en riant.

154

Il leva les yeux au ciel et secoua la tête d'un air faussement désespéré. A présent, c'était merveilleux de lui parler. Il ne manifestait plus ni hostilité, ni résistance. Il ne cherchait pas à se dérober. Il exprimait seulement un désir profond de comprendre ce qui se passait entre nous.

Nous nous rhabillâmes. Il m'apprit qu'il devait participer à un débat avec des jeunes, dans une ville de province, et qu'il ne reviendrait pas à Stockholm avant le surlendemain. Nous nous reverrions dès son retour.

J'avais accepté d'être partie prenante dans la duperie. Donc, résolue à ne pas faire allusion devant lui à cet acte véritablement immoral qu'il commettait en dissimulant à sa femme une relation amoureuse qui allait encore durer un an. Je savais, mais me gardai bien de le lui dire, que ce qui l'inquiétait bien davantage, c'était le jugement *public* que porterait sur lui sa femme si elle découvrait notre liaison. Ce jugement-là risquait non seulement de lui faire perdre les élections, mais aussi ses illusions sur le fameux *sens moral* de son épouse.

Je l'accompagnai jusqu'à la sortie de service, lui montrai le fonctionnement de la serrure et le regardai s'éloigner dans la neige, marmonnant que le portier de nuit pourrait bien l'avoir reconnu.

Une confidence qu'il m'avait faite me revint en mémoire. Sur le moment, je l'avais trouvée trop compliquée à comprendre. « J'aime que les gens m'admirent, m'avait-il déclaré, sauf quand ils comptent réellement à mes yeux. »

J'y songeai toute la nuit, en m'efforçant de trouver le sommeil. Pour être admiré par ceux qui vous tiennent à cœur, encore faut-il être en mesure de soutenir leur admiration. Il s'agissait là d'une épreuve autrement plus exigeante que la relation publique. Une épreuve mettant en jeu de solides qualités, et la capacité de supporter pour une longue durée l'inquisition des proches et leur observation vigilante.

On eût dit que la plupart des êtres se dérobaient à toute proximité avec autrui. C'était trop angoissant, trop difficile à vivre... A la rigueur, oui, pour quelques jours. Mais à long terme, la menace devenait trop pesante. Pourtant, par une espièglerie du sort, nous étions en quête d'amour. Nous passions notre vie à rechercher l'être avec lequel nous pourrions partager l'amour. Quitte à battre en retraite quand nous le découvrions, cet être capable de combler notre vœu.

Chapitre 10

« Je crois que l'immortalité, c'est la traversée par
l'âme de plusieurs vies ou expériences qui, lorsqu'elles sont pleinement vécues, remplies et com-
prises, permettent d'accéder à la suivante, chacune étant plus riche, plus heureuse et plus élevée
que la précédente, chacune ne perpétuant que des
souvenirs authentiques de ce qui fut auparavant... »

Louisa May Alcott
Lettres

JE ne revis pas Gerry de trois jours. Je les passai assise dans ma
chambre d'hôtel, à réfléchir. Je dormis environ quatre
heures par nuit. Je fis des promenades glacées dans la neige sans
avoir conscience du froid. Je fis défiler toute ma vie dans ma
tête. Je lus quelques-uns des livres achetés à l'Arbre de la Bodhi,
en particulier celui sur Cayce. C'est alors que je sortis l'adresse
et le numéro de téléphone du médium suédois dont Ambrès
utilisait la voix.

J'appelai Lars, l'ami qui était venu m'accueillir à l'aéroport. Lui et sa femme, des publicitaires, appartenaient à la
bourgeoisie aisée — bien que l'idée d'une persistance des classes
sociales choquât les Suédois. J'avais fait la connaissance de Lars
et de Birgitta quelques années auparavant, à l'occasion d'une
tournée à Stockholm.

Lars avait été très discret à l'aéroport et s'était abstenu de
me demander la raison de ma présence en Suède.

157

Nous bavardâmes un moment au téléphone et, au fil de la conversation, je fis allusion à mes lectures métaphysiques, en particulier aux fameux messages psychiques d'Edgar Cayce.

— Edgar Cayce ? fit Lars. Je connais assez bien son œuvre. Il était très doué.

J'étais un peu surprise qu'Edgar Cayce fût connu en Suède alors que moi, en Amérique, venais seulement d'en entendre parler.

— Quelle coïncidence ! reprit Lars. Tu mentionnes son nom alors que ce soir, précisément, Birgitta et moi allons assister à une séance de spiritisme avec un clairvoyant qui pratique la transe médiumnique. Aimerais-tu te joindre à nous et connaître l'esprit qui communique par lui ?

— Un clairvoyant ? C'est bien toi, Lars, qui me parles d'esprit ?

— Oui, fit-il simplement.

— Et comment s'appelle cet esprit ?

— Ambrès.

Le moins que je puisse dire est que cette « coïncidence » ne fut pas sans conséquence pour moi. Pendant notre conversation téléphonique, j'avais rapidement feuilleté le livre de Cayce. Je le refermai délibérément et acceptai de me joindre à eux. Aucun doute, je n'étais pas venue en Suède uniquement pour voir Gerry. Les choses bougeaient d'elles-mêmes. Parfait.

Quand Lars et Birgitta vinrent me chercher quelques heures plus tard, j'étais fin prête. Ils ne me demandèrent pas comment j'avais passé mon temps depuis mon arrivée. Aussi, leur dis-je que je projetai d'écrire un nouveau roman, que je ressentais le besoin d'abandonner quelque temps ma vie trépidante en Amérique, et de trouver paix et tranquilité au cœur de l'hiver suédois. Ils semblèrent accepter mes explications. Les Suédois sont très discrets.

Nous nous rendîmes en voiture chez le médium, dans les environs de Stockholm. Il s'appelait Sturé Johanssen, me dirent-ils, et sa femme se prénommait Turid. Quant à l'entité spirituelle qui communiquait par l'intermédiaire de Sturé, elle était en passe de devenir célèbre dans toute la Suède.

— Beaucoup de gens viennent recueillir l'enseignement d'Ambrès, dit Lars. Ses diagnostics leur sont d'une aide précieuse.

— Mais encore ? demandai-je.

Je songeais à Cayce, qui, jadis, avait transmis quelque chose de très semblable.

— Eh bien, dit Lars, des gens affluent vers lui de toute la Suède, avec les préoccupations les plus diverses. Les uns souffrent de maladies chroniques, d'autres sont incurables. D'autres encore ont des problèmes psychologiques. Et quelques-uns enfin cherchent à savoir d'où vient l'humanité et où elle va.

— Et Ambrès, il peut répondre à toutes ces questions ?

— Disons que... si les gens suivent à la lettre ses indications, ils sont généralement soulagés. La plupart de ses conseils se rapportent à la faculté de connaître que chacun de nous possède, pour peu qu'il en ait conscience et qu'il y croie.

— Mais que se passe-t-il pour quelqu'un qui en est au dernier stade d'un cancer ? Ambrès peut-il lui apporter une rémission ?

— Non. Aucune. Il ne peut que guider les gens afin qu'ils se placent mentalement et spirituellement sur la bonne voie. A chacun de s'y maintenir, par la suite, ou du moins de s'accommoder de ses états émotionnels. Fondamentalement, il s'agit d'une approche globale et spirituelle.

— Et ça réussit ? demandai-je.

— Absolument, répliqua Lars. Les enseignements d'Ambrès nous apprennent que nous disposons du pouvoir et des connaissances nécessaires pour devenir ce que nous voulons devenir. Que nous possédons des dimensions et une compréhension dont nous ne sommes pas conscients, et aussi une énergie positive étonnante, aussi étonnante que la sienne, à ceci près que *lui*, seul pur esprit, le sait, et nous pas.

— Dis-moi ce qu'est vraiment un pur esprit. Je ne suis pas sûre de comprendre.

— Nous avons tous une dimension spirituelle. Seulement, nous l'ignorons. Nous sommes des êtres spirituels constitués d'une énergie prisonnière d'un corps. Ambrès, certes, est supérieurement évolué. Nous aussi d'ailleurs, mais nous ne le croyons pas.

Un souvenir flou de ce que David m'avait dit me revint en mémoire, pour disparaître à nouveau. Des coupures d'articles et des phrases de livres que j'avais lus me tournaient dans la tête. Saï Baba en Inde et le maître spirituel Krisnamurti n'avaient-ils pas dit quelque chose de semblable ? « Nous pouvons accomplir

159

tout ce qui est, et la reconnaissance de notre pouvoir spirituel, apparemment invisible, hâtera notre perfectionnement. »

— Donc, Birgitta et toi, vous croyez qu'une entité spirituelle authentique nous parle par l'intermédiaire de Sturé Johanssen ?

— Mais certainement, intervint Birgitta. Ou alors il faudrait admettre, si une telle entité n'existait pas, que Sturé Johanssen est non seulement un excellent comédien, mais encore qu'il détient un savoir et dispose de remèdes capables de sauver bien des vies, autant sur le plan moral que sur le plan physique. Il révèle à certaines personnes des choses bien trop intimes pour qu'il ait pu en être informé. Et puis, personne ne comprendrait comment il parvient à établir ses diagnostics. Chacun de nous doit lui faire confiance. Ambrès nous apporte des précisions sur nos vies antérieures, qui nous semblent si évidentes qu'elles influencent beaucoup notre existence actuelle.

Je baissai la vitre et respirai profondément.

— Il serait donc possible d'obtenir de lui des informations sur une vie antérieure et ces informations pourraient influencer notre vie actuelle ?

— Oui, répondit Lars. Mais Ambrès insiste sur le fait que cette vie-ci est la plus importante. Sinon, nous serions des obsédés du passé, au risque de nous détourner du présent.

— Répond-il toujours aux questions touchant à la vie antérieure ?

— Non, répondit Birgitta, pas toujours. Souvent il jauge le questionneur, et estime qu'il est plus urgent pour celui-ci d'y voir clair dans sa vie présente. Alors qu'à d'autres, il parle très longuement de leurs vies antérieures. Tout dépend donc de l'individu.

Sans dire un mot, j'écoutai Birgitta et Lars énumérer les cas où Ambrès avait contribué à apaiser les tourments de personnes dans la détressse, ou avait satisfait la curiosité de ceux qui étaient venus simplement pour assister à une séance médiumnique.

— Et toi, tu crois ces dons très répandus ?

— Tu veux dire ailleurs dans le monde ? fit Lars. Ou simplement en Suède ?

— Je ne sais pas. N'importe où.

— Vois-tu, nous avons beaucoup d'amis en Amérique et

160

en Europe qui s'intéressent à la métaphysique. Il est certain que la transmission, par un médium, de messages émanant d'entités spirituelles devient de plus en plus courante. Il semblerait qu'en nous rapprochant de la date fatidique de l'an deux mille, nous recevions une aide spirituelle accrue. Encore faut-il savoir en faire bon usage.

— Dis-moi, tu ne crois pas que certains médiums sont des fous ou des charlatans ? Comment faire la différence entre celui qui simule et celui qui entre véritablement en transes ?

Lars réfléchit. Pour lui, ma question semblait toute nouvelle. Puis il regarda Birgitta, et tous deux haussèrent les épaules en signe d'ignorance.

— On ne sait pas, répondit-il. Je suppose qu'on doit bien pouvoir déceler la supercherie. Le message transmis est en général trop compliqué ou trop personnel pour que le médium l'invente. De toute façon, tu pourras en juger par toi-même. Nous n'avons jamais constaté la moindre supercherie. Aussi nous est-il difficile de te répondre.

— Beaucoup de vos collègues publicitaires s'intéressent à ce genre de chose ? demandai-je.

— Quelques-uns, fit simplement Lars. Ceux qui s'intéressent au développement spirituel. Nous sommes plutôt discrets avec ceux qui ne sont pas ouverts à ces questions. Mais beaucoup d'autres sont comme nous, et nous sommes devenus amis intimes. Avec ceux qui cherchent leur propre lumière spirituelle, nous pouvons vraiment communiquer. Les autres ne sont pour nous que des relations. On dirait qu'ils vivent à la surface de la vie plutôt qu'en elle.

J'aspirai profondément à nouveau. Ici, l'air était si pur en hiver !

— Parle-moi de Sturé Johanssen, dis-je. Qui est-il, en dehors de ses transes ?

— Il est menuisier, expliqua Lars. Et il ne s'intéresse pas le moins du monde à la spiritualité.

— Cela ne le dérange pas trop de servir d'instrument de transmission, quand il pourrait consacrer son temps à fabriquer des étagères ou autre chose ?

Lars se mit à rire. La voiture avançait lentement dans les rues verglacées de Stockholm.

— Mais non, me dit-il. Du moment qu'il aide les gens, il est heureux. C'est un homme de cœur, simple et dévoué.

— La voix d'Ambrès est-elle différente de la sienne ?

— Il est parfois bien difficile de comprendre la langue d'Ambrès. Il s'agit d'un suédois très ancien. Quelque chose comme l'anglais de la Bible. Imagine un peu si on te le parlait ! La syntaxe d'Ambrès est totalement différente de celle de Sturé et de celle du suédois contemporain. Ambrès affirme qu'*aucune* langue ne permet d'exprimer ne serait-ce qu'une parcelle du savoir qu'il aimerait nous transmettre.

— C'est-à-dire ?

— Quand il veut nous ouvrir l'esprit à certaines dimensions, à certains concepts auxquels nous n'avons même jamais pensé, tout langage lui paraît, en soi, limitatif. Parce que les langues que nous parlons ou écrivons ne s'accordent qu'aux dimensions perceptibles par nos cinq sens. Celles de notre monde physique. Nous venons seulement de comprendre, grâce au développement de l'astrophysique et de la psychodynamique, qu'il nous faut créer un langage en prise sur les mondes qui nous sont invisibles. Nous commençons peu à peu à découvrir les dimensions fascinantes de ce monde que nous qualifions simplement, ironiquement parfois, de métaphysique. Et c'est ce qui rend bien souvent difficile la tâche d'Ambrès, quand il veut nous faire comprendre la vie à partir d'un plan non-physique.

La voiture roulait. Je fermai les yeux et me demandai quel effet cela ferait d'être « immatériel ». Je m'aperçus que dès l'instant où je me laissais entraîner dans une discussion métaphysique et qu'on me parlait d'« occultisme », de « plan astral », de « vibrations cosmiques » — le vocabulaire de base d'une croyance aussi vieille que le monde —, je réagissais par le persiflage, le sarcasme, la défiance ou le mépris pur et simple. Cette fois encore, j'étais tentée de le faire. Et pourtant, je souhaitais en savoir davantage et faire ma propre « expérience » médiumnique.

Lars parlait toujours. Je gardai les yeux fermés.

— Toutes les sciences ont une terminologie qui leur est propre, disait-il. Un vocabulaire généralement incompréhensible pour les non-initiés. Et que dire des mystères, du merveilleux et des miracles qui, eux, ne prennent de sens que par la foi qui les sous-tend ? Comme les religions. Nous sommes prêts à accepter des merveilles scientifiques sans rien y comprendre, et il nous faut la foi pour admettre les miracles religieux. Je me

162

demande pourquoi, en Occident, il nous est si difficile d'authentifier l'acquit et l'esprit de ce qu'on appelle communément l'occultisme.

J'ouvris les yeux.

— Parce que dès qu'on parle d'occultisme, dis-je, on pense à des forces maléfiques, à *Rosemary's Baby* et autres trucs du même genre. Et ça fait peur. Les revenants et l'au-delà ne déchaînent généralement pas l'hilarité.

Ma remarque fit rire Lars.

— Évidemment, dit-il, bien des gens n'ont exploité dans l'occulte que son côté macabre. Pourtant, son côté lumineux est splendide. On peut certes envisager seulement l'aspect négatif de tout ce qui vit dans la nature, on peut ignorer l'aspect positif, capable pourtant de transformer l'existence.

Je refermai les yeux. Incroyable. J'étais à Stockholm, à l'intérieur d'une voiture, en compagnie d'un homme et de sa femme qui me tenaient le même discours que David à Manhattan, ou Cat sur les escarpements de Calabasas, en Californie. S'agissait-il donc d'une préoccupation si universelle ?

— Des millions de gens à travers le monde s'intéressent à ces phénomènes, dit Lars, comme s'il avait lu dans mes pensées. Au point de faire vivre toute une industrie. On ne compte plus les livres, les méthodes, les écoles, les individus et les écrits divers qui, aujourd'hui, se consacrent à la dimension métaphysique. Pour moi, ce n'est plus de l'intérêt pour l'occultisme, mais pour la dimension spirituelle de l'existence.

Lars et Birgitta se mirent à me parler en même temps, de leur curiosité pour le spirituel : ils insistèrent sur le fait qu'elle les avait « somptueusement » enrichis. Depuis, ils étaient plus heureux, plus ouverts aux autres. A la faveur des séances avec Ambrès, ils s'étaient fait de nombreux amis, qui croyaient aussi aux mêmes choses. A leurs yeux, Ambrès était une entité spirituelle authentique, dont la voix provenait du plan astral. Cela ne faisait aucun doute.

— Vous croyez donc, *en toute sincérité*, l'un comme l'autre, qu'Ambrès est une entité spirituelle ? demandai-je.

J'avais édulcoré ma question, afin de ne pas les blesser par une formulation plus dubitative. Lars me souria d'un air patient. Ce fut Birgitta qui se retourna vers moi pour répondre.

— Tu sais, me dit-elle, il est pratiquement impossible

d'expliquer ce phénomène à quelqu'un qui n'y est pas réceptif et qui n'admet pas que ces choses puissent exister.

A travers la vitre, je regardais la campagne environnant Stockholm. Je réfléchissais, me demandant combien de Suédois, dans leurs maisons nettes comme des chromos, s'étaient, eux aussi, lancés dans l'exploration spirituelle. Ici, tout ressemblait à une carte postale de pays de neige, les coins de rue, les demeures, les arbres givrés... La garniture de cuir de la Volvo dégageait une discrète odeur de neuf. La voiture, d'un modèle récent, était confortable et d'un luxe un rien austère. A l'extérieur, les maisons modernes affichaient une coquetterie sans opulence. Toutes montraient une personnalité bien à elles. Pourtant, la Suède elle aussi avait ses problèmes. Elle était sur le point d'entrer dans le vingt-et-unième siècle en maintenant un savant équilibre entre socialisme et démocratie. Que pouvait bien représenter la spiritualité pour les Suédois ? Jusqu'à quel point s'en étaient-ils pénétrés ? N'était-il pas surprenant qu'un publicitaire à succès, et qui faisait autorité dans sa profession, me conduisît à une séance de transes médiumniques ?

A une quinzaine de kilomètres de Stockholm, nous atteignîmes ce qui semblait être une localité paisible et résidentielle, avec de curieux réverbères à tous les coins de rues. Des carrés de sable et des balançoires enjolivaient chacune des résidences, dont tous les blocs semblables étaient personnalisés par des jardinières de fleurs, des bonshommes de neige et des ornements conçus par les occupants.

En descendant de voiture, je contemplai ces édifices identiques.

— Si j'habitais ici, je me tromperais de bâtiment au moins une fois par semaine, dis-je. Ce genre de méprise doit vous rendre plus attentif à ce qui distingue les immeubles les uns des autres, non ?

Lars sourit. Je les suivis vers l'une des résidences. Ils sonnèrent à une porte, et une voix féminine nous répondit joyeusement de l'intérieur. Aussitôt, une femme rondelette, aux joues roses, ouvrit pour nous accueillir dans un suédois volubile.

— C'est Turid, dit Lars. Elle me prie de te dire qu'elle est désolée de ne pas parler l'anglais. Elle te connaît par tes films et elle est très heureuse que tu veuilles faire la connaissance d'Ambrès.

164

Turid nous fit passer dans le salon. Je croyais me trouver dans un intérieur californien de la vallée de San Fernando : même sofa profond nouveau style, même bibliothèque, même lampe Tiffany autour d'une table basse de bois poli, autour de laquelle plusieurs personnes étaient assises. On y avait disposé des pots débordant de lierre, de la bière et du fromage.

— Sturé a fabriqué lui-même tous les meubles, me dit Lars.

Il se proposa comme interprète. Turid me présenta à ses amis, sous mon seul prénom, Shirley. Passées les civilités sur le pas de la porte, mon nom ne semblait plus avoir la moindre importance pour elle.

— Sturé se repose, nous dit-elle. Il ne va pas tarder à se lever.

Ensuite, elle nous invita à prendre place autour de la table et à nous servir. Affamés, nous fîmes honneur au fromage, en l'accompagnant de bière et de biscuits salés.

— Turid et Sturé n'ont plus d'autre activité que la communication avec les esprits, me dit Lars. Mais Turid s'inquiète de voir son mari épuiser toute son énergie dans les transes médiumniques. Pourtant, l'un comme l'autre veulent aider le plus possible de gens.

— Pourquoi ? demandai-je. Je veux dire : Sturé a-t-il tout à fait renoncé à la menuiserie ?

— Oui, à peu près.

— Mais... où trouvent-ils de quoi vivre ?

— Les gens leur donnent ce que leur semble valoir les intercessions de Sturé.

Ainsi donc, ce menuisier suédois, qui avait tout à coup découvert qu'un esprit s'exprimait par sa bouche, renonçait à son métier, à ce qui avait compté dans sa vie pour venir en aide à ses semblables. Il leur offrait d'œuvrer en tant que voie de transmission d'une entité spirituelle. Exactement comme Edgar Cayce. En avait-il été ainsi de Moïse, d'Abraham et des vieux prophètes bibliques ? S'agissait-il d'une répétition actuelle de ce qui s'était jadis produit ?

— Pourquoi Turid et Sturé le font-ils, Lars ? demandai-je.

— Ils n'en savent probablement rien eux-mêmes. Ils ont conscience de la dégradation du monde, ils sentent qu'ils disposent d'un moyen de transmettre une connaissance spirituelle, que cette connaissance peut empêcher la dégradation de s'accomplir. C'est un sentiment que je partage. Depuis que nous écoutons les paroles d'Ambrès, Birgitta et moi, notre façon de considérer la vie a changé. Personnellement, je prends des décisions plus positives, plus charitables, au fur et à mesure que ma qualité d'être humain prend davantage de sens à mes yeux.

Les autres personnes présentes bavardaient tranquillement elles aussi, autour du fromage et de la bière. Certaines relataient des événements survenus dans leur vie. D'autres s'entretenaient de révélations spirituelles qu'elles disaient ne pas très bien comprendre.

Je levai les yeux. Sturé entra calmement dans la pièce. C'était un homme d'un mètre soixante-quinze, environ, solidement bâti. Sa démarche était lourde, assurée, et sa voix bien timbrée. Il semblait très réservé mais, quand Lars nous présenta l'un à l'autre, il me donna une poignée de main vigoureuse et me souhaita la bienvenue dans sa langue. Il avait un visage très doux. Je lui donnai trente-cinq ans environ. Pendant un moment, il se tint debout pour accueillir timidement ses amis. Puis Turid lui fit un signe, et tous deux s'assirent.

Ils se tenaient côte à côte, dans des fauteuils à dossier rigide. Un verre d'eau était déposé sur une table à thé, à portée de la main de Turid.

— Nous devons commencer immédiatement, s'excusa-t-elle, car nous attendons plus tard un autre groupe.

Elle éteignit sans brusquerie les lampes et alluma une bougie sur la table à thé, au centre de la pièce. Sur son siège, Sturé était parfaitement calme. Sans doute se mettait-il en état de réceptivité.

— Méditons quelque temps en silence, proposa Turid.

Nous baissâmes tous la tête, attendant que Sturé fût entré dans une transe assez profonde pour permettre à Ambrès de se manifester.

Dans la pénombre faiblement éclairée par la bougie, je songeai à ce que dirait Gerry s'il me voyait là. Ne voulant pas laisser son image m'envahir, je m'efforçai de concenter mon attention sur la bougie. Je n'ai jamais beaucoup prisé les activités de groupe, préférant généralement faire seule ce que j'aimais, à ma façon et à mon rythme. Mais bien des lectures m'avaient appris que l'énergie mise en commun était, semblait-il, plus bénéfique à l'individu que son énergie propre. Les artistes, les orateurs savent à quel point le public peut être générateur d'énergie. Quiconque s'est produit sur une scène ou une tribune a ressenti et partagé cette communauté de sensations. Les livres que j'avais lus s'accordaient sur ce point, spirituellement parlant : dans toutes les entreprises humaines, *quelles qu'elles soient*, l'énergie collective, quand elle est positive, est incontestablement plus forte, plus intense, plus bénéfique, et son pouvoir de guérison plus grand que l'énergie individuelle. Là, j'éprouvai le sentiment d'une communion d'esprit avec les autres participants de la pièce.

Dix minutes environ s'écoulèrent dans le silence. Près de moi, mon magnétophone ronronnait, à proximité immédiate de Lars. Il me rappela qu'il lui serait difficile de me traduire simultanément le suédois ancien, mais qu'il essaierait de faire de son mieux.

Je regardai Sturé. Paisible sur son siège, il respirait profondément, mais calmement. Il gardait les yeux clos, ses mains, immobiles, reposaient sur ses cuisses robustes. Je remarquai ses cheveux bruns et bouclés, coupés court au-dessus des oreilles. J'étais consciente de m'attacher aux détails les plus simples. Au bout d'un quart d'heure environ, Sturé eut un faible tremblement. On eût dit qu'il était soumis à une brusque décharge électrique. Turid lui prit la main, comme si, par cette liaison tactile, elle voulait le maintenir au contact de la terre. Elle souriait. Lars se pencha vers mon oreille.

— A cause de l'électromagnétisme que dégage l'entité spirituelle d'Ambrès, murmura-t-il, Sturé a besoin de l'énergie de Turid . Elle agit comme une prise de terre. Voilà pourquoi ils ne travaillent pas l'un sans l'autre.

Soudain, Sturé se redressa et se raidit sur son siège. Ses yeux s'ouvrirent, sa tête se tendit vers l'avant et s'inclina de côté. Il tremblait de tout son corps et, quand le tremblement cessa, il ouvrit la bouche et dit quelque chose en suédois d'une voix caverneuse. Son timbre n'avait plus rien de commun avec celui de l'homme que je venais de rencontrer. Lars se pencha de nouveau vers moi.

— Ambrès vient de dire « Bienvenue », me traduisit-il dans un murmure. Il se réjouit de nous voir rassemblés. Il s'est fait reconnaître de l'assistance et, à présent nous donne son interprétation du niveau d'énergie spirituelle qui règne dans cette pièce.

Je ne savais que penser. J'aurais aimé interrompre Lars pour lui demander comment Ambrès pouvait susciter ce niveau d'énergie. Mais avant que j'aie pu poser la moindre question, la séance avait pris le tour d'un colloque, d'un échange verbal entre Ambrès et ceux qui étaient venus recueillir son enseignement.

Lars traduisait aussi vite qu'il le pouvait. Je perçus soudain qu'il importait peu à la plupart des participants de savoir *comment* le phénomène pouvait bien se produire. Ce phénomène, ils l'avaient déjà accepté. Ils ne semblaient guère soucieux d'en savoir davantage sur la vie antérieure et l'énergétique spirituelle. C'était sur les origines de la Création qu'ils questionnaient Ambrès.

Lars continuait de me traduire aussi rapidement qu'il en était capable. Je faisais de mon mieux pour suivre attentivement le cours des choses. Ambrès s'exprimait vite, mais avec une certaine circonspection. Je dis bien Ambrès, car c'est de lui qu'il s'agissait. J'étais convaincue que Sturé n'était qu'une sorte de téléphone grâce auquel une entité spirituelle du nom d'Ambrès pouvait se faire entendre. Je « sentais » véritablement la personnalité, le caractère, le rythme un peu archaïque de la pensée de cette entité. En utilisant sa propre énergie, et non celle de Sturé, il remuait dans son fauteuil, riait, ponctuait son discours de remarques brèves et pertinentes. Tout au moins en avais-je l'impression. C'était lui encore qui se tenait très droit, dans une attitude presque guindée, à l'opposé de la gestuelle désinvolte que j'avais observée une demi-heure plus tôt chez Sturé.

En formules brèves, Lars me restituait les propos d'Ambrès, qui présentait Dieu comme l'Intelligence Suprême. Il décrivit les premiers élans de la pensée divine et la création de la matière. Il décrivit la naissance des mondes, et des mondes parmi les mondes, et celle des univers, et des univers parmi les univers. Il décrivit l'Amour de Dieu pour toutes ses créatures. Il décrivit le désir de Dieu d'être aimé en retour de ses créatures, et le besoin qu'il avait ressenti de créer la Vie.

Je comprenais mieux ce que Lars avait voulu dire en parlant des limites du langage humain. Et, m'identifiant à Ambrès, j'en venais à comprendre aussi combien le langage

168

terrestre devait lui sembler impuissant à nous transmettre son message.

Deux heures environ s'écoulèrent. Lars continuait de traduire les grandes lignes. De la grandeur et de la décadence des civilisations, Ambrès passa au plan directeur de la Grande Pyramide, à laquelle il semblait donner une signification considérable, et qu'il nous décrivit comme une « bibliothèque de pierre ». J'avais l'impression de pouvoir visualiser ce qu'il disait. Les participants posaient leurs questions en suédois bien sûr. Mais Ambrès affirma qu'il percevait la présence d'« entités » s'exprimant « dans une autre langue ». Lui-même était un Suédois de jadis, rappela-t-il. Il ajouta que s'il pouvait parler « les autres langues », cela ne lui en était pas moins difficile, car une trop grande fatigue et une trop grande déperdition d'énergie pouvaient en découler.

Bien qu'il nous eût relaté de façon magistrale les débuts de la Création, Ambrès n'en semblait pas moins doté d'un sens de l'humour presque humain. Je me demandai à quelle époque *lui-même* avait été un homme, et s'il l'avait *jamais* été. Mais la séance suivait prestement son cours, et je dus laisser là mes interrogations terrestres. Je sentais tous ceux qui m'entouraient beaucoup plus avancés que moi. Bien calée sur ma chaise, je tentai de ne rien perdre de ce qui se déroulait.

Ambrès-Sturé se leva de son fauteuil et fit le tour de la pièce, le dos voûté. Il n'avait plus rien du menuisier dont j'avais fait la connaissance. Maintenant, il lui arrivait d'avoir des rires sonores et de souligner ses remarques d'une plaisanterie. Pour rendre ses descriptions plus intelligibles, il s'aida de diagrammes, de figures géométriques et de spirales cosmiques, qu'il dessinait sur un bloc de papier fixé au mur. Il posait des questions à l'assistance, comme un maître en pose à ses élèves, et l'auditoire participait à l'échange de façon très vivante, s'embrouillant parfois sur un point décisif qu'Ambrès réexpliquait alors patiemment. Il lui arrivait aussi de réprimander un participant qui, tel un élève inattentif, n'avait pas fait ses devoirs. Enfin, il revint s'asseoir près de Turid.

— L'instrument perd son énergie, déclara Ambrès. Il faut qu'il se régénère.

Il ajouta qu'il espérait nous revoir et nous recommanda de nous soucier les uns des autres. Puis il fit une brève prière, en vieux suédois, pour remercier Dieu de lui avoir permis de le servir.

Sturé se mit à trembler de tous ses membres. La charge électrique du nom d'Ambrès semblait avoir quitté son corps. Turid plaça promptement le verre d'eau entre les mains de son mari. Il le vida. Peu à peu, il reprenait ses esprits. Enfin, il se leva.

Ne sachant que penser, j'observai les autres. Ils devisaient tranquillement entre eux. Quelqu'un me demanda si je parlais suffisamment le suédois pour que la séance m'ait été intelligible. Ne voulant pas avouer qu'il me faudrait un certain temps pour comprendre le phénomène en lui-même, j'affirmai que oui. Quant aux propos qui s'étaient échangés au cours de la séance, ils me passaient carrément au-dessus de la tête. On m'assura qu'une fois que j'aurais admis, accepté ce dont j'avais été le témoin, cela me serait bénéfique.

Bénéfique ? Voilà qui suffisait à me brouiller les esprits. J'avais été bien avisée de lire l'histoire de Cayce ayant de venir ici ! Je m'approchai de Sturé.

— Merci, lui dis-je. Vous vous sentez bien ? Jamais je n'avais rien vu de semblable.

Lars traduisit, et Sturé me serra la main. Il me paraissait fatigué, mais calme. Son regard était clair et plein de bonté. Il espérait qu'Ambrès m'avait appris quelque chose. Il ajouta qu'il aimerait bien pouvoir, un jour, dialoguer lui-même avec lui. D'un petit mouvement des épaules, il me signifia que ces choses-là le dépassaient.

Je fus frappée de sa simplicité naïve. Turid posa son bras autour de mon cou.

— Ambrès est un grand Maître, me dit-elle. Je suis heureuse que vous ayez pu l'entendre. Il faut que Sturé se repose maintenant.

Elle nous accompagna vers la porte, Birgitta, Lars et moi, en nous invitant à l'appeler le lendemain si, moi, je le désirais.

Nous nous en allâmes, après avoir pris congé de tout le monde. Dehors, il neigeait. Dans le carré de sable, le bonhomme n'était plus qu'une masse informe, que remodelait la neige tombante, pendant que sommeillaient les enfants du voisinage. Sous un ciel tout blanc, nous nous dirigeâmes vers la voiture.

— Alors, qu'en penses-tu ? me demanda Lars.

J'aurais aimé dire quelque chose de sensé.

— Il me faut du temps pour y réfléchir, dis-je. Pourtant, j'ai l'impression d'avoir été poussée d'une certaine manière à venir ici. Trop d'événements se sont produits, ces derniers temps, pour que le hasard seul en soit la cause. Je ne peux pas continuer à le croire. Il était sans doute écrit que je devais venir à Stockholm.

Lars et Birgitta sourirent et, sous la neige qui tombait, me dirigèrent vers la voiture. Sans rien ajouter d'autre.

Sur le chemin du retour, perdue dans mes pensées, comme mes accompagnateurs, je me mis à réfléchir sur la série de « coïncidences » survenues dans ma vie. Je me rendis compte que les lignes d'un dessein préétabli m'étaient peu à peu révélées, à mesure que ma conscience se clarifiait et que ma volonté d'aller de l'avant s'affirmait.

Les événements, les incidents ne semblaient avoir lieu que parce que je les pressentais, les appelais et les rendais inéluctables. Même si c'était moi qui décidais de l'heure de leur accomplissement. Ils semblaient avoir été écrits, prédestinés. Ces pensées me surprenaient. Je n'avais jamais cru à ces sortes de choses. Mais comment interpréter autrement les multiples coïncidences survenues dans ma liaison avec Gerry... la nature même de nos rapports, fondés sur des frustrations si terre-à-terre... les réalités politiques... les obstacles répétés ? Tout cela avait coïncidé (encore ce mot !) avec la longue période qui m'avait été nécessaire pour me lier d'amitié avec David et mieux comprendre sa démarche spirituelle. N'était-ce pas ce qui m'avait insensiblement amenée à prendre conscience de la réalité d'autres dimensions ?

Du milieu du terrain, il me semblait observer une réalité double. Je sentais que je percevais de mieux en mieux les deux points de vue qui conféraient sa dualité à l'existence : la réalité terrestre, chtonienne, et la réalité cosmique, spirituelle. N'était-ce pas un peu ce que mon père m'avait appris jadis ? Peut-être ces deux réalités étaient-elles aussi nécessaires l'une que l'autre au bonheur des hommes. Il m'apparut clairement que, s'en tenir à un seul des deux points de vue, s'assimiler à la seule réalité terrestre, c'était se condamner à porter des œillères, se satisfaire d'idées préconçues, et, très probablement, s'exposer à l'erreur. Car l'être humain était tout à la fois, Raison, Corps

171

et Esprit, comme avaient tenté de nous l'enseigner les grands maîtres de l'Antiquité. Tel était leur héritage. Un héritage que je ferais bien de redécouvrir.

Je dis au revoir à Lars et Birgitta, leur promettant de leur faire signe.

Chapitre 11

« Il est un principe qui résiste à toute démonstration, à toute discussion, et qui ne peut manquer de maintenir l'homme dans une ignorance sempiternelle. Ce principe, c'est de mépriser avant même de s'enquérir. »

Herbert Spencer

Au moment où j'entrai dans ma chambre d'hôtel, le téléphone sonna. Je décrochai.

— Salut, fit Gerry, comment vas-tu ?

— Bien.

— Je suis désolé d'avoir plusieurs jours de retard.

— Tant pis. Je sais que tu étais très occupé.

— Je l'étais.

— Comment te sens-tu ?

— La neige sur les arbres, quel paradis !

— Tu as de la chance, dis-je, la campagne doit être si belle !

— Ma femme est arrivée de Londres.

J'en eus le souffle coupé. Que dire ? Je me sentais paralysée. Savait-il qu'elle devait venir ? Le lui avait-il *demandé* ?

— Allô ? fit-il.

— Oui, je suis toujours là.

— Eh bien... je passerai te voir plus tard.

— D'accord, je serai là.

Alentour, tout vacilla. Je ressentais un mélange de malaise et de courroux. Mon estomac s'était noué. Je me demandai quel

173

traitement Edgar Cayce ou Ambrès auraient prescrit dans un cas semblable, et tentai de me contraindre au calme, en me retranchant dans la spiritualité. Sans succès. Ce qui prouve bien, me dis-je, que c'est une belle foutaise, la spiritualité, quand il s'agit de vivre une situation bassement terrestre. Pourtant, la vulgarité de cette pensée me fit rire.

A l'arrivée de Gerry, j'étais maussade. Aucun dialogue ne semblait possible. Nous fîmes l'amour, mais j'avais peur. Il ne commenta ni la présence de sa femme à Stockholm, ni mon attitude. Et moi non plus. Il me demanda si je pensais que ses cheveux sentiraient le parfum. Je lui fis remarquer que je n'en portais plus depuis des mois et qu'il le savait fort bien.

Quand j'ouvris la porte de la salle de bains, pour m'assurer qu'il n'avait besoin de rien, il se lavait. Je contemplai son corps immense, recroquevillé dans la baignoire en position fœtale. On eût dit qu'il n'était pas encore venu au monde.

Pendant deux jours et deux nuits, je ne le vis plus. J'écrivis. J'écrivis ce que je ressentais. J'écrivis jusqu'à ce que la tête m'en tourne, revivant ce qui s'était passé. J'écrivis pour comprendre, pour décider de ce que je devais faire. J'essayais de me raccrocher à ce que j'étais, à ce que je voulais, à ce que je souhaitais vivre, avec ou sans Gerry. J'écrivis pour tenter de me comprendre. J'écrivis sur mon existence, mes pensées, mes interrogations. J'écrivis à longueur de journée.

Chaque fois que Gerry m'appelait, je lui disais que j'étais en train d'écrire. Il me répondait qu'il était heureux que je puisse m'occuper. Ainsi se sentait-il moins coupable de ne pouvoir me rejoindre. Je lui recommandais de ne pas s'inquiéter, je l'assurais que je savais toujours m'inventer une occupation. Pourtant, je me sentais coupable, moi aussi. Coupable d'avoir écrit des choses sur lui sans qu'il le sache.

Le soir du sixième jour, il fut retenu jusqu'à neuf heures et demie. Il m'appela pour me dire qu'il avait envie de venir, mais qu'il se sentait obligé d'aller retrouver sa femme. Je l'approuvai.

J'écrivis une bonne partie de la nuit, me levai à six heures pour écrire à nouveau. Je ne quittai plus ma chambre d'hôtel. J'écrivais ce que je vivais et ressentais, comme on le fait quand on rédige un journal intime. J'écrivais pour me parler à moi-même, en quelque sorte.

Le soir suivant, il vint me voir. Nous dînâmes en discutant

174

de choses et d'autres. Il prit des kiwis et du melon. Il portait une cravate étroite, turquoise, que lui avait offerte la municipalité de la petite ville où il s'était rendu la veille. Il parlait en faisant de grands gestes. Ses cheveux lui tombaient sur le front. Je n'eus pas le moindre mouvement vers lui.

Quand je traversai la pièce pour lui resservir du thé, il tendit la main pour m'arrêter, m'attirer vers lui. Je demeurai immobile. Très lentement, avec une grande douceur, il me baisa les yeux, le menton, les cheveux, et enfin les lèvres. Je laissai mes bras pendre le long de mon corps, restai immobile lorsqu'il m'enveloppa et me serra contre lui.

Avec une assurance affectée, il m'entraîna vers la chambre. Je me sentais réticente. Il en prenait l'initiative ; je n'étais pas sûre de le vouloir. Il m'étendit sur le lit, m'embrassa longuement, intensément, comme pour se prouver qu'il pouvait disposer de moi à sa guise. Je réagis mais sans véritable élan. Il retira mon épais pull-over de laine, pour mieux sentir mon corps. Ses mains glissaient sur ma peau.

Puis il défit mon pantalon, le retira, me caressa éperdument, et tendit les deux mains pour me soulever la tête en m'agrippant par les cheveux.

— Je t'aime, me dit-il.

Je ne dis mot.

— Je t'aime, tu entends ?

Je ne dis toujours rien.

Incapable de se contenir davantage, il se mit à crier :

— Je t'aime, je t'aime, je t'aime...

Il nous fallut un long moment pour reprendre pied dans la réalité.

Il s'assit et regarda par la fenêtre, de l'autre côté du lit. Son visage avait l'air centenaire. Son âme semblait l'avoir déserté en s'écoulant par les bajoues. Son regard revint vers moi.

— A quoi penses-tu ?

Pour la première fois il s'inquiétait de savoir ce que *moi*, je pensais.

— Je remarque à quel point ce que je vis est irréel, répondis-je. Je suis restée dans cette chambre, à regarder un remorqueur faire des ronds dans la baie pour briser la glace. Six fois, j'ai vu le trottoir se recouvrir de neige. J'ai mangé des crackers suédois beurrés, rien d'autre. Et j'ai écrit, écrit, écrit, jusqu'à en avoir une crampe dans la main. Je me suis identifiée aux meubles, à la descente de lit, à l'air glacial. Et maintenant tu es là, et ça me semble totalement irréel.

— Le plus réel, c'est peut-être encore ce que nous venons de faire.

Je secouai la tête pour trouver mes esprits.

— Peut-être, dis-je. En ce cas, il est temps que tu songes à réintégrer ton irréalité.

Il alla prendre une douche. Je demeurai étendue. A peine était-il entré dans la salle de bains qu'il fit volte-face et revint précipitamment vers le lit.

— Je t'aime, me dit-il.

Je le pris dans mes bras.

— Merci, murmurai-je. Merci.

Son visage s'épanouit. Ses yeux sombres s'éclairèrent. Il repartit vers la salle de bains, puis, à nouveau, se retourna.

— Je t'aime, fit-il encore.

— Moi aussi, je t'aime.

— Mais je ne comprends toujours pas pourquoi ! Pourquoi tu veux de moi.

— Moi non plus, Gerry. Je ne comprends pour ainsi dire rien de ce qui nous unit.

Il secoua la tête.

— Plus que tout au monde, je voudrais passer une nuit avec toi.

— Sans doute parce que, dans l'immédiat, c'est impossible ?

— Non, protesta-t-il. Je me connais quand même mieux que tu ne le crois.

Il ponctua sa remarque d'un signe de tête convaincu, se leva et, cette fois, s'en alla pour de bon prendre une douche. Il revint de la salle de bains ruisselant d'eau et grelottant de froid. Je le séchai. Il m'attira vers lui, me serra tendrement dans ses bras.

Je lui passai les cheveux au séchoir pendant qu'il remettait chaussettes et chaussures.

Lorsqu'il se fût rhabillé, nous discutâmes de son emploi du temps pour les deux jours à venir. Il serait pris par des réunions et des conférences de presse. Moi, je n'allai pas tarder à regagner l'Amérique. Il ne pourrait pas me voir le lendemain, sa journée serait beaucoup trop chargée. Je lui assurai que ce n'était pas bien grave.

176

Il endossa son pardessus, remit ses gants fourrés, et se dirigea vers la porte. Mais au lieu de sortir comme d'habitude, il se retourna pour me demander :

— Et l'inspiration, ça vient ?

— Ça vient, répondis-je. Ça vient tout seul. Ce que je me demande, c'est jusqu'où elle va m'entraîner.

Il me regarda.

— Elle va sans doute retomber d'elle-même, fit-il.

Ses mots me firent l'effet d'une gifle. Je ne savais pas ce qu'il avait voulu exprimer par-là. Ou au contraire, je le savais trop bien.

Il me fit un clin d'œil, me dit *Ciao*, et referma la porte derrière lui.

Une profonde confusion m'envahit, suivie d'un sentiment de culpabilité... Puis, ma vision des choses se brouilla. Cette fois encore, je ne savais plus faire la part de l'irréel et du réel. Je détestais cette indécision. Ce flottement dans mes émotions était pour moi la pire des choses.

Je me remis à écrire. J'étais la seule personne à qui je pouvais me confier. La seule.

Tout me semblait illusion. Ce sentiment *était-il*, lui-même, illusion. La réalité physique se résumait-elle à ma façon de la *concevoir* ? Chaque jour de notre vie formait peut-être une suite de scènes, que chacun devait jouer comme il *croyait* les ressentir ? En affirmant que l'existence n'est qu'un théâtre, dont nous sommes les acteurs éphémères, Shakespeare faisait-il allusion à la réincarnation ? Et puis, si nous jouions notre rôle aujourd'hui, cela signifiait-il qu'hier et demain n'étaient qu'illusion ?

Demain, qui savait si Gerry, nos rencontres, mon travail et notre monde existeraient encore ? Ce qui me rendait folle, n'était-ce pas de vouloir à tout prix réduire le réel à la réalité physique ? Et si les plans soumis à notre perception étaient aussi réels les uns que les autres, parce que tous aussi relatifs ? Et si chacun d'eux méritait considération ? Nous passions notre vie à aimer, à rire, à travailler, à nous distraire : notre moteur n'était-il pas inconscient ? Nous savions peut-être au fond de nous-mêmes que nous avions une raison d'exister qui transcendait la réalité. Et si cette raison d'exister était vraie, nous avions alors recours à un *alter ego* pour la définir plus précisément, cette raison d'être. Nous nous servions de ceux que nous aimions pour exploiter nos richesses cachées, nos aptitudes secrètes. Pour mieux nous accomplir nous-mêmes. Avions-nous pris notre signification présente en un autre temps ? Nous étions-nous effectivement connus dans le passé, Gerry et moi ? Et cherchions-nous, aujourd'hui, à réussir ce que nous n'avions pu accomplir dans une vie précédente ? Si tel était le cas, et si, d'aventure, nous finissions par le comprendre, le besoin que nous ressentions l'un de l'autre ne finirait-il pas par disparaître ? Là se trouvait peut-être le mot de la fin. L'ultime justification de l'humour. La vie pouvait ne consister qu'en une colossale bouffonnerie cosmique, continuant à suivre son cours sans se soucier de nos actes et de nos manquements. Alors mieux valait la prendre avec le sourire, jusqu'à l'ultime échéance. Car qui savait si cette ultime échéance n'était pas un commencement ? Peut-être le cycle se renouvelait-il sans cesse, jusqu'à ce que nous ayions atteint la perfection. Perspective plutôt réconfortante : en ce cas, nous n'aurions plus aucune raison de craindre la mort. Et si la mort n'existait pas ? Quel bon tour on nous aurait joué en nous donnant la vie ! Il nous suffirait de la traverser avec le sourire, en quête de notre raison d'être.

Je me mis à penser à Gerry plus lucidement. Ce que j'écrivais sur lui me permettait de comprendre avec une objectivité et une netteté accrues le rôle qu'il jouait dans ma vie. La véhémence que j'avais manifestée malgré moi face à son irrésolution, et aussi face à la mienne, désarmait peu à peu. Je commençais à me rendre compte qu'il existait une finalité aux sentiments que nous éprouvions l'un pour l'autre. Et cette finalité qui nous échappait encore ne tarderait pas à se dévoiler.

En écrivant, je me parlais à moi-même. Les heures se fondaient les unes dans les autres. Pas une fois je ne quittai ma chambre : mon univers s'était réduit à ses quatre murs. Je finis par connaître par cœur chaque cercle du remorqueur qui, tous les jours, brisait sous ma fenêtre la glace de la baie. J'observais le déroulement progressif des jours, à mesure que se succédaient les tempêtes de neige.

Une semaine s'était écoulée. Je regardai la ville, rendue plus blanche encore par une tempête récente et puis j'allai marcher sous les flocons qui tourbillonnaient autour de moi. Je dus parcourir ainsi huit bons kilomètres... à travers la ville et le parc d'acclimatation. Le soleil était vif, pénétrant ; je m'entendais respirer tant le silence régnait, sur des lieues à la ronde. Trois cerfs me regardèrent passer. J'avais de la neige jusqu'aux chevilles, qui crissait sous mes pieds. Je tendis mon visage vers le soleil. Cinq cygnes traversèrent le ciel. A quelque distance, un homme se promenait, fumant sa pipe.

La présence de Gerry, aérienne et silencieuse, s'attachait à mes pas. Il ressemblait à cette atmosphère, à ce pays, à ce décor pastel sans contraste de tons ni de reliefs, qui semblait ne pas vouloir révéler ses intentions, garder secrète son intimité. Il ne s'offrait pas ; il était là, comme s'il attendait qu'on le découvre, qu'on le touche du doigt, qu'on fasse les premiers gestes pour le comprendre. Il n'était pas effrayé, comme on aurait pu l'imaginer au premier abord. Non, ce paysage préparait plutôt son heure, patiemment, silencieusement, ne faisant rien pour encourager le nouveau venu à s'enhardir, à forcer cette indolence paisible en l'incitant à se dévoiler.

Ressentir un grand vide affectif parce qu'on n'y voit pas clair en soi, parce qu'on ne sait pas s'exprimer et entendre, n'était-ce pas renoncer au profond enrichissement qu'apporte le silence ? En vérité, le silence pouvait être infiniment riche. Et si je n'avais pas été capable de percevoir cette richesse tout au long de ma vie, c'était que je n'avais communiqué qu'avec les autres. Aujourd'hui, je découvrais qu'un échange devait s'accomplir avec moi-même. Il me fallait chercher en moi. Tout comme Gerry devait chercher en lui.

Je marchais toute la journée, et revins à l'hôtel juste à temps pour le voir à la télévision parler des problèmes économiques du Tiers-Monde. J'avais déjà eu, à maintes reprises, l'occasion de l'entendre, ce qui ne m'empêcha pas de l'écouter attentivement. Il montra beaucoup d'assurance, de conviction en exposant ses solutions. Puis je me plongeai dans la lecture du *Herald Tribune,* en attendant son coup de fil, quand il fit irruption dans la chambre. A en juger par son souffle court et son visage glacé, il devait avoir couru tout le long du chemin. Ses cils et ses sourcils étincelaient de gouttelettes de neige fondante. J'effleurai sa bouche d'un baiser. Il était encore tout excité par son intervention télévisée et avide de savoir ce que j'en pensais. Notre conversation tourna autour de ses prestations sur le petit écran : il savait de mieux en mieux se mettre en valeur et s'y montrait de plus en plus sûr de lui. Puis il mangea deux biscuits fourrés au chocolat et but une tasse de thé tiède, tandis que nous bavardions de Jimmy Carter, de la Chine, et du spectacle de variétés que j'espérais pouvoir présenter à Pékin. Nous parlâmes de tout et de rien, sauf de ce qui me tenait le plus à cœur. Pourtant, le moment était venu de mettre Gerry au courant des choses qui m'étaient arrivées — ou plutôt qui nous étaient arrivées — et que j'avais mises en forme sur le papier. (Il ne m'avait pas posé la moindre question à ce sujet.)

— Gerry ? fis-je résolument.

— Euh... oui ?

— Ça t'intéresserait de savoir ce que j'ai écrit ?

Ma question sembla le surprendre.

— Mais... bien entendu, me dit-il.

— Cela nous concerne tous les deux...

Son visage prit une expression de panique, aussitôt surmontée.

— Enfin... en un certain sens, ajoutai-je.

— En quel sens ?

— Écoute, il m'est arrivé des tas de choses curieuses récemment... depuis que je te connais, en tout cas. Des coïncidences, qui n'ont cessé de se produire, pour nous jeter dans les bras l'un de l'autre. Cette attirance me semble illogique, dans la mesure où ce qu'on éprouve est tellement plus fort que la simple attirance physique, tu es d'accord.

Mais alors, *pourquoi ?* Depuis que je te connais, je n'ai cessé d'éprouver le sentiment d'une pré-connaissance, d'un recommencement. Gerry, dis-le moi franchement, est-ce que tu n'as pas l'impression de m'avoir déjà rencontrée quelque part dans le passé ?

— Mon Dieu ! Mais qu'est-ce que tu veux dire ? Et d'ailleurs, qu'est-ce que ça changerait ?

— Tu sais... si nous pouvions découvrir qui nous avons été, cela nous aiderait aujourd'hui à décider d'être différents.

Il prit une longue inspiration.

— Ma chérie, fit-il, je crois que tu es restée seule trop longtemps dans cette chambre...

— Non, non et non ! explosai-je, perdant soudain toute patience. Je t'interdis de me traiter comme une gamine ! Tout ce que je veux, c'est en *parler*. Je ne suis pas surmenée. Je ne suis pas folle. Je ne suis pas stupide non plus. Simplement, il se

180

passe beaucoup plus de choses au monde que tu ne t'en rends compte !

Il eut un rictus désabusé.

— Il y a probablement du vrai dans ce que tu dis, fit-il. Mais à quoi veux-tu faire allusion, au juste ?

— A la réincarnation, pour ne nommer qu'elle.

— Je n'ai rien contre. Tant mieux si la réincarnation satisfait ceux qui éprouvent le besoin d'y croire.

— Gerry, je ne te parle pas des paysans qui crèvent de faim. Un tas de gens, du haut en bas de l'échelle sociale et intellectuelle, en tout temps, ont cru et continuent à croire en la réincarnation. Aujourd'hui c'est de *nous* que je parle.

— Shirley, si tu veux insinuer que, dans une autre vie, nous avons bel et bien vécu ensemble, pour l'amour du ciel, veux-tu me dire ce que ça change ? Quelle différence, puisque de toute manière nous ne pouvons nous en souvenir ?

— Quelle différence ? Et si nous retrouvions des souvenirs grâce aux perceptions médiumniques ?

Je savais pourtant que ce n'était pas la meilleure façon de m'y prendre avec lui.

— Qu'est-ce que c'est ?

— C'est..., dis-je en avalant ma salive, entrer en communication avec des esprits désincarnés, par l'intermédiaire d'un médium. Bien des gens le font, pour découvrir un tas de choses.

Il sembla consterné, puis franchement inquiet.

— Shirley, tu es allée voir des médiums, n'est-ce pas ?

— Tu dis ça comme si c'était répugnant !

— Non, non ! Pas du tout ! Ce n'est pas ce que j'ai voulu dire, s'empressa-t-il de me répondre en prenant une grande bouffée d'air. Tu as sans doute raison, il faut absolument que nous parlions de tout ça. Mais, explique-moi, ces médiums que tu as vus, de quoi s'agissait-il exactement ?

Je me sentais coupable, sur la défensive, et je m'en voulais d'être dans cet état. J'entrepris pourtant de lui parler de Cat et d'Ambrès, d'Edgar Cayce et de mes lectures. Comme il m'écoutait sans mot dire, je finis par me détendre. Mais il me regardait avec une expression qui me surprit : celle de la gêne.

— Gerry, qu'es-tu en train de t'imaginer ?

Il secoua la tête.

— Je ne sais pas quoi te dire, murmura-t-il. Écoute, tu ne prends tout de même pas ça au sérieux ?

— Mais... pourquoi pas ?

— Mon Dieu ! Mais c'est pourtant clair, non ? Ces médiums sont des psychotiques, ou des illuminés, qui vont chercher leurs boniments dans leur propre inconscient ! Ou alors, tu t'es fait avoir ! Tu ne penses quand même pas qu'ils communiquent effectivement avec des *esprits ?*

— Ce ne sont pas *eux* qui communiquent. Ils se contentent de transmettre. Ils ne gardent d'ailleurs aucun souvenir de ce qui s'est dit.

— Quoi qu'il en soit, c'est une vaste fumisterie. Ils font ça pour le fric, en exploitant la crédulité des gens qui veulent se faire dire des idioties réconfortantes sur leurs parents disparus, ou autres conneries du même acabit.

— Edgar Cayce ne demandait pas d'argent. Les conseils qu'il donnait étaient pertinents, et ne pouvaient provenir de son insconscient. Il n'avait pas fait d'études médicales.

Il sembla décontenancé.

— De grâce, dit-il avec désespoir, comment peux-tu te laisser prendre à ce genre de choses ?

— J'essaie simplement de trouver une explication pour... nous deux... Ou pour moi seule, sans doute, car je commence à douter qu'il soit possible de le faire pour nous deux.

— J'espère bien ! Écoute, ma chérie... [les mots tendres étaient plutôt rares dans sa bouche, et c'était la seconde fois qu'il en usait au cours de la discussion. Il devait donc être dans tous ses états]... écoute, tu ne devrais pas t'obstiner dans cette voie. Tu n'as franchement rien à en attendre. Quatre-vingt-dix pour cent de ces gens sont des charlatans, tout le monde le sait. En plus, tes amis vont croire que tu es tombée sur la tête. Et j'aime mieux ne pas penser à l'opinion du public, si jamais on venait à l'apprendre.

Il se faisait du souci pour mon image de marque. Intéressant. Logique aussi : lui qui se souciait constamment de sa réputation. Mais il n'avait toujours pas pris une seconde en considération le domaine que j'essayais d'explorer qui dépassait son entendement. Il était incapable de le pressentir, ne voulait même pas admettre qu'il pût exister.

— Que veux-tu dire par « si jamais on venait à l'apprendre », Gerry ? C'est avec cette intention que j'écris, justement.

— C'est pas possible ! fit-il catégoriquement. En tout cas, pas pour que ce soit publié !

— Mais pourquoi pas ?

Son intransigeance me faisait outrepasser mes objectifs. En fait, jusqu'ici, je n'avais jamais songé à publier ce que je venais d'écrire.

— Parce que tous les intellectuels à la ronde, et tous les gens qui ne sont pas complètement bouchés vont te descendre en flèche ! affirma-t-il.

Puis, mal à l'aise, il se tut. Si sa conviction de voir *tous* les gens intelligents se rallier à son propre point de vue m'amusait, j'étais sensible à la peine que, manifestement, je lui causais. Mais son rejet total de ce dont je lui parlais mettait un point final à la discussion, pour autant qu'il y ait eu discussion. Je me penchai vers lui, l'embrassai sur le bout du nez.

— Oh, et puis, la barbe ! dis-je. Il est tout chaud.

— Qu'est-ce qui est tout chaud ?

— Ton nez. Il était gelé quand tu es arrivé.

Il fit jouer mes boucles d'oreilles et ramena mes cheveux en arrière. Je m'agenouillai près de lui. Il me souleva la tête et posa ses lèvres sur mes paupières, en un geste caressant. Puis il m'attira fort contre lui. Et quand je soulevai les pans de mon déshabillé vaporeux pour les laisser retomber autour de nos corps, il me regarda faire avec un léger murmure. Nous ne nous déshabillâmes même pas. Nous fîmes l'amour comme nous nous comportions dans la vie, en cachant notre plaisir.

Je m'effondrai contre lui. Il couvrit de baisers mes yeux et mon cou.

— Tu pars demain ? me demanda-t-il.

— Oui. Il le faut.

— Je t'aime plus que je ne peux l'exprimer.

Je sentis la tristesse m'envahir.

— Quand crois-tu que nous pourrons de nouveau passer toute une soirée ensemble ? fit-il.

— Nous sommes en janvier. Pourquoi pas en septembre, une fois que tu seras réélu ?

Il releva les bras pour y enfouir son visage et réprima un sanglot.

— Pourquoi ne pas attendre et voir venir ? repris-je.

183

— Maintenant, il faut que je m'en aille dit-il. Sinon, je vais me laisser submerger par les idées noires. Où pourrai-je te joindre ?

Je lui dis que je n'en savais rien, que j'avais l'intention de voyager.

Il voulut se lever, mais changeant d'avis, il se mit à contempler nos deux corps.

— Tu risques de ne pouvoir faire un pas toute seule, me dit-il. Nous ne faisons qu'un, toi et moi.

Je souris. Il me prit dans ses bras, me fit rouler au-dessus de lui, se leva, enfin.

— Voilà une manœuvre bien compliquée, fis-je. Tu ne crois pas ?

— Pas aussi compliquée que nous ne le sommes, répliqua-t-il.

En le voyant trottiner vers la salle de bains, le pantalon en accordéon autour des chevilles, j'avais peine à imaginer qu'il voulût devenir premier ministre de Sa Majesté.

Quand il revint, j'étais encore allongée sur le divan. Il porta son regard vers moi :

— Tu es belle. Tu es très belle.

— C'est quand ton anniversaire ? lui demandai-je.

— Mardi, répondit-il. Comment le savais-tu ?

Je venais d'en avoir le pressentiment. L'anniversaire du chef de son groupe parlementaire tombait le même jour. Gerry me dit qu'il le décevrait beaucoup s'il n'était pas revenu en Angleterre à cette date, pour célébrer l'événement avec lui.

— Pourquoi ne pas fêter *ton* propre anniversaire ? m'étonnai-je.

— Ça n'a aucune importance.

Je le saisis par les deux bras et le secouai.

— Comment, aucune importance, Gerry mais c'est *ton anniversaire !*

Je m'arrêtai net, au milieu de la pensée qui me vint.

— Et alors ? questionna-t-il.

— Rien, dis-je.

Je pris quelques photos de lui, avec mon Polaroïd et mon flash. Il s'y prêta de bonne grâce, et voulut aussitôt voir de quoi il avait l'air. Lentement, l'image apparut en couleurs.

— Oh ! fit-il. Mais je suis affreux !

A nouveau, je lui secouai le bras. Il gagna très vite l'entrée,

184

pour y reprendre son pardessus et ses gants fourrés. Puis il déposa les clés de la chambre sur le guéridon, ramassa sa serviette et, plus affairé que jamais, se dirigea vers la sortie. Je restai immobile, sans chercher à le suivre. Quand il ouvrit la porte, il se retourna pour me contempler, comme s'il voulait graver mon image dans sa mémoire.

— Tu es vraiment très belle, fit-il.

Puis, il avait disparu. Je courus à la porte, la fermai à clé, retournai dans le salon. Là, je m'aperçus qu'il avait oublié ses lunettes. Je me précipitai dans le couloir et le sifflai. Il revint sur ses pas.

— Et toi, c'est quand, ton anniversaire ? me demanda-t-il lorsque je lui tendis ses lunettes.

— Le vingt-quatre avril.

Il hocha la tête, comme pour signifier que cette date, il l'attendrait désormais avec impatience. Et soudain :

— Que se passe-t-il, entre nous, à ton avis ?

Je poussai un soupir et, des doigts, balayai les cheveux qui lui barraient les yeux.

— Je sais, reprit-il. Pour cueillir le fruit, il faut s'aventurer sur la branche.

Il plongea son regard dans le mien et s'éloigna. Sans se retourner. Je regagnai la chambre après avoir fermé la porte. J'allumai une cigarette et me dirigeai vers la fenêtre que j'ouvris pour exhaler la fumée. Ses volutes se confondirent avec la buée qui s'échappait de ma bouche, dans l'air glacial de l'hiver. Maintenant, la neige tombait dru.

En contrebas, Gerry traversa la cour de l'hôtel. Je le sifflai discrètement. Il leva les yeux vers moi et me fit un signe de la main. Son pardessus noir et ses gants fourrés contrastaient singulièrement avec la blancheur uniforme du sol. La neige tourbillonnait autour de lui pendant qu'il marchait à la recherche d'un taxi. La rue étant déserte, je devinai qu'il avait pris le parti de rentrer à pied. A nouveau, il leva la tête, me fit un signe d'adieu. Je le lui rendis avec un baiser de la main. Mais il avait déjà disparu, marchant de son pas décidé dans la blancheur silencieuse et glacée de l'épaisse nuit suédoise.

Chapitre 12

« L'âme n'est, à vrai dire, qu'une idée vague, et la
réalité de ce qui s'y rapporte ne peut être démontrée. Mais, de tous les faits (invisibles), le plus
manifeste est la conscience... Les psychologues se
complaisent à comparer notre système nerveux
central à un réseau téléphonique. Mais, ce faisant,
ils négligent une donnée de première importance,
à savoir qu'un réseau téléphonique ne fonctionne
pas *tant qu'on ne s'en sert pas pour communiquer
verbalement.* Comme l'a récemment démontré Sir
Julian Huxley, le cerveau ne crée pas la pensée ; il
est l'instrument que la pensée utilise. »

Joseph Wood Krutch
More Lives Than One

LE vol de retour vers l'Amérique fut étrange. Je ne savais pas
vraiment qui je venais de quitter, ni ce que je venais de
quitter. Je ne savais pas davantage qui j'allais retrouver, ni ce
que j'allais retrouver. Quelque chose de considérable évoluait à
bas bruit dans mon existence. Quelque chose qui ne portait pas
de nom et se dérobait à la description. Quelque chose qui se
faisait l'écho d'un passé très lointain, mais qui, pourtant,
m'annonçait un renouveau dans mes pensées. L'expérience que
j'avais faite avec Ambrès m'avait fascinée. Mais les questions
que j'avais posées à Lars et Birgitta continuaient de me
tourmenter. En bonne représentante d'une génération douée
d'esprit pratique, je décidai donc de me pencher de plus près
sur la transmission médiumnique.

Durant les semaines et les mois qui suivirent, je lus beaucoup, me livrai à nombre de recherches et de vérifications, posai de multiples questions et, dans la mesure du possible, écoutai des bandes magnétiques. Je découvris ainsi qu'il existait une profusion de médiums dont les activités étaient reconnues mais que, Edgar Cayce mis à part, on ne les désignait pratiquement jamais sous ce nom. Je découvris aussi quelques faits importants : en premier lieu ce qui comptait, c'était la personnalité qui s'exprimait par leur intermédiaire. Parmi ces personnalités, certaines, en petit nombre, avaient acquis une réputation qui dominait celle des autres, par la clarté et la cohérence des messages qu'elles transmettaient. Exactement comme les spécialistes ou les artistes, certains médiums étaient meilleurs que d'autres dans leur domaine. (Je me rendis également compte que, pour eux comme pour les gens de métier, il y avait des jours où l'inspiration n'arrivait pas. En ce cas, les uns reproduisaient une expérience passée, alors que d'autres simulaient ; d'autres encore, avouant tout de go la vérité, conseillaient aux participants de s'en retourner chez eux.)

Mais ce qui me frappa aussi, ce fut la variété et la puissance des personnalités que dégageaient les entités spirituelles elles-mêmes. Quant à la solennité qui, pour bien des gens, accompagnait la transmission médiumnique — sans doute parce que leur propre état d'esprit, quand approchait le moment d'interroger une entité désincarnée, était plutôt sombre ! — elle ne semblait pas correspondre à la réalité. En effet, certaines entités qui s'exprimaient par le truchement d'un médium montraient un sens de l'humour extraordinaire, carrément assorti d'irrévérence, parfois. Qui qu'elles fussent — ou quoi qu'elles fussent —, ces entités dégageaient une puissante personnalité, une aura procédant de l'expérience mûrie, plutôt que de la solennité.

En outre, la transmission médiumnique ne datait pas d'hier. Des personnages célèbres y avaient non seulement cru, mais aussi recouru. Abraham Lincoln, par exemple, utilisait les services d'un certain Carpenter, qu'il consultait régulièrement. Ce dernier vivait d'ailleurs à la Maison Blanche, près du président. Ou John Pierpont Morgan *, dont le médium s'appe-

* Financier, fondateur de *United States Steel Corporation* et de la *Morgan Bank*, laquelle devait soutenir l'effort de guerre américain au cours du premier conflit mondial et, dans l'entre-deux guerres, fournir une aide financière importante au gouvernement français. (N.d.T.)

188

lait Evangeline Adams. Ou encore William Randolph Hearst *. Et bien d'autres, issus de toutes les catégories culturelles et sociales. Les travaux de Sir Oliver Lodge et de Mrs Piper étaient, par ailleurs, fort célèbres. Apparemment, la fin du siècle dernier avait connu un véritable engouement, non seulement pour la transe médiumnique, mais aussi pour les tables tournantes, les planchettes et le ouikja. Qu'il y ait eu là simple prétexte à distraction, c'était indéniable. Mais, à l'évidence, des gens raisonnables, dignes de confiance, avaient, eux aussi, pris au sérieux la transe médiumnique et le spiritisme en général.

Je m'aperçus aussi que certains médiums étaient incapables d'assimiler la masse d'informations qui leur était transmise. Encore moins de maîtriser le contenu de ces informations. Concevoir une dimension cosmique était déjà, en soi, fort troublant. Mais accepter l'idée que chaque individu participe spirituellement de l'immensité du cosmos, c'était plus que n'en pouvaient supporter les participants. La plupart des gens n'étaient guère entrés dans les détails de la vie extra-terrestre, de la structure de l'atome, ou du continuum que représentent toute manière et toute pensée. Si bien que les entités communiquant leurs messages n'avaient pas la moindre idée, semblait-il, de la quantité d'informations à administrer à leurs « correspondants ».

En somme, chacun progressait à son propre pas, apprenait à son propre rythme, à mesure qu'il intégrait la masse vertigineuse des informations transmises par les messages. Forcer la dose, dans ce domaine spirituel et affectif, ne servait à rien. Au contraire : cela semblait même détraquer bien des gens.

Je m'intéressai ensuite aux médiums contemporains et aux entités qui s'exprimaient par leur bouche. Parmi les plus connues des entités, je trouvai un maître spirituel nommé D.K., qui s'exprimait par la voix d'une certaine Alice Bailey puis, plus tard, par celle de Benjamin Creme ; je trouvai aussi un esprit du nom de Seth qui, lui, communiquait ses messages par l'intermédiaire d'un médium féminin, Jane Roberts. Seth était une entité particulièrement intéressante, en ce sens qu'elle associait,

* Magnat de la presse conservatrice américaine à grand tirage. Il possédait une quarantaine de journaux et de magazines à sensation, du *Morning Journal* au *New York American*. (N.d.T.)

189

dans ses manifestations, divers aspects du phénomène de la transe médiumnique.

Depuis l'année 1963, date à laquelle Mrs Roberts avait été « pressentie » par Seth, le couple avait accumulé une véritable bibliothèque de notes, Mr Roberts ayant, dès le début, consigné tout ce que disait l'esprit. Ils avaient publié une partie de ces notes. L'un des ouvrages avait même été dicté par Seth. Ce qui m'intéressa le plus, dans le cas de Mrs Roberts, c'est le doute qui l'avait saisie lors de ses premiers contacts avec Seth. Jamais, auparavant, elle n'avait fait l'expérience de phénomènes spirites, jamais elle ne s'y était intéressée, et jamais elle n'y avait cru. Pourtant, un soir, alors qu'elle écrivait des poèmes, elle fut assaillie par un torrent de mots qui faisaient pression sur son esprit, de façon péremptoire. Elle écrivit durant des heures. Et finit par se rendre compte qu'elle rédigeait le titre — *L'univers physique et la connaissance de l'idée* — de « cette série de notes désordonnées », comme elle les désigna. (Ces notes, elle devait le découvrir plus tard, synthétisaient quelques réflexions de Seth, qu'il allait développer ultérieurement.) Mais, à l'époque, comme elle ne savait encore rien de Seth, Mrs Roberts en avait éprouvé du malaise, de l'incompréhension ; l'événement en soi l'avait bouleversée, autant que le contenu de « ses » écrits.

Au cours des semaines et des mois qui suivirent, lorsque Seth se fut « imposé » de lui-même, en se manifestant par l'intermédiaire de Mrs Roberts, elle tenta plusieurs expériences avec son mari : ils cherchèrent à confirmer ou à infirmer l'authenticité de cet esprit, qui se définissait, lui, comme personnalité distincte ou entité désincarnée. Il lui fallut pas mal de temps — et aussi quelques tours spectaculaires témoignant d'aptitudes spéciales — pour démontrer à Mrs Roberts qu'il n'était pas une émanation de son subconscient.

C'est le contenu des messages qui leva les derniers doutes. Car le médium s'exprimait dans une langue qui lui était étrangère, manifestait un talent particulier (pour le piano, par exemple), faisait état de connaissances très spécialisées (médicales, en l'occurrence), ou encore fournissait certaines précisions sur un lieu éloigné, ou sur un individu qu'il ne pouvait connaître : à l'évidence, la langue étrangère, le talent ou le savoir exprimés, ne pouvaient que provenir d'ailleurs.

(Après un certain temps, je découvris bien des cas où des preuves de ce genre étaient apportées. Dans l'intervalle, le phénomène m'était devenu très familier... non pas qu'il eût perdu de son importance. Mais il était comparable à ce qu'il se passe avec la bonne cuisine : on rend grâce à la cuisinière de son talent, mais c'est le plat qui compte.)

Après deux ou trois mois *d'interrogations* et de lectures intensives, j'en avais conclu que le messager importait moins que le message. Des différentes informations que délivraient les médiums, il en était une qui revenait sans cesse : la réminiscence de vies antérieures. Ce sujet attisait plus particulièrement ma curiosité ; j'avais le sentiment qu'il m'aiderait peut-être à découvrir quelque chose qui faciliterait ma relation avec Gerry. Mais, de toute la masse de documents proposés à mon étude, l'universalité du message médiumnique me parut la plus remarquable. Les entités qui s'exprimaient à travers de multiples personnes, dans de multiples pays, et en diverses langues, disaient toutes à peu près la même chose : Regarde et explore en toi-même. C'est *toi* qui es l'univers.

Plus je progressais dans mes lectures et dans mes réflexions, plus la nature même du *message* me contraignait à reconsidérer mes déterminismes, à réviser certaines valeurs, à réexaminer certains aspects de l'existence que, jusque-là, j'avais tenus pour acquis ; ou à en considérer d'autres pour la première fois.

J'avais pris l'habitude de vivre dans un monde où il était quasiment impossible, du fait des activités que nous y menions, de trouver le temps de regarder en nous. Ce monde exigeait même exactement le contraire. Si nous voulions rester simplement vivants (je ne dis pas nous élever au-dessus des autres...) nous devions rester sur le qui-vive. Il nous fallait constamment surveiller les progrès du voisin, si nous ne voulions pas qu'en un rien de temps il nous dépasse. Et si nous connaissions un certain succès, il nous fallait sans cesse montrer les dents pour conserver notre avantage. Nous n'avions jamais une seconde pour nous soucier de nous-mêmes, pour ne rien faire, pour jouir d'un coucher de soleil ou du chant d'un oiseau, pour observer une abeille qui bourdonnait, pour écouter nos voix intérieures et moins encore pour écouter celles des autres.

Les contacts humains restaient en surface. Ce qui nous semblait avoir un sens exigeait de nous un constant effort. Et si nous clamions notre besoin d'authenticité, cela ne dépassait guère les mots. La nécessité d'une compétition forcenée ne nous laissait ni le temps d'être nous-mêmes, ni celui de nous accomplir, ni même celui de venir en aide à autrui. J'avais connu bien peu de liens authentiques et durables. Ils semblaient se distendre dès que nous les regardions d'un peu près. Et les autres ne semblaient pas mieux lotis que moi.

Plutôt que d'aller au fond des choses, nous nous empressions de combler nos exigences de confort. Nous nous cantonnions dans une superficialité reposante, nous nous prélassions dans le bien-être, à l'abri de sa protection et de sa chaleur, redoutant d'affronter le neuf et l'inconnu qui nous terrifiaient tant... Redoutant aussi d'affronter ce qui aurait pu nous élever, nous changer, nous faire mieux comprendre notre monde, redoutant d'affronter ce qui nous menaçait au point de ne pas regarder en face la solitude qui nous guettait.

La solitude... ce mot-là nous donnait le frisson. Nous avions tous peur d'être seuls. Et pourtant, nous n'étions pas attentifs à l'être qui partageait notre vie, notre sommeil, notre amour et notre quotidien. Au bout du compte, nous étions tous seuls — seuls avec nous-mêmes. C'était là que le bât blessait. Si tant de relations faisaient naufrage, n'était-ce pas par ignorance ? Chacun ignorait *qui* il était, à défaut de savoir qui était l'autre, ou qui étaient les autres.

Se pouvait-il qu'aujourd'hui les choses soient en train de changer ? Que les gens aient entrepris de sonder leur propre abîme, dans un élan de survie instinctif, pour compenser la violence et les conflits qui allaient conduire le monde à sa perte ? Allaient-ils trouver en eux la source d'une joie intarissable, celle que Lars et Birgitta m'avaient décrite ? Il se pouvait que, disséminés à la surface de la Terre, des milliers de gens s'interrogent sur ce mystère, sur l'éventualité d'une vie située au-delà du monde physique, ou superposée à lui. Éventualité qui conduisait implicitement à la croyance en l'existence de « l'âme ». Je me surprenais à accorder de plus en plus d'importance à l'enseignement spirituel, aux bienfaits de la méditation, à la probité, à la vertu de l'échange affectif et aux possibilités infinies que nous ouvrait la réalité métaphysique. Si toute énergie était à la fois éternelle et infinie, notre propre énergie invisible — ou notre âme, ou notre esprit, ou notre personnalité — devait forcément se transporter ailleurs. J'avais de plus en plus de mal à croire que cette énergie se volatilisait sitôt que notre enveloppe charnelle se putréfiait. Et selon toute vraisem-

192

blance, je n'étais pas la seule à raisonner de la sorte. Étais-je entraînée, malgré moi, dans un flot de révélations lucides ? Gerry, porté par le vieux courant du rationalisme, adoptait une attitude presque cynique à l'égard de la signification profonde de l'existence. N'était-ce pas la raison pour laquelle, en fin de compte, nous étions l'un et l'autre incapables de vivre notre relation dans la plénitude ? Je voulais « être ». Lui, il voulait « faire ». Je commençais à croire que nous n'étions, pour chacun, que la moitié de l'équation.

Je me demandais ce que mes amis penseraient de mes lectures et de mes réflexions. Ce qui touchait au spiritisme ne laisserait pas de les embarrasser, ou les ferait rire, eu égard au monde qui est le nôtre. Pourtant, ceux qui avaient écrit sur la spiritualité — Rudolph Steiner, Leadbetter, Cayce et tous les autres — s'accordaient à reconnaître l'existence d'une Volonté Divine, d'un principe énergétique duquel tout provenait. Nous procédions de cette Volonté Divine. Nous étions en Elle, et Elle était en nous. Notre tâche était de découvrir le divin en nous et de vivre en accord avec lui.

Si nous découvrions que la vie existe sur d'autres planètes, me demandai-je, cette vie serait-elle conforme à ce que nous savions d'elle ? Ou bien « leur » sagesse se révélerait-elle supérieure à la nôtre ? Les scientifiques semblaient presque certains que la vie s'est manifestée sur d'autres planètes, mais que les chances qu'elle a eu de se développer ont été très réduites. Si elle s'était effectivement manifestée ailleurs, la Volonté Divine animant cette vie était-elle différente ou de même nature que celle qui animait la nôtre ? Le même principe énergétique gouvernait-il tout le cosmos, entretenant la vie sur d'autres planètes comme il le faisait sur la Terre.

« Cherche en toi-même », affirmaient les anciens. En toi se trouve la réponse à toutes les questions que tu te poses.

L'esprit de l'homme, ses attributs physiques et psychiques, sont partie du grand tout spirituel. Voilà pourquoi les réponses sont en toi. Ton destin, ton karma, résultent de ce que ton âme accomplit, de ce dont elle prend conscience. Sache que toute âme sera un jour confrontée à elle-même. Rien ne s'élude impunément. Ne diffère pas le face-à-face.

Pour nous connaître, il nous suffisait peut-être d'être lucides, de prendre conscience que nous avions une âme. Certes, identifier toutes les vies que nos âmes avaient vécues restait hors de notre portée, et peut-être hors de propos. Pourtant, nombre de mes semblables et de mes connaissances, voulant y voir plus clair en eux acceptaient la théorie de la réincarnation aussi aisément que le lever du Soleil chaque matin.

J'ai appris un jour de la bouche d'un très grand acteur, avec qui j'avais partagé une merveilleuse aventure professionnelle, et entretenu par la suite des relations d'amitié sincère, qu'il y croyait. C'était Peter Sellers. Une expérience vécue, me confia-t-il, avait conforté chez lui la conviction que son âme était distincte de son corps.

J'avais tourné deux films avec Peter : *Woman Times Seven*, dans lequel il jouait un personnage secondaire, celui d'un de mes sept maris, et *Being There*, dans lequel je jouais à mon tour un rôle secondaire, tandis que lui interprétait ce qui devait rester le plus grand rôle de sa carrière. Peter *devenait* toujours le personnage qu'il jouait, dans la vie comme devant la caméra. Je pense qu'il fut un acteur de génie. Mais il souffrait de ce qu'il appelait l'ignorance de sa véritable identité. Il disait se sentir plus familier des personnages qu'il interprétait que de lui-même. Il était convaincu d'avoir *été* ces personnages, à un moment donné, comme s'il « les avait vécus dans le passé ».

Il m'en parla le jour où nous terminions le tournage de *Being There*. Nous revenions d'Ashville, en Caroline du Nord, où nous avions tourné les extérieurs et, à Hollywood, nous tournions en studio, sur le plateau de la Goldwyn. En arrivant ce matin-là au studio, je perçus immédiatement que quelque chose n'allait pas. Impossible de déterminer quoi.

Cela tenait-il à des réminiscences d'anciens films que j'avais tournés en partie là — *Irma La Douce, Two for the Seesaw, Children's Hour* et *The Apartment* — ou se passait-il quelque chose que je découvrirais plus tard ?

Peter n'était pas en grande forme. Ce que je mis sur le compte de la fatigue. Il travaillait dix heures par jour avec un pacemaker, et n'avait jamais été taillé pour le marathon. Nous étions assis tous les deux à l'arrière d'une limousine reconstituée, attendant que les éclairages soient réglés.

Brusquement, Peter s'étreignit la poitrine et me saisit le bras. Son geste sans précipitation et discret n'alerta personne d'autre que moi. Mais je sus immédiatement que c'était grave. Appelant discrètement le directeur de production, je lui glissai à l'oreille qu'il ferait bien d'appeler un médecin et de le garder prêt à intervenir. Il m'approuva d'un signe de tête et s'éloigna. Dans la maquette, Peter continuait à me parler du jeu d'acteur, de ses propres rôles. C'est alors qu'il me dit éprouver le sentiment d'*avoir connu* tous les personnages qu'il avait interprétés au point même de ressentir qu'il *était* chacun d'eux à un moment ou à un autre.

Je ne saisis pas immédiatement ce qu'il voulait me dire. A mesure qu'il développait ses impressions, je finis par comprendre qu'il avait été ces personnages au cours de ses différentes vies antérieures.

— Ah oui, c'est de ça que tu t'inspires ? lui dis-je le plus naturellement du monde. Des expériences et des sentiments que tu as connus dans d'autres vies ? Tu en gardes le souvenir ? Voilà qui expliquerait ton jeu si naturel. Tu as sans doute une meilleure mémoire de tes vies antérieures que la plupart des gens. C'est là que tu puises ta créativité.

Ses yeux brillèrent, comme s'il venait enfin de découvrir un confident capable de le comprendre et de partager sa conviction.

— Tu sais, je n'en parle pas beaucoup, me dit-il. On penserait que je suis complètement sonné.

— Je sais. Je n'en parle pas moi non plus. Mais il y a probablement plus de gens qu'on ne le pense qui croient au monde cosmique. Simplement, ils n'en parlent pas.

Il sembla se détendre un peu.

— Ce malaise que tu viens d'avoir... ? lui demandai-je.

— Rien. Sans doute une petite indigestion.

— Dis-moi davantage, si ça peut te soulager.

Il sembla ne pas tenir à m'en parler sur l'heure, détourna la conversation, évoqua son régime alimentaire, ce qui lui convenait ou non, et le désagrément de vivre avec « ce maudit zinzin dans le cœur ».

Je l'écoutai, sachant qu'il n'était pas encore mûr pour se confier à moi.

— C'est ce plateau qui me donne la chair de poule, fit-il.

— Pourquoi ?

— Parce que.

— Parce que quoi ?

Il essuya les gouttes de sueur qui perlaient sur son front et respira profondément.

— Parce que c'est sur ce plateau que je suis mort, expliqua-t-il.

Je fis de mon mieux pour ne pas réagir avec brusquerie. Les circonstances dans lesquelles il était passé à deux doigts de la mort me revinrent en mémoire : j'avais appris la nouvelle par les journaux.

— C'est Rex Kennemer qui m'a tiré de là, reprit-il. Je l'ai vu me sauver la vie.

— Tu plaisantes. Comment as-tu pu le voir ?

— J'ai senti que je quittais mon corps, me dit-il.

(Il décrivit la scène comme si elle était arrivée à un autre et qu'il en avait été témoin.) J'ai flotté au-dessus de ma forme physique, et je les ai vus me transporter à l'hôpital. Alors je les ai suivis, par curiosité. Je voulais savoir ce qu'il m'arrivait. Je n'éprouvais ni peur, ni rien de semblable, parce que *moi*, je me sentais bien. C'était mon corps qui était mal en point. Et puis, j'ai vu le docteur Kennamer se pointer. Il m'a pris le pouls et a constaté que j'étais mort. Alors, lui et quelques autres se sont mis à me pomper sur la poitrine. Et vas-y que je te pousse. Tout juste s'ils ne me sautaient pas dessus à pieds joints pour me faire repartir le cœur. J'ai vu Rex hurler après je ne sais qui pour lui dire qu'on n'avait pas le temps de me faire une prémédication et de me transporter en salle d'opération, et qu'il fallait m'ouvrir d'urgence. C'est lui qui m'a sorti le cœur de la poitrine. Il le massait comme un forcené. A peine s'il ne jonglait pas avec ! Je trouvais ça très intéressant. Rex refusait d'admettre que j'étais mort. J'observais la scène. Et c'est à ce moment que j'ai vu, au-dessus de moi, une lueur incroyablement belle et brillante. Une lumière blanche. Je voulais à tout prix l'atteindre. Jamais je n'avais autant désiré quelque chose. je savais que là, de l'autre côté de cette lumière qui m'attirait si fort, il y avait l'amour, le véritable amour. J'en ressentais la douceur, la ferveur, et je me rappelle avoir pensé : « C'est Dieu. » J'essayais de m'élever vers elle pendant que Rex s'escrimait à réanimer mon cœur. Mais quelle que fût la manière dont je m'y prenais, je n'y arrivais pas. Alors j'ai vu une main traverser la lumière. J'ai voulu la toucher, la serrer, la saisir pour qu'elle me hisse et me tire à elle, vers cette clarté. Et j'entendis Rex, au-dessous de moi, qui disait : « Il est reparti ! Je sens qu'il bat ! » Au même instant, une voix suspendue au bout du bras que je voulais tant toucher me disait : « Pas encore. Retourne et achève. L'heure n'est pas venue. » Je me sentis flotter et redescendre dans mon corps. J'étais amèrement déçu. Ensuite, je ne me souviens plus de rien. Jusqu'au moment où j'ai repris conscience d'avoir réintégré mon corps.

Quand Peter eut terminé son récit, je fis de mon mieux pour me conduire comme si tout cela était banal.

— J'ai lu pas mal de choses d'Elizabeth Kubler-Ross, dis-je,... ses comptes rendus sur les nombreux cas de gens qui décrivent la même chose, alors qu'ils étaient cliniquement morts. Pour eux non plus, l'heure n'avait pas sonné, puisqu'ils sont revenus pour nous en porter témoignage.

Peter me regarda avec attention, comme lorsqu'il attendait qu'on l'invite à en dire davantage. Je ne voulais pas me montrer trop curieuse, mais ne voulais pas non plus qu'il s'interrompît.

— Tu ne crois pas que je suis fou ? demanda-t-il.

— Non. Bien sûr que non. J'ai entendu trop de gens décrire le même phénomène. Ils ne peuvent pas être tous cinglés. L'important, à mon avis, c'est de comprendre *pourquoi* on est revenu.

J'employai le « on » plutôt que le « tu », sachant que la moinde incursion dans son intimité risquait de lui faire prendre ses distances. Le personnage de « Peter Sellers » lui était tout à fait étranger, je l'ai déjà dit. Il pouvait totalement s'identifier aux personnages qu'il interprétait, et percevoir encore d'autres mystères, il l'avait souvent confié à des journalistes. Quant à Peter Sellers... ce personnage-là lui échappait.

Il s'agitait, mal à l'aise, dans la limousine.

— Tu te sens bien ? lui demandai-je.

— Oui. Mais tout ça... le plateau... la caméra... les projecteurs... la voiture... tout ça me rappelle que je n'ai toujours pas trouvé de réponse à ta question. Je ne sais pas pourquoi je suis encore ici ! Pourquoi j'y suis revenu. C'est la raison de ma conduite. Je ne sais pas... Je n'arrive pas à imaginer ma raison d'être. Qu'attend-on de moi ?

Des larmes lui envahirent les yeux.

— Je sais, chuchota-t-il. Je sais que pour beaucoup de gens je suis une plaie. Je sais qu'on me croit fou. Mais je suis fou pour la bonne cause. Et ne suis pas sûr que ce soit leur cas.

Il se sécha les yeux sur la manche du costume immaculé que portait Chauncey Gardiner, le personnage qu'il interprétait. Puis il me fit un clin d'œil et renifla, comme l'eût fait Chauncey.

— Je sais que j'ai déjà eu plusieurs vies, reprit-il. Cet accident me l'a confirmé. C'est au cours de *cette* vie que j'ai perçu ce que ressentait mon âme en flottant *hors* de mon corps. Et depuis mon retour, j'ignore quelle est ma raison d'être... Je ne sais pas pourquoi je suis revenu. Il inspira profondément, eut un long soupir d'agonie... Plus que jamais, il *était* Chauncey Gardiner.

Quelques minutes plus tard, l'équipe de prises de vues fut prête à tourner. Hal Ashby, le metteur en scène, arriva sur le plateau. Nous nous mîmes à jouer comme si de rien n'était. C'était la première scène du film. Et le dernier jour du tournage. La vie aussi n'est qu'illusion... comme au cinéma...

Un an et demi plus tard, environ, je me trouvais chez moi, à Malibu, en compagnie de quelques amis. Je revenais de voyage, et j'ignorais complètement que Peter avait eu une autre attaque. Nous bavardions tranquillement. Brusquement je me levai.

— Peter ! m'écriai-je. Il est arrivé quelque chose à Peter Sellers !

Au moment même où je le dis, je perçus sa présence. Il me sembla qu'il était là, au milieu de nous, m'écoutant le lui dire.

Je me sentis ridicule. Bien entendu, la conversation s'était arrêtée net.

A cet instant, le téléphone sonna. C'était un journaliste. Je contrefis ma voix pour lui répondre.

— J'aimerais parler à Miss McLaine, fit-il. Ou plus précisément connaître sa réaction.

— Sa réaction à quoi ? demandai-je.

— Oh, vous n'êtes pas au courant ? Désolé. Son ami Peter Sellers vient de mourir.

Je regardai autour de moi. Je sentais Peter là, en train de m'observer. J'aurais voulu dire au journaliste qu'il se trompait, lui dire : « Vous *croyez* qu'il est mort. Mais il a simplement quitté sa dernière enveloppe. » J'aurais voulu lui dire : « Écoutez, il a réussi la plus grande interprétation de sa vie, dans notre dernier film. En incarnant l'âme la plus douce, la plus adorable qui soit jamais venue sur terre. Il ne lui restait plus rien à accomplir. Il ne comprenait même plus pourquoi il s'attardait tant parmi nous. Aussi est-il reparti vers la lumière blanche... Et puis, sa mère lui manquait réellement. »

Tout cela, j'aurais aimé le dire. Mais je n'en fis rien, bien sûr. Pourtant, Peter en aurait été enchanté, j'en suis sûre.

— Shirley n'est pas ici, me contentai-je de répondre. Je lui transmettrai le message.

Je m'éloignai de l'appareil.

— Que s'est-il passé ? demandèrent mes amis.

Je sentais que Peter me souriait.

— Rien, dis-je. Un journaliste. Il voulait me convaincre de la mort de Peter Sellers.

Chapitre 13

« Pourquoi faudrait-il trouver inconcevable l'idée
que la même âme habitât successivement un
nombre indéfini d'enveloppes mortelles... ? Même
au cours de cette vie, nos corps subissent des
transformations continuelles, bien que le processus par lequel ils se détériorent et se restaurent
soit si progressif qu'il passe inaperçu. Il reste
pourtant que tout être humain réside successivement dans de nombreux corps au cours d'une vie,
celle-ci fût-elle brève. »

Francis Bowen
« *Christian Metempsychosis* »

Dès mon retour de Suède en Californie, j'appelai Cat à
l'Ashram. Pour lui dire qu'à Stockholm j'avais fait la
connaissance d'Ambrès, et que j'aimerais m'en entretenir avec
elle. Je lui demandai de venir avec moi faire une promenade
dans les hauteurs. Au milieu des collines de Calabasas, peut-
être pourrais-je clarifier mes idées.

Au cours de cette promenade, je relatai à Cat mon
expérience avec Ambrès. Je lui confiai combien le phénomène
m'avait rendue perplexe. Au point que je n'avais pas cessé
d'écrire pour tenter d'y voir plus clair. En m'écoutant, ses yeux
s'écarquillèrent et elle battit des mains.

— Shirley, mais c'est formidable que tu écrives sur ce qui
t'a poussée à explorer ta dimension spirituelle ! exulta-t-elle.
Tu sais, tant de gens aimeraient lire ce que tu es en train de
vivre ! En savoir plus sur la spiritualité ! Mais si, je t'assure !

201

Les choses prenaient une tournure que je n'avais pas prévue. Je demandai à Cat en quoi mes élucubrations pouvaient intéresser qui que ce soit.

— De nos jours, plus rien ne semble satisfaire les gens, affirma-t-elle. Ils sont très nombreux à pressentir qu'on doit pouvoir vivre autrement sa vie... et la voie spirituelle est à peu près la seule dans laquelle ils ne se sont pas engagés.

Nous marchâmes un moment.

— T'intéresserait-il de participer à une séance de transmission médiumnique en anglais ? me proposa-t-elle. Je connais un voyant californien réputé pour son sérieux, et qui, lui aussi, utilise la transe. Son emploi du temps est très chargé, mais il doit bientôt venir de Santa Barbara faire une séance pour les invités de l'Ashram. Peut-être pourrait-il te consacrer une séance, à toi aussi ?

— Vraiment ? dis-je, m'étonnant de constater une fois de plus combien Cat jouait dans ma vie un rôle de catalyseur. Mais toi, tu as assisté à ses séances ?

— Oh, Shirley, bien sûr !, fit-elle, déployant les bras en un ample geste, comme si son énergie débordante se répandait jusque sur les hauteurs. Je suis sûre que tu vas aimer son rayonnement ! Et aussi les entités spirituelles qui s'expriment à travers lui !

Cat avait pour habitude de ponctuer son discours d'exclamations. Elle était si radieuse de nature que je ne pouvais l'imaginer n'aimant pas un être, désincarné ou non.

— Bien sûr, dis-je. Je commençai à me prendre au jeu et à faire mien son enthousiasme. Ce serait amusant. Et... comment ça va se passer, à ton avis.

— Eh bien, en principe, plusieurs entités se manifestent. Tu croirais même qu'elles sont avec toi dans la pièce !

— Et moi, qu'est-ce que je fais ?

— Tu leur demandes ce que tu veux. Elles peuvent te renseigner sur tes vies antérieures, établir un diagnostic et prescrire le traitement approprié, ou te conseiller des régimes qui conviennent à tes vibrations... n'importe quoi !

— A la bonne heure, lui dis-je. Après avoir écouté Ambrès parler de la création du monde, je ne serais pas fâchée d'entendre quelque chose d'un peu plus personnalisé.

— En plus, ajouta Cat en allongeant hardiment le pas, tu as besoin d'un apaisement spirituel.

202

Je me demandai comment diable la transmission médium-nique pouvait apporter un apaisement spirituel ! Enfin, si c'était ainsi qu'elle voyait les choses...

Au bout de trois mois, après m'être constitué une mini-bibliothèque de livres spécialisés, je sentis que le moment était venu de faire appel à la transe médiumnique pour en savoir davantage sur moi-même. Par l'intermédiaire de Cat, je pris donc rendez-vous avec Kevin Ryerson, bien résolue à observer en sa présence une attitude neutre, impavide, et à réfréner certains élans de mon caractère.

A six heures quarante-cinq le lendemain soir, on sonna à la porte de mon appartement de Malibu. J'allai ouvrir. Un jeune homme d'environ trente ans, aux yeux d'un bleu profond, francs et ouverts, me regardait. Il portait un feutre beige, un costume beige, un gilet beige, des chaussures beiges et, sûre-ment, des chaussettes beiges. Un manteau, beige lui aussi, était jeté sur son épaule. Souriant, il me fixa droit dans les yeux. Son visage reflétait l'innocence et la douceur. Le plus drôle, c'est qu'il ne semblait nullement conscient du comique un peu théâtral de sa mise. Il suffisait pourtant de le contempler pour ressentir l'envie d'avaler une énorme portion de tarte à la crème parfumée à la noix de coco... beige, bien sûr.

— Bonsoir, fit-il. Je suis Kevin.

Il termina ces mots par une intonation interrogative, comme s'il questionnait. Kevin Ryerson, précisa-t-il.

Bien qu'un certain calme émanât de toute sa personne, il me donna l'impression d'être un peu hésitant. Je lui ouvris la porte.

— Bonjour Kevin, dis-je en l'accueillant. Entrez, je vous prie. Et asseyez-vous.

Je l'observai de près pendant qu'il franchissait le seuil. Il ne sembla pas s'apercevoir que son manteau était sur le point de glisser de son épaule. Il se déplaça avec aisance, encore qu'un léger défaut de locomotion lui fît attaquer le sol par le talon.

— Puis-je laisser ma berline là où elle est ? me demanda-t-il.

— Votre berline ? Oh, vous voulez parler de votre voi-ture ? Mais oui, bien sûr. Elle est très bien là où elle est.

— Merci, fit-il. Il se peut que ma dame vienne me quérir. Il me serait agréable qu'elle pût l'identifier du premier coup d'œil.

— Votre... dame ?

— Oui. Nous venons de convoler en justes noces, et il est dans nos intentions de célébrer ce soir nos épousailles par un souper, pour autant que nous le permettront les exercices de transmission auxquels vous et moi allons nous livrer.

J'hésitai un instant, ne sachant quelle attitude adopter devant son curieux usage de la langue. Son discours était empreint d'une telle préciosité ! Tant d'affectation, conjuguée à sa démarche et à sa tenue vestimentaire, ne m'incitaient guère à prendre le personnage au sérieux.

— Bien sûr, fis-je, d'un ton dégagé. Je n'ai pas idée du temps qu'une séance comme celle-là peut prendre. Vous êtes mieux placé que moi pour le savoir, j'imagine.

Kevin pénétra dans le salon et, d'une manière plutôt cérémonieuse, s'assit sur l'une des chaises.

— C'est aux guides spirituels que vous devrez adresser cette requête, fit-il. Ce sont eux qui détermineront la durée de la communication.

Il me faisait une étrange impression, comme un être anachronique, hors du temps. Ou peut-être cette impression tenait-elle à ses manières surannées ? Sans doute fallait-il s'attendre à des surprises de ce genre quand on se trouvait en présence d'un voyant spécialisé dans la transe.

Je lui proposai une tasse de café ou un verre de quelque chose.

— Non, je vous remercie, me dit-il. L'alcool rend mon art imprécis. Mais du thé me conviendrait.

Je préparai donc du thé, faisant de mon mieux pour me persuader que le messager n'était pas le message.

— Ainsi donc, vous venez de vous marier ?

J'avais envie de bavarder un peu avec lui, tout en me demandant ce qu'on pouvait bien ressentir quand on était l'épouse d'un médium.

— Tout juste, répondit-il. J'ai pas mal traîné mes bottes dans la clique des petits rigolos avant de me décider à me caser.

J'éclatai de rire. Voilà qu'il sautait des Chevaliers de la Table Ronde à la *rock generation*.

— Et... vous envisagez d'avoir des enfants ?

— Non. Ma dame et moi souhaitons sortir et changer le monde. Et nous n'avons pas les moyens de nous offrir une baby-sitter.

Je lui servis du thé.

— Vous êtes déjà familière de la transmission médiumnique ? me demanda-t-il.

— Très peu.

Je lui parlai alors d'Ambrès, de ce que m'avaient rapporté certaines personnes de ma connaissance à propos de leurs propres expériences. J'ajoutai que j'étais assez bien documentée sur les messages d'Edgar Cayce. Kevin me fit alors remarquer qu'il était lui-même un spécialise de Cayce, auquel il vouait une admiration profonde.

— Une grande âme, me dit-il. Je possède plusieurs ouvrages de Cayce qui sont aujourd'hui introuvables. Je les mets à votre disposition, si vous voulez.

Nous continuâmes à nous entretenir de Cayce, de l'enseignement spirituel et des diagnostics médicaux établis par transmission médiumnique. Nous discutâmes ensuite des recherches entreprises par Sir Oliver Lodge * sous l'égide de la Société britannique de recherches psychiques, et des expériences qu'il avait tentées pour entrer en contact avec l'âme de son fils défunt. Nous abordâmes enfin le cas de Mrs Piper, de Boston, dont les messages s'étaient avérés rigoureusement exacts.

Kevin s'exprimait calmement. Il semblait posséder de solides connaissances métaphysiques, qu'il exposait avec aisance. Il commentait les situations dans lesquelles ses dons de clairvoyance l'avaient plongé avec un surprenant humour.

— Au début, je ne comprenais rien à ce qui m'arrivait, me dit-il. Un esprit se manifesta, un jour où j'étais en pleine méditation. Je ne m'en rendis même pas compte. Quelqu'un s'empressa de tout enregistrer à l'aide d'un magnétophone. Quand on me fit écouter la bande, un peu plus tard, j'en fus affolé. Je ne saisis rien des messages cliniques et thérapeutiques que j'avais transmis. Je ne reconnus pas davantage les voix qui

* Physicien anglais décédé à la veille de la Seconde Guerre mondiale, et principalement connu par ses travaux sur les ondes électromagnétiques. On le considère comme l'un des précurseurs de la recherche en radioastronomie. (N.d.T.)

s'exprimaient à travers moi. Pourtant je ne pouvais pas avoir inventé certains détails de vies antérieures, ni contrefait ma voix.

J'eus du mal à prendre ce qu'il me disait pour argent comptant. Il se sentait aussi incapable de se fabriquer des voix étranges que de concocter de toutes pièces des anecdotes de vies antérieures, bien. Mais pourquoi l'aurais-je cru sur parole ? Je repensai à la Suède et à Ambrès. Si j'avais compris ou parler le suédois, c'est à *lui* que j'aurais posé des questions. Il ne restait donc plus qu'à écouter Kevin, me disais-je. Je croisai les bras.

— J'étais incapable d'expliquer rationnellement le phéno-mène, poursuivit-il. Tout ce que je savais, c'est que je servais de relais à des guides spirituels. Ma sœur possède, elle aussi, ce pouvoir, ce qui ne manquait pas d'effrayer nos parents : ils n'y comprenaient strictement rien. Alors, je me suis mis à lire sur ceux qui avaient ce don... sur certains enfants qui, à l'âge de huit ou neuf ans, transmettaient des messages dans des langues qui leur étaient inconnues, et ainsi de suite. J'en ai ressenti un énorme soulagement, lequel m'a décidé à laisser faire les choses. Par la suite, j'ai pu ainsi venir en aide à beaucoup de gens.

J'observais Kevin, passant au crible ses propos pendant qu'il sirotait son thé. Et toutes les histoires similaires que j'avais pu lire me revinrent en mémoire. Il m'apparaissait si modeste, si peu imbu de sa personne, malgré sa tenue qui lui donnait l'air de sortir droit d'une gravure de mode. Je m'étais toujours fiée à mon « détecteur de foutaises », comme l'appelait un de mes amis. Autrement dit, à ma défiance innée. Pourtant, je décidai de ne pas interroger Kevin sur sa mise, de crainte de l'intimider.

Quelle impression devrait dégager un médium pour que, d'emblée, je croie en ses pouvoirs ? Après tout, rien ne distingue, à cet égard, un individu d'un autre. Quels dehors, quel aspect devrait donc afficher le médium pour être crédible ? Le psychiatre, le médecin, l'avocat avaient-ils une apparence caractéristique ? Certains médiums falsifiaient-ils à quatre-vint-dix pour cent les messages ? Les « mauvais jours », il arrivait sans doute aux représentants d'autres professions de commettre des erreurs ou de faire preuve de négligence. Peut-être s'en fichaient-ils royalement *tous les jours* de la semaine. Ne devait-on pas plutôt, dans tous les cas, ne juger que

206

des résultats ? L'existence d'une réalité invisible pourrait-elle jamais être démontrée ?

Et cette réalité invisible, qu'était-elle au juste, sinon ce qu'on *tenait pour vrai* ? Élever des prières vers une immanence appelée Dieu ne revenait-il pas à placer sa foi en une réalité invisible ? Quand un joueur de base-ball faisait le signe de croix avant de courir au marbre, n'invoquait-il pas une réalité invisible transcendante ? Et quand un joueur de basket-ball se signait, avant de tenter le tir au filet susceptible de redonner l'avantage à son équipe, pas un seul spectateur ne s'aviserait d'en rire. En temps de guerre, dans les tranchées, les incroyants se faisaient rares. Quant au poignant spectacle de ces salles d'urgence, où les proches de l'hospitalisé imploraient l'intercession divine, elles ne nous étaient que trop familières.

Chaque dimanche, des millions de gens participaient de cette réalité invisible en vénérant quelque chose d'indémontrable. Pourtant, ce quelque chose était crédible, sans aucun doute. On se contentait d'admettre cette réalité invisible comme on le faisait depuis des siècles. Nul ne la remettait en question. Pourtant, la foi était la condition même de toute dévotion.

— En définitive, conclut Kevin, quoi qu'on puisse penser de la transmission de messages émanant de guides spirituels invisibles, tout reste affaire de jugement personnel. En général, les gens « savent » si ce phénomène est acceptable ou non. Je ne cherche pas à convaincre qui que ce soit. J'essaie simplement de comprendre et de m'instruire, chemin faisant. Je me sens, pour ainsi dire, guidé par mes frères en spiritualité, et je continue à perfectionner mes dons métaphysiques. Vous en jugerez par vous-même.

Je réfléchis à ce qu'il venait de me dire, me demandant si accepter une séance avec lui sous-entendait que j'adhère à ses convictions. Voulais-je trouver là des arguments pour me persuader ? Je me surprenais à considérer ma propre « ouverture d'esprit » sous un jour nouveau. Et si l'ouverture d'esprit n'était que de la crédulité ?

Je bus quelques gorgées de thé.

— Dites-moi, Kevin, pratiquez-vous une religion ? lui demandai-je.

Il suffoqua involontairement en buvant.

— Vous plaisantez ? Quelle église voudrait de moi ? Aucune. J'empiète sur leur territoire en persuadant les gens que

Dieu est en eux. Alors que l'Église affirme que Dieu est en elle. Il y a, dans la Bible, une phrase qui enjoint de tenir Dieu pour l'unique entité spirituelle. Et la plupart des chrétiens se conforment à cette injonction. D'ailleurs, la Bible passe complètement sous silence la réincarnation. Il est bien connu que c'est le Concile de Nicée qui l'en a expurgée.

— Comment le savez-vous ? demandai-je.

— Tout simplement parce que des métaphysiciens exégètes de la Bible le savent parfaitement. Le Concile de Nicée a modifié de nombreuses interprétations bibliques. Un homme du nom de Jésus a étudié en Inde pendant dix-huit ans, pour y recueillir l'enseignement de Bouddha et devenir adepte yogi avant de revenir à Jérusalem. Il avait vraisemblablement acquis une parfaite maîtrise de son corps, et savait que le corps n'est que la résidence de l'âme. Toute âme possède plusieurs demeures. Le Christ enseignait que notre conduite présente détermine les événements futurs de notre destinée... comme le karma des Hindous. « Tu récolteras ce que tu as semé. »

Je me gardai bien de discuter ces affirmations péremptoires. Je lui offris un biscuit, dont il ne fit que deux bouchées. Il semblait être friand de sucreries.

Je songeais à la similitude qui existait entre les écrits de Cayce, les messages d'Ambrès, l'enseignement de Bouddha, et la multitude de gens qui avaient fait profession de croyances du même ordre.

— Bon, dis-je, mais qu'est-ce qui se passe, maintenant.

Kevin reprit un autre biscuit.

— Voilà, m'exposa-t-il, actuellement... deux, trois, et parfois quatre entités spirituelles m'utilisent pour transmettre leurs messages. La première, celle qui généralement procède à l'accueil des gens, se présente sous le nom de Jean. Certains d'entre nous la considèrent comme la plus supérieurement évoluée de toutes les entités désincarnées. Jean s'exprime dans un jargon biblique qu'il n'est pas toujours facile de suivre. Si vous en exprimez le désir, ou si Jean perçoit une difficulté dans la communication, alors, une autre entité se manifeste. Elle se nomme Tom McPherson, du nom de son incarnation préférée, un pickpocket irlandais qui vécut il y a quelques centaines d'années. McPherson peut être très amusant. Beaucoup de gens adorent entrer en communication avec lui. Certains le jugent un peu trop facétieux pour être pris au sérieux et lui préfèrent des guides spirituels plus solennels. Vient ensuite le Docteur Shangru, un Pakistanais, qui vécut, lui aussi, il y a quelques siècles : il est très versé dans les questions de médecine. Et enfin Obidaya, dont l'incarnation préférée fut celle d'un Jamaïcain. Il comprend fort bien les problèmes raciaux d'aujourd'hui.

Je faisais des efforts pour me ressaisir. Ce discours ressemblait à une bande dessinée aux personnages invraisemblables. Et pourtant, il ne faisait que corroborer ce que j'avais pu lire jusqu'ici. Si ces esprits *étaient* des entités provenant du plan astral, alors il était normal que leurs personnalités soient distinctes, comme il était normal que nos enveloppes physiques diffèrent les unes des autres.

— Attendez, dis-je à Kevin. J'aimerais avoir quelques précisions. Vous venez de me dire que ce Tom McPherson avait été pickpocket en Irlande. Est-ce à dire que sa personnalité se résume à ça ?

— Bien sûr que non. Je vous l'ai déjà dit : sa personnalité de pickpocket a été son incarnation préférée, simplement. D'après lui, il tire son enseignement de cet état privilégié.

— Je vois... Mais pourquoi aimait-il tant être pickpocket ?

— Vous n'aurez qu'à le lui demander. A mon avis, à cause de son sens de l'humour.

— Bon. Et, dites-moi, quand ces esprits s'expriment à travers vous, vous les entendez ?

— Non. Je ne suis pas conscient de ce qui se passe dans mon esprit. Mais je peux dialoguer avec eux dans le plan astral si je le souhaite, et aussi sentir qu'ils me guident quand je suis revenu à l'état conscient.

— Vous croyez que nous avons tous des guides spirituels ? demandai-je.

Il sembla surpris de ma question.

— Mais bien sûr, fit-il. C'est d'ailleurs le rôle que joue l'âme après avoir quitté le corps. Les âmes mortes, si j'ose m'exprimer ainsi, viennent en aide aux âmes encore incarnées. Là est l'objet de la révélation spirituelle.

— En *quoi* consiste-t-elle au juste, cette révélation spirituelle ?

Il se redressa sur son siège, puis se pencha vers moi.

— Avez-vous jamais éprouvé le sentiment d'être poussée à

faire quelque chose par une force que vous ne comprenez pas ? me demanda-t-il.

Je songeai aux nombreuses fois, au cours de ma vie, où j'avais cru suivre mon intuition quand je m'étais sentie quasiment obligée de prendre une décision, de rencontrer quelqu'un ou d'aller quelque part. Je repensai à mes aventures en Afrique, où j'avais eu le sentiment d'être accompagnée par une force protectrice quand je voyageais seule ; et au Bhûtan, dans la chaîne himalayenne, où j'avais ressenti le besoin irrésistible de savoir ce qui poussait les lamas à méditer dans leurs monastères, à plus de cinq mille mètres d'altitude, au-dessus des nuages. Depuis bientôt vingt-cinq ans, je ressentais la présence d'une telle force. Et cette force avait stimulé ma curiosité, m'avait portée vers tout ce qui m'était invisible.

— Oui, dis-je à Kevin, je dois l'admettre. Bien des fois j'ai eu le sentiment d'avoir été guidée par une certaine force au cours de ma vie. Mais qu'est-ce que ça veut dire ?

— Ça veut dire que des amis, des guides et des maîtres spirituels étaient là pour vous orienter, pour vous renforcer dans vos propres convictions spirituelles. Jusqu'à présent, vous vous êtes contentée de ne voir là qu'une simple force. Le moment est venu de chercher à comprendre ce qui s'est réellement produit.

Je me levai.

— Quelle impression ça vous fait de savoir que des esprits communiquent à travers vous ? lui demandai-je.

— Parfois..., fit-il en hésitant, parfois j'aimerais mieux être celui qui cultive le jardin que celui qui le garde. Mais peut-être est-ce là mon karma ? Nous avons tous un rôle à jouer dans la vie, n'est-ce pas ? Le mien est sans doute de servir de téléphone humain.

Assis raide sur son fauteuil, sa tasse de thé en équilibre sur son genou beige, Kevin me sembla soudain infiniment vulnérable. Je me demandai quelle sorte de vie il menait, ce qu'il faisait le samedi soir, ce qu'il pensait de la politique. D'autres, qui comme lui s'étaient engagés dans la quête spirituelle, s'étaient-ils engagés aussi *personnellement* pour prodiguer l'enseignement qu'ils avaient recueilli ?

Je ne m'en rendis pas compte ce soir-là, mais Kevin allait bientôt devenir l'un des téléphones essentiels à mon existence. En attendant, ce vendredi là, à Malibu, j'allais parler à de nouveaux amis... Une fois de plus, il me revint *en mémoire que tout être, bon gré mal gré, doit faire l'expérience de sa propre réalité.* Et qu'il est seul à décider de ce qu'est cette réalité. Il ne s'agissait plus seulement de croire ce qu'on avait envie de croire. Il fallait se défier de la défiance, de ce scepticisme qui décourage les idées stimulantes et les perceptions neuves.

Chapitre 14

« Tout nouveau-né entre frais et gaillard dans sa nouvelle existence, et jouit d'elle comme d'un don gratuit : mais... cette nouvelle vie, il l'a payée... payée d'une vie usée qui s'est évanouie, et qui portait en elle le germe indestructible de la suivante. Ces vies sont pourtant celles d'un être unique. Démontrer l'existence du lien qui les unit, ce serait éclaircir une grande énigme assurément. »

Arthur Schopenhauer
*Le Monde comme volonté
et comme représentation*

JE réduisis les lumières du salon. A l'extérieur, l'océan grondait discrètement. Je mis le magnétophone en marche et demandai à Kevin s'il avait besoin de quelque chose.

— Non, me répondit-il. Je pense que je vais vous laisser, maintenant.

— Comme vous voudrez. A votre retour, je serai là.

— Eh bien, à tout à l'heure.

Il se pencha en arrière, joignit les mains sur sa poitrine et ferma les yeux. Je rapprochai de lui le magnétophone. Lentement, sa respiration se fit plus profonde. J'attendais. Il resta immobile pendant trois minutes environ. Sa respiration se fit encore plus profonde. Puis, très doucement, son menton retomba sur sa poitrine et un bruit sourd, étranglé, s'échappa de sa gorge. Il redressa la tête et l'inclina de côté. Une trentaine de secondes encore s'écoulèrent, puis sa bouche s'entrouvrit et son corps se mit à trembler. Le rythme de sa respiration changea. Un sourire très doux apparut sur ses lèvres. Ses sourcils se soulevèrent, donnant à sa physionomie une expression fugitive de surprise. Il posa les mains sur les bras du fauteuil, et je l'entendis murmurer, d'une voix dont les sonorités rauques ne ressemblaient en rien au timbre de Kevin :

— Je vous salue. Je suis Jean. Soyez en paix. Je vous prie de vous présenter et de formuler clairement la raison de votre présence.

Je m'éclaircis la gorge, changeai de position, et m'assis par terre, près du fauteuil de Kevin.

— Je m'appelle Shirley MacLaine. Je suis originaire de Richmond, dans l'état américain de Virginie. Mais je vous parle de Malibu, en Californie. Il m'est impossible de vous dire la raison de ma présence ici. Je l'ignore.

— Comme tel, fit la voix.

Comme tel... Je supposai qu'il voulait dire : d'accord. Je me souviens d'avoir entendu Kevin déclarer qu'un des esprits s'exprimait en jargon biblique.

— Nous sommes satisfaits de constater que vous avez des questions à poser, reprit la voix. Vos vibrations nous en informent. Elles nous sont familières.

Il y eut une pause, comme si Jean attendait de moi une question ou une réplique. Je ne savais par où commencer.

— Pourquoi dites-vous « nous » ? Qui cela représente-t-il ? demandai-je.

— Comme tel. Nous sommes ceux qui vous ont connue durant vos vies passées.

J'étais stupéfaite.

— Vous ! Vous m'avez connue dans des vies passées ?

— Comme tel.

— Seriez-vous mes guides spirituels ? Ce qui expliquerait ma présence ici ?

— Comme tel.

— Je vois...

Je ne voyais rien du tout. Il continua :

— Pour savoir ce que vous êtes aujourd'hui, il vous faut comprendre que vous êtes plus que vous ne paraissez. Tous vos talents, tous vos sentiments, vous les avez déjà éprouvés... et ce

214

que vous êtes fait partie du Tout et de son Unité. Cela vous est-il intelligible ?

Je gigotai sur le tapis. Les gens du monde entier avaient des talents, des sentiments et des pensées qui leur semblaient en dissonance avec leur vie présente, non ?

— Pardonnez-moi, dis-je. Mais sur quoi fondez-vous ce que vous dites savoir de moi, ou des choses du cosmos ?

— Sur ce que vous appelez, semble-t-il, les Tables Akashiques, répliqua-t-il presque aussitôt.

Puis il s'interrompit. Comme si j'étais depuis longtemps familière de ces fameuses tables. Il me semblait si distant, si faussement biblique, que ses propos ne m'impressionnaient pas.

— Nous inclinons à croire, reprit-il, qu'Akasha est le nom que vous donnez à la conscience collective de l'humanité, laquelle se trouve contenue dans l'Ether. Nous pourrions dire de cette énergie qu'elle est le mental de Dieu. Mais nous sommes conduits à penser qu'il est malaisé de transmettre pareilles idées, eu égard à l'exiguïté du langage.

— J'entends bien, mais... à propos de langage, pourquoi est-ce que vous parlez comme ça ?

Un silence. Puis :

— Je ferai de mon mieux pour mettre au goût du jour ma façon de m'exprimer. Cette énergie contenue dans l'Ether — ce que vous nommez Tables Akashiques — pourrait être comparée à de longs rouleaux de parchemin entreposés dans une immense bibliothèque. Votre individualité serait représentée par l'un de ces parchemins. Ainsi les âmes sont-elles réunies dans l'esprit divin.

— Pardonnez-moi encore, dis-je, mais ça ne vous semble pas un peu trop simple ?

— Toute vérité doit être simple, quand elle est destinée à être aisément révélée.

— Si les vérités se révèlent si aisément, pourquoi ne les connaissons-nous pas ?

— L'homme refuse d'accepter que toute vérité est en lui depuis l'origine du temps et de l'espace. Il refuse d'admettre qu'il est responsable de lui-même. L'homme est en Dieu, et avec Dieu il a créé le cosmos.

A l'église, pensai-je, on nous avait appris que Dieu seul a créé toute chose.

Jean continuait sur sa lancée :

— Quand l'homme accepte de reconnaître qu'il procède de la vérité qu'il cherche, alors, seulement, les vérités lui sont apparentes.

— D'après vous donc, si je me comprends et si je comprends d'où je viens, je comprendrai toute chose ?

— Comme tel.

— Eh bien, dis-je, je n'ai jamais été vraiment convaincue de l'existence de Dieu, tout au moins jusqu'à ces derniers temps. Quand on voit ce qui se passe dans le monde, comment croire en Dieu ?

— Autrement dit, il vous faut la preuve de votre propre existence ?

— Je... ne vous comprends pas. Non, je suis sûre d'exister. Oui, sûre !

— Vous avez un esprit ?

— Certainement.

— L'esprit est un reflet de l'âme, et l'âme est un reflet de Dieu. L'âme et Dieu sont éternels et ne font qu'un.

— Donc, si je veux comprendre ce qu'est Dieu, je dois d'abord me connaître moi-même ?

— Comme tel. Ame n'est qu'une métaphore pour signifier Dieu.

— Pas si vite, dis-je. Je ne peux prouver l'existence ni de l'une, ni de l'autre... ni de l'âme, ni de la divinité. Je ne voudrais pas vous offenser, mais cette façon de démontrer l'existence de l'âme me semble plutôt... astucieuse.

— L'astuce est un travers de l'homme. Elle est étrangère aux desseins de Dieu.

Je me sentis étrangement gênée.

— Si j'étais convaincue, *moi*, d'être partie de la divinité, je risquerais fort de pécher par orgueil, dis-je.

— En aucune façon. Ne confondez jamais la voie que vous suivez avec la vérité en tant que telle.

Une certaine confusion m'assaillit. J'attendis qu'il ajoute quelque chose.

— Observons une pause, fit-il. Une autre entité désire se faire entendre.

— Pardon ?

Sur son siège, Kevin changea de posture. Ses bras prirent

216

une autre position, et sa tête s'inclina du côté opposé. Il se couvrit un instant le visage, puis croisa les jambes.

Je me dressai sur les genoux, essayant de comprendre.

— Salut bien bas ! lança une voix toute différente. Tom McPherson, pour vous servir. Tout va bien, en bas ?

L'intonation était cocasse. J'éclatai de rire. La tête de Kevin se redressa, comme si *lui* n'était pour rien dans cette affaire. A en juger par son expression, il semblait se demander pourquoi je le trouvais si drôle.

— Bigre ! Si j'm'attendais à vous faire c't'effet ? reprit McPherson. D'habitude, i'm'faut un bon bout d'temps pour arriver à ça.

Kevin m'avait prévenue : le personnage de McPherson était truculent. J'avais l'impression de *ressentir* sa personnalité. Pas simplement à cause de cette voix nouvelle... On aurait dit qu'une énergie distincte venait d'envahir la pièce. Le plus étonnant, c'est que cette énergie semblait complètement étrangère à Kevin. En tant que comédienne, je ne pouvais que lui tirer mon chapeau. Pour du théâtre, si c'en était, quel superbe numéro de substitution !

— Vot' boîte à ron-ron est en marche ? me demanda McPherson.

— Ma quoi ?

— Vot' boite à ron-ron.

Je regardai tourner mon magnétophone.

— Oui, dis-je, il est en marche. Ça vous incommode ?

— Oh non, pas du tout. J'voulais seulement être sûr que vous ne laisseriez pas échapper les détails.

— Les détails ?

— Tout juste.

Kevin toussa. Il s'éclaircit la voix, puis toussa de nouveau.

— Excusez-moi, dis-je, mais qu'est-ce qui arrive à Kevin ? Sa gorge... ?

— Rien de grave, dit McPherson. J'ai un peu de mal à m'accorder aux vibrations de l'instument, voilà tout.

— Vous voulez dire que vous essayez d'accorder vos vibrations à celles de Kevin ?

— Tout juste. D'où je vous parle, on se sert des fréquences vibratoires. Vous n'auriez pas un peu de breuvage ?

— De breuvage ?

— Oui, je crois savoir que vous avez du breuvage aux herbes.

— Vous parlez du thé ?

— Tout juste.

— Mais oui, bien sûr, dis-je. Vous en voulez ?

— C'est pas d'refus.

— La tasse est très petite, fis-je remarquer. Dois-je la mettre dans la main de Kevin ? Pourra-t-il la tenir ?

— Tout juste, affirma McPherson.

Je remplis la tasse et la tins devant Kevin. Il ne fit aucun geste pour la prendre. Ses yeux restaient clos.

— Mettez-là dans la main du jeune homme. Merci.

Je pris la main droite de Kevin, l'ouvris et y plaçai la tasse.

— C'est pas qu'elle s'rait p'tite, vot' tasse, dit McPherson, c'est plutôt qu'elle s'rait minuscule !

Je ris. Moi non plus, je n'aimais pas ces petites tasses.

— V'zauriez pas une chope queq'part ? demanda McPherson. Y m'semble bien qu'vous avez des chopes dans vot' placard.

Je réfléchis au contenu de mes placards de cuisine. Il avait raison, j'avais bien des chopes, mais je ne m'en servais jamais pour boire du thé.

— J'ai comme un faible pour les chopes, reprit McPherson. Ça m'fait l'effet de r'tourner dans un pub. Et ça m'éclaircit les idées.

Je me levai, allai dans la cuisine chercher une chope, sans interrompre mon dialogue avec McPherson :

— Ainsi, vous êtes irlandais ? Est-ce que tous les Irlandais ont les idées claires quand ils ont une chope à la main ?

— Tout juste, fit, derrière moi, la voix de McPherson.

Je revins verser du thé dans la chope et la substituer à la tasse dans la main de Kevin.

— C'est pas tout à fait comme au pub, mais que voulez-vous, fit McPherson.

Kevin porta la chope à ses lèvres et but une gorgée. Ses yeux demeuraient clos. Il avala le thé.

— Vous percevez réellement le goût du thé ?

— Je l'devine plus que j'le goûte. C'est les papilles de l'instrument qui m'font c't'effet-là.

Kevin but une autre gorgée.

218

— Si c'était trop chaud, qui s'en rendrait compte, demandai-je, Kevin ? Ou vous ?

— J'interviendrais pour protéger l'instrument, dit McPherson. Je ne sentirais pas la brûlure, mais je ressentirais ce qu'il éprouve.

— Et si c'était brûlant, que feriez-vous ?

— J'agirais sur le système de l'instrument pour occire la douleur.

Il y eut un silence. Je sentais que McPherson attendait.

— Puis-je vous appeler Tom ? demandai-je.

— Bonne idée.

— Je me suis laissé dire que vous avez été pickpocket, risquai-je.

— Tout juste. Mais faire les poches, c'était plutôt, comme qui dirait, une couverture.

— Un couverture ?

— Tout juste. J'étais en vérité ce qu'on peut appeler un espion diplomatique.

— Diplomatique ? Mais... pour le compte de qui ?

— De la Couronne d'Angleterre, j'ai bien le regret de le dire.

— Vous avez espionné pour le compte des Anglais ! Alors que vous êtes irlandais ?

— Tout juste. J'étais irlandais, bien que le nom de McPherson soit écossais. C'est un nom que j'ai pris pour dissimuler mon identité d'Irlandais. A l'époque, on aimait encore moins les Irlandais que les Écossais. Les choses n'ont pas beaucoup changé.

— Mais alors, pourquoi espionniez-vous pour les Anglais, s'ils surveillaient vos compatriotes ?

— Je m'flatte d'avoir été un espion qui travaillait à son compte. La Couronne avait loué mes services pour subtiliser à des diplomates espagnols certains documents importants, voilà l'affaire. C'était le genre de chose où j'excellais... C'est pour ça que j'me baptise pickpocket. J'trouve ça plus drôle.

Je bus quelques gorgées de thé, m'efforçant de comprendre.

— Et maintenant, dis-je, vous avez choisi de vous adonner à des activités plus nobles, d'aider les autres ici-bas, c'est bien ça ?

— Tout juste. Équilibre, karma, et tout ce qui s'ensuit.

219

— Mais, dites-moi, ça ne s'est pas retourné contre vous, d'avoir été pickpocket, dans la diplomatie ou ailleurs ?

— Tout juste. Et si je vous aide aujourd'hui, c'est en partie pour payer ma dette karmique.

— Je vois, dis-je, aussi amusée que sceptique.

— Z'auriez pas encore un peu de breuvage ? s'enquit Tom.

— Mais certainement.

Je remplis à nouveau la chope de thé bien chaud.

— Désirez-vous autre chose ? fit-il.

Je me servis à mon tour, tout en réfléchissant aux questions susceptibles de faire progresser ma démarche.

— L'autre soir, dis-je, je discutais avec quelqu'un de l'existence de l'âme, et je lui ai fait remarquer que l'impression de déjà-vu était un bon exemple, quand on voulait accréditer le phénomène des vies antérieures. Vous savez, cette impression d'avoir séjourné dans un lieu, alors qu'on sait pertinemment que c'est impossible. Ou encore ce sentiment confus que quelque chose vous est déjà arrivé...

— Tout juste.

— Beaucoup de gens prétendent que ça s'explique par la mémoire cellulaire... ou ancestrale, comme disent nos scientifiques. Certains affirment que notre patrimoine génétique nous transmet les impressions de nos ancêtres, ce qu'ils auraient pu ressentir. A *vous* de m'éclairer sur cette question de l'existence de l'âme. Comment vous y prendriez-vous pour la démontrer ?

Il y eut un silence.

— Et vous, comment est-ce que vous vous y prendriez, répliqua-t-il, maintenant que vous avez eu le temps d'y réfléchir ?

— Hé bien... je... je citerais l'exemple de gens — mettons, dans les sociétés tribales de l'Afrique — dont les ancêtres n'ont jamais vécu ailleurs que dans une région bien déterminée, et qui ont pourtant des souvenirs précis de lieux situés en Amérique du Nord, en Inde ou ailleurs.

— Tudieu ! fit Tom. Voilà qui *est* un excellent argument. Et puis, vous avez sûrement entendu parler de télépathie et d'expériences extra-sensorielles ? A notre époque, beaucoup de gens rapportent qu'ils ont vécu des expériences de ce genre, qu'ils ont vraiment senti leur âme se dissocier de leur enveloppe physique.

220

Je pensai à toutes ces personnes qui, à l'instant où elles avaient frôlé la mort, avaient vécu le même phénomène, observé la même lumière blanche que Peter Sellers, alors qu'ils assistaient à l'agonie de leur propre corps. Ce corps, certains ne voulaient pas le réintégrer. Beaucoup de cas de ce genre étaient rapportés dans *Life After Life* *, le livre du Dr Raymond Moody. Et plusieurs personnes de ma connaissance avaient vécu la même chose.

— Ensuite, poursuivit Tom, pour en revenir à l'explication du déjà-vu par la mémoire cellulaire, elle ne tient pas si on considère que bien des gens se souviennent de lieux où leurs ancêtres n'ont jamais mis les pieds.

— C'est bien ce que je disais. Mais on ne peut pas exclure l'hypothèse que, dans certains cas — celui des Romains en Afrique par exemple —, les ancêtres ont réellement connu des lieux éloignés, et que la mémoire cellulaire en a transmis le souvenir aux descendants.

— C'est possible, dit Tom. Mais le déjà-vu arrive aussi bien pour des événements contemporains. On peut éprouver ce sentiment en pénétrant dans une maison récemment construite. Or, dans ce cas, il est difficile de parler de mémoire cellulaire.

— Alors ?

— Alors, c'est le résultat d'une projection astrale. L'âme a voyagé vers cette maison neuve. Un peu comme cette expérience que vous avez tant aimée, souvenez-vous, quand vous flottiez au-dessus des campagnes, des montagnes, des rivières...

J'en restai muette de surprise. Je n'avais jamais parlé de ce rêve à quiconque.

— Mon Dieu ! dis-je. Mais... comment savez-vous... ?

— Oh, un brin de vieille magie, si j'ose dire...

J'avais besoin de reprendre mes esprits. Était-ce un hasard s'il avait deviné juste ? Disait-il la même chose à tous ses « correspondants ». Je réprimai mon envie de tousser.

— Accordez-moi quelques instants, dis-je.

— Tout juste. Seul le temps ne nous est jamais compté.

J'étais stupéfaite. Se pouvait-il que certains rêves fussent des projections astrales de l'âme ?

---

* *La Vie après la vie*, Éditions Robert Laffont.

— Avez-vous d'autres questions à poser ? demanda McPherson.

Je me ressaisis :

— Pourquoi oppose-t-on tant de résistance à l'étude de l'âme ? On consacre un temps et un argent fous à désintégrer l'atome et à libérer l'énergie nucléaire. Pourquoi est-ce qu'on n'utilise pas ce temps et cet argent à des recherches sur l'existence de l'âme ?

— Pour deux raisons : la première tient à la nature même de la matière première : l'âme n'est pas une chose matérielle. Ensuite, ce domaine de recherche est bien souvent objet de mépris, de moquerie. Je ne donne pas cher, si j'ose m'exprimer ainsi, de la réputation professionnelle des chercheurs qui s'aventurent dans cette direction.

— Mais *pourquoi* ce mépris ?

— Parce que cette démarche est considérée comme une perte de temps grotesque, une superstition, que sais-je ? Les gens sérieux qui s'intéressent au sujet s'attirent des commentaires qui les conduisent à se sentir ridicules. Pourtant, comme le disait récemment un de vos amis, « pour cueillir le fruit, il faut s'aventurer sur la branche ».

Je restai sans voix, pétrifiée. Il venait d'employer, au mot près, les mêmes termes que Gerry. Or, j'avais soigneusement évité de parler de lui à qui que ce soit. A plus forte raison de citer ses propos.

— Vous devrez user de beaucoup de patience avec Gerry, poursuivit McPherson. Comme nous en usons avec vous.

J'en demeurai bouche bée. Comment diable cet énergumène pouvait-il être au courant de notre relation ?

— Voilà qui s'appelle une révélation, ou je me trompe fort, non ? fit-il.

— Mon Dieu ! balbutiai-je.

— Tout juste, commenta-t-il d'un ton enjoué.

Je bus mon thé en essayant d'y voir clair. Quelques instants s'écoulèrent.

— Vous désirez continuer ? demanda Tom.

Seigneur ! pensai-je. Et si tout cela était vrai ? J'avais tant et tant de questions à poser.

— D'accord, murmurai-je. D'accord. Alors, dites-moi : pourquoi est-ce qu'il existe un tel gouffre entre la science et l'Église ?

222

— Voyez-vous, tout récemment — récemment à l'échelle du temps cosmique, j'entends — la science, ou plutôt les scientifiques ont eu le sentiment de se libérer des entraves de la religion, de voler de leurs propres ailes et d'entrer dans un âge d'or. On les comprend. Alors, ils se refusent aujourd'hui à empiéter sur le domaine de l'Église. Ils ont été très longtemps persécutés par elle, et ne veulent pas lui donner prise à nouveau.

— L'âme est donc soumise à la juridiction unique de l'Église ?

— Tout juste... c'est-à-dire oui, au sens orthodoxe du terme. Alors qu'en fait l'âme c'est... euh... une affaire très personnelle, en quelque sorte.

— Mais, admettons que l'existence de l'âme soit prouvée. En quoi cette preuve changerait l'attitude de la science ?

— Son attitude changerait, c'est sûr. Mais soyons honnête : les scientifiques considèrent qu'on manque de données de départ pour entreprendre une recherche sur l'existence de l'âme. Et que... il n'y a pas lourd d'argent à y consacrer.

— Si je comprends bien, lorsqu'on fait des recherches en électricité, on peut la transformer en éclairage. Et l'atome, on peut le transformer en bombe...

— Tout juste.

— Alors qu'une recherche sur l'âme, ça ne rapporte rien ?

— Tout juste. Puis-je avoir encore un peu de votre breuvage ?

Je versai du thé dans la chope. Il n'en restait presque plus.

— Mais alors, dis-je, est-ce qu'il existe des groupes de recherche qui se réclament de l'âme uniquement ?

— Celle-là, elle est bien bonne. Bravo.

— Bien bonne ? Mais...

— Réclame de l'âme ! Excellent !

— Est-ce que vous vous rendez compte, dis-je avec le plus grand sérieux, que vous amusez la galerie ?

— Pour tout vous avouer, je me trouve d'un comique irrésistible par moment. C'est naturellement dans ma nature naturelle. C'est pas bon, ça ? Naturellement dans ma nature naturelle ?

— Vous aimez à ce point les calembours ?

— A vrai dire, non. Et je n'ai pas le sentiment d'être foncièrement cabotin. Non, c'est simplement un trait de ma personnalité.

Je me tus pendant un certain temps, me rendant compte que ce dialogue autour d'un thé avait tourné à la bouffonnerie. Étais-je donc naïve au point de gober tout cru pareilles sornettes ? Le magnétophone tournait en silence.

— Eh bien... dis-je.

— Tout juste, approuva Tom.

— Eh bien, j'aimerais en savoir un peu plus sur mes vies antérieures. Ça vous semble concevable ?

— Fort bien. L'instrument a-t-il de l'alcool dans le système ?

— Non, répondis-je. Il m'a dit que ça contrarierait la communication médiumnique.

— Alors, tout est parfait. Un instant, je vous prie : auriez-vous l'obligeance de retirer cette chope ?

Je me levai, pris la chope que Kevin tenait fermement, vérifiai mon magnétophone et repris place à terre.

Chapitre 15

« Si tant est que l'âme immortelle se perpétue
éternellement à travers l'infini du temps... res-
tera-t-elle à jamais attachée à ce point de l'espace
qu'est notre terre ? Ne prendra-t-elle jamais part
à une contemplation plus profonde des autres
merveilles de la création ? Qui sait si son dessein
n'est pas de se rapprocher un jour de ces globes
lointains du système cosmique... qui suscitent
déjà notre curiosité en dépit de leur éloigne-
ment ? »

Emmanuel Kant
*Histoire universelle de la nature
et théorie du ciel*

Un frisson parcourut Kevin. Sa tête eut un mouvement
circulaire, puis il reprit le personnage de Jean.

— Je vous salue, fit la voix de Jean. Vous avez à poser des
questions sur vos vies passées ?

— Oui, répondis-je.

Le téléphone sonna. Jean redressa la tête.

J'attendis.

Je sentais qu'il « accordait ses vibrations », comme me
l'avait expliqué McPherson.

A nouveau, le téléphone sonna. Je ne répondis toujours
pas.

— Vous allez découvrir ceci, reprit Jean : pour comprendre la nature de l'âme qui est en vous aujourd'hui, il vous

faudra posséder une bonne connaissance des civilisations passées que vous avez connues.

— Ah bon ? fis-je naïvement.

Je me sentais un peu ridicule, déroutée.

— Vous avez été incarnée plusieurs fois, poursuivit Jean, au cours de la civilisation la plus supérieurement évoluée qu'ait jamais connue l'homme. Cette période a duré cinq mille ans. La Bible la décrit sous le nom symbolique de Jardin de l'Éden. Je voudrais vous rendre intelligible un concept extrêmement important : le degré d'accomplissement de toute civilisation se mesure à son évolution spirituelle. Les progrès technologiques ont aussi leur importance, mais s'ils doivent retarder, freiner ou empêcher l'élévation spirituelle, ils portent en germes leur propre destruction. Votre civilisation actuelle en témoigne : son entendement spirituel stagne bien loin derrière son savoir technologique. Résultat : vous vous enfoncez dans une ère de folie, de dépression, de confusion dans vos desseins. Quand vous ne sombrez pas dans l'iniquité et la détresse absolues.

— Mais alors, qu'est-ce qu'on peut espérer ? demandai-je. Si on régresse au lieu de progresser, pour quoi est-ce qu'on vit ?

— Importante et judicieuse question. Elle nous ramène, une fois de plus, au karma. Si vous voulez comprendre votre nature divine et votre association avec Dieu, il vous faut découvrir votre identité fondamentale, et reconnaître la puissance de votre libre-arbitre.

— Pardonnez-moi, dis-je, mais quelle place est-ce que vous faites à la religion ?

— Les religions terrestres réfuteraient bien des points de mon discours. Elles enseignent la soumission aux dogmes, et non la spiritualité. La plupart du temps, elles n'ont fait qu'exploiter l'homme. Vos religions sont fondées sur d'excellents principes. Mais elles *se gardent* bien d'enseigner que chaque individu est, par nature, créateur et maître de sa propre destinée. Elles prétendent que c'est à *Dieu* seul qu'échoit cette prérogative. Or, tout individu est le partenaire de Dieu en création. Mais vos religions préfèrent exercer leur contrôle sur le genre humain plutôt que de l'inciter à forger lui-même sa destinée, en apprenant à se connaître, à connaître son *passé*, et à découvrir sa raison d'être, dans le présent autant que dans l'avenir.

226

Quels propos explosifs ! Et pourtant, de nombreux croyants cherchaient à se connaître au sein même de l'Église, en se conformant à ses préceptes : ils cherchaient ailleurs, sans répit, une autre vérité.

Par la fenêtre, je contemplai l'océan obscur. Les feux d'un bateau de pêche trébuchaient dans la nuit. Combien, parmi les grandes vérités de l'existence, serions-nous capables de voir, de prouver, de confirmer ? Question angoissante. La vérité n'était-elle vérité que si on la « prouvait » ? Impossible de me satisfaire de ce raisonnement. Je quittai des yeux la fenêtre pour observer Kevin et « l'entité spirituelle désincarnée » dont il transmettait le message.

— Donc, fis-je d'une voix anxieuse et un peu assourdie, j'aurais vécu dans une civilisation ancienne ?

— Plusieurs fois, confirma Jean. Deux fois en qualité d'homme, et une fois en qualité de femme.

Je m'efforçai de garder mon calme. Un des postulats les plus subtils de la réincarnation me revint à l'esprit :

— Dans nos vies passées, nous avons tous reçu les attributs des deux sexes, n'est-ce pas ? C'est pour apprendre à mieux nous accorder avec le sexe opposé ?

— Comme tel. Comment le genre humain pourrait-il comprendre sa nature et ses identités multiples, s'il n'avait vécu des expériences physiques diversifiées ?

Je me penchai en avant.

— Il y aurait alors une explication physique à l'homosexualité ? demandai-je. Une âme qui a mal vécu le passage d'un corps femelle à un corps mâle, par exemple, peut avoir conservé de sa précédente incarnation des séquelles émotives qui lui font éprouver des attirances spécifiquement féminines ?

— Comme tel. Ces êtres avec leurs prédilections sexuelles nous aident à mieux comprendre que nous sommes tous fondamentalement identiques. Vérité essentielle. Car nos âmes sont androgynes par essence, si vous préférez.

— Androgynes ?

— Oui. A un certain degré de spiritualité, on ne connaît plus de différences : des éléments des deux sexes sont associés et leurs polarités s'annulent en une personnalité. Vos anciens prophètes, certains personnages, bibliques ou non, tels que Jésus, Bouddha et d'autres, en sont un exemple ; il ne leur était pas nécessaire de se vouer au célibat et à l'abstinence : leurs fréquences vibratoires s'équilibraient parfaitement. Leur ying et leur yang se trouvaient en si parfaite harmonie que la sexualité ne présentait aucun attrait pour eux, puisque toute discorde, et donc toute tension, leur étaient étrangères. Ils n'avaient pas besoin de sublimer ou de réprimer des pulsions. A leur niveau d'accomplissement spirituel, la sexualité n'exerçait aucune séduction sur eux.

— Je ne suis pas sûre d'être prête à suivre leur exemple ! dis-je.

Jean fit une pause. Puis :

— Nous ne préconisons pas l'abstinence sexuelle, reprit-il. Loin de là. Tel que les humains la conçoivent, la sexualité peut mener à Dieu, à condition qu'elle réjouisse autant l'esprit que le corps.

Je m'assurai, d'un coup d'œil, que le magnétophone était toujours en marche.

— Pardonnez-moi, dis-je, mais est-ce qu'on ne s'éloigne pas du sujet ?

— Si, mais la sexualité est un sujet fascinant, même pour moi.

Son commentaire me fit rire.

— Et vous ? demandai-je. Qui êtes-vous ? Avez-vous résidé aussi dans une enveloppe physique ?

— Certes. Et je me suis incarné plusieurs fois, tant sous les attributs du mâle que sous ceux de la femelle. C'est depuis peu que j'existe sous forme astrale.

Tout ça m'intriguait fichtrement. Mais je choisis d'en apprendre davantage sur moi-même.

— Ah, oui ? Et qui j'étais, moi, dans mes vies antérieures ?

— D'après les Tables Akashiques, vous étiez incarnée avec une âme jumelle.

— Ah ? Qu'est-ce que vous entendez exactement par âme jumelle ?

— Cette question appelle des explications plus complètes, que j'essaierai de vous fournir plus tard. Pour le moment, je me contenterai de vous expliquer ce que sont les *âmes sœurs*.

— Les âmes sœurs ?

J'avais plus d'une fois entendu cette expression. Ne désignait-elle pas deux personnes prétendant avoir trouvé en l'autre la moitié d'elle-même ?

— Les âmes sœurs ont été créées l'une pour l'autre au commencement des temps, continua Jean : au moment de l'Explosion Initiale, comme vous dites aujourd'hui. Elles vibrent à des fréquences électromagnétiques rigoureusement semblables, car chacune d'elles est l'exacte réplique de l'autre. On rencontre couramment des âmes jumelles, qui ont fait l'expérience de plusieurs vies communes, sous une forme ou sous une autre. Tandis que les *âmes sœurs*, elles, ont été créées à l'aube des temps, par couples indissociables : elles s'appartiennent l'une l'autre... Vous voyez pourquoi la théorie de l'Explosion Initiale est sans doute plus complexe que vous ne l'imaginez... Plus complexe et plus romantique. Qu'en dites-vous ?

Je balbutiai quelques syllabes insignifiantes.

— Bon, reprit Jean. Commençons à l'époque où, comme je vous l'ai dit, nous nous connaissions.

— Ah ?

— Nous étions maître et disciple. Vous étiez une de mes élèves les plus brillantes... un peu ce qu'aujourd'hui on appellerait mon « chouchou ».

Je parcourus des yeux le salon, regrettant que personne ne fût là pour partager cet épisode.

— Donc, nous nous connaissions ? dis-je.

— Oui. Et ce n'est pas un hasard si vous êtes ici, aujourd'hui. Vous êtes capable de comprendre maintenant que le hasard n'existe pas. Nous le savons.

— Qui entendez-vous pour « nous » ?

— Vos guides spirituels, dont je suis.

— Vous voulez dire que c'est vous, vous et mes autres guides, qui m'avez attirée ici ?

— Comme tel.

— Et... par quel moyen ?

— Votre besoin de découvrir une explication à votre conduite. Vos interrogations. Votre recherche de vérité. Et aussi l'attraction psychique que nous exerçons sur vous. Car nous estimons que vous êtes mûre pour enquêter plus loin en vous, en votre vérité.

— C'est ce que vous entendez par « guides spirituels » ?

— Exactement.

Un silence s'ensuivit durant lequel Jean la Voix me sembla

s'absorber dans ses pensées, ou méditer quelque message. Puis, très naturellement, il poursuivit :

— Nous avons isolé votre vibration, au cours d'une de vos existences. Vous viviez aux côtés d'une entité avec laquelle vous êtes toujours en relation à l'heure actuelle. Nous savons que cette entité réside aujourd'hui dans les îles Britanniques. Je me trompe ?

— Gerry ? m'écriai-je d'un ton suraigu. Vous voulez parler de Gerry ?

— Comme tel. Nous avons également isolé sa vibration, ce qui nous a permis de découvrir que vous avez été mari et femme, au cours d'une de vos vies antérieures.

— Oh, mon Dieu ! fis-je, ahurie et amusée... Nous nous entendions bien, à l'époque ?

Nouveau silence.

— A l'époque, Gerry se passionnait pour son travail autant qu'aujourd'hui. Et cette passion s'est exercée au détriment de votre union, il nous faut l'admettre. Mais ses activités étaient importantes : il s'occupait d'échanges culturels avec les extraterrestres qui avaient entrepris de vous aider à la fois sur le plan technique et sur le plan spirituel.

— Des *extra-terrestres* ?

Jean sembla percevoir mon étonnement. Sa voix se fit encore plus assurée :

— Comme tel. Cette planète recevait la visite d'extra-terrestres. Comme aujourd'hui.

Je pris une grande inspiration :

— Seigneur ! Pouvez-vous m'en révéler davantage ? Qu'est-ce que ça veut dire exactement ? Que nous avons eu des visiteurs de l'espace depuis le commencement des temps ?

— Absolument. Certaines planètes sont plus avancées que la vôtre sur le plan du savoir. Comme la Terre est en avance sur d'autres planètes.

J'essayai de me détendre en respirant profondément. Ce qu'il m'avait dit était logique en soi, mais j'aurais aimé savoir quelles questions poser.

— Parfait, dis-je, ne sachant plus très bien où j'en étais.

Peut-être, assistais-je à un numéro bien rôdé ? Mais si je me trompais ? Allais-je rater une occasion d'apprendre quelque chose ?

230

— Parfait, répétai-je. Quel genre de connaissance ces extraterrestres nous apportaient-ils ?

La réponse de Jean ne se fit pas attendre :

— La seule connaissance qui compte vraiment : la connaissance de Dieu en l'homme. Toute autre connaissance en dérive.

— *Toute* autre connaissance ?

— Oui, votre connaissance scientifique, par exemple, repose sur vos facultés de comprendre certaines fréquences vibratoires : ces fréquences s'intègrent à l'univers. Dieu est amour et la fréquence vibratoire la plus achevée de toutes est contenue dans l'amour. Dans votre monde physique, la lumière a la fréquence la plus élevée et la plus rapide. Mais les êtres très évolués en savoir et en maîtrise considèrent la *pensée* comme une fréquence plus complète que la lumière. La pensée est une émanation de Dieu, et une émanation de l'homme. Voilà pourquoi, quand la *pensée se fait amour*, vos fréquences vibrent au plus haut degré d'énergie. C'est ça que les extraterrestres venaient vous enseigner. Et vous, Terriens, vous l'enseignerez un jour à d'autres. Cela vous est-il intelligible ?

Je ne savais que répondre. Je m'éclaircis la gorge en essayant de comprendre. Je ne vis pas le moyen de commenter les propos de Jean, de quelque manière que ce fût. Les conséquences implicitement suggérées par son discours me parurent si extraordinaires que je me sentis incapable de poser la moindre question pertinente. Aussi revins-je à moi-même : de cela, au moins, je pouvais m'accommoder.

— Pardonnez-moi, dis-je, mais est-ce que je peux vous interroger sur moi-même ? J'ai déjà bien du mal à me situer par rapport à tout ça ?

— Bien sûr. Vous devez progresser à votre propre rythme.

— Parfait, dis-je avec soulagement. Je vous remercie. Ainsi, Gerry et moi étions mari et femme. Est-ce que nous étions des âmes jumelles ?

— Non. Vous étiez, et vous êtes toujours, l'âme jumelle de l'entité que vous nommez David.

— Vous connaissez aussi David !

— Comme tel. Vous avez connu plusieurs vies avec l'entité David, en cette période du commencement des temps, et beaucoup d'autres plus tard.

Était-ce la raison pour laquelle je me sentais si bien aujourd'hui, en présence de David ?

— David est un bon maître, continua Jean, vous pouvez lui faire confiance. Nous avons d'ailleurs le sentiment que vous vous en êtes déjà rendue compte. Vous devrez apprendre à vous fier davantage à vos sentiments. Gardez-vous d'appréhender les grandes questions de l'existence d'un point de vue strictement intellectuel. Les prodiges de l'intelligence pure sont limités, alors que la perception sensible ne connaît pas de bornes. Fiez-vous à votre cœur... ou à votre intuition, comme vous dites.

Me fier à mon intuition ? Oui. Chaque fois que je ne m'étais pas conformée à mon intuition, j'avais presque infailliblement eu des ennuis.

— Si nous nous mettons tous à suivre les élans de notre cœur, tout ira bien ?

— Non, pas nécessairement. Certains sentiments humains sont mauvais ou nuisibles, et il faut les surmonter. Mais le genre humain, tout ce qui vit, est fondamentalement bon. Apprenez à leur faire confiance. La vie est la pensée de Dieu. Et Dieu est amour.

A vrai dire, cette discussion sur Dieu me mettait plutôt dans l'embarras.

— D'accord, dis-je, mais qu'est-ce que vous appelez Dieu ?

— Dieu, ou la Force Divine dont tout procède, dit Jean, est l'énergie qui a créé l'univers et le maintient en harmonie.

— Parce que d'après vous, ce qui se passe ici-bas est harmonieux ?

— Si l'on considère la vie par rapport à sa destination finale, oui, le monde est harmonieux. Car tout s'y tient et tout s'y équilibre. Mais avant de percevoir cette harmonie, vous devez comprendre par quelle démarche l'âme s'améliore, se réincarne et se purifie.

— Une minute, dis-je. La Bible est sensée traduire la parole de Dieu ?

— Oui, c'est ce qu'elle fait dans l'ensemble. Encore que bien des passages aient été réinterprétés.

— Par qui ?

— Par diverses personnes, au fil des temps et des traduc-

232

tions. En dernier lieu par l'Église. Elle avait intérêt à « protéger ses fidèles » de la vérité vraie.

— Mais qu'est-ce que vous entendez par « vérité vraie » ?

— C'est la démarche grâce à laquelle tout âme devient responsable d'elle-même dans l'accomplissement de sa propre divinité.

— Vous voulez parler de la réincarnation ?

— Comme tel. C'est le terme que vous utilisez pour définir cette démarche : l'accomplissement de la Justice Cosmique dans l'harmonie suprême.

— Et l'Église nous dénie cette vérité ?

— Oui, puisqu'elle réduit à néant son pouvoir et son autorité. N'importe quelle personne, ou mieux : n'importe quelle entité est responsable de sa conduite. Or l'église ne peut l'aider en rien, dans cette prise de responsabilité, pas plus que ne l'aident les rites, les hiérarchies, les cagibis où il faut ramper pour obtenir l'absolution de ses fautes. L'autorité ecclésiastique a voulu « préserver » le genre humain d'une vérité que l'homme n'était pas prêt à recevoir.

— Nos dirigeants conduisent les états un peu dans cet esprit, non ?

— Comme tel.

Je m'étirai sur la moquette, perplexe. Aucune question ne me venait à l'esprit. Kevin était toujours assis, impassible, sur son siège. Sur la table, le thé avait refroidi.

— Y aura-t-il d'autres questions ? fit Jean.

Je me tournai vers les lumières clignotantes du bateau de pêche.

Dire que certaines personnes m'avaient jugée naïve et crédule quand je leur avais avoué que chercher la révélation spirituelle à travers un médium me paraissait une démarche vraisemblable. « Comment pouvez-vous croire à de telles sornettes ? », s'était-on bien souvent étonné. « La transmission médiumnique peut nous en apprendre davantage sur nous-mêmes », me bornais-je à répondre. J'étais presque sûre que la vie devait avoir d'autres dimensions ; comme nos personnalités, nos tempéraments restaient mystérieux pour nous jusqu'au jour où nous découvrions des aspects inconnus, dont nous ne soupçonnions même pas l'existence.

Pourquoi étais-je, *moi*, plus encline que d'autres à explorer ces virtualités indémontrables ? Je l'ignorais. En tout cas, ces dispositions me semblaient légitimes, ne m'effrayaient nullement et ne m'empêchaient pas de vivre pleinement la réalité du quotidien avec la même charge émotionnelle.

L'image que j'avais de moi n'en était pas menacée. Au contraire, cette exploration m'enrichissait en exacerbant ma perception de la réalité concrète. Je me demandais pourquoi certains de mes proches — Gerry en particulier — considéraient mon cheminement spirituel par le détour des médiums et de la réincarnation, comme un danger. Qu'est-ce qui les poussait à tant s'inquiéter ? Le besoin de me protéger ? Certes, ils n'auraient pas aimé — et moi non plus — me voir publiquement ridiculisée. Mais il y avait autre chose. Ils se sentaient eux-même menacés. Mais par quoi ? Pourquoi ce *refus* de s'interroger sérieusement ? Pourquoi ce refus *d'explorer* ces terres neuves en eux ? Leur propre vision de la réalité en aurait-elle été troublée ?

Je me redressai et me mis à genoux.

— Jean, dis-je, pourquoi tant de gens jugent-ils inacceptable le phénomène que je vis en ce moment ? Un maître désincarné transmettant ses messages avec l'aide d'un humain qui lui sert d'instrument ?

Il y eut un bref silence.

— Parce qu'ils ne peuvent se souvenir d'avoir été euxmêmes désincarnés, répondit-il. Pour la plupart, la vie se résume à ce qui est visible. L'homme se résume à un simple corps et un simple cerveau. Pourtant, la personnalité est bien davantage...

— C'est-à-dire ?

— C'est cet aspect impalpable de la conscience qui réside dans le corps pour une brève fraction de temps cosmique.

— Et... ils n'y croient pas ?

— Non. Pourtant la pensée est bien réelle, même si on ne peut en démontrer scientifiquement la réalité. La pensée est énergie. Douter de l'existence physique de la pensée, c'est douter de sa propre identité, ou la considérer avec un profond scepticisme.

— Certes, mais c'est bon de s'interroger ? Autrement. la certitude absolue aboutit à l'égolâtrie. au pouvoir corrupteur ?

234

— Très juste. Mais le scepticisme, quand il est profond et démobilisateur au point d'annihiler votre accès aux vérités glorieuses et salutaires, est plus néfaste, encore !

— Alors, comment est-ce que je peux faire comprendre aux autres que la sagesse est de garder l'écoute ?

— Vous n'avez pas à le faire. Vous qui *avez* l'esprit ouvert, contentez-vous de témoigner de ce qui *est*. Laissez aux sceptiques la liberté d'exercer leur scepticisme. Si vous les en empêchiez, je vous accuserais de tyrannie. Laissez-leur le privilège de continuer à douter. Un jour viendra où ils voudront savoir, eux aussi, lorsqu'ils seront prêts. Les gens s'attachent à leurs systèmes de croyances « logiques », simplement parce qu'ils sont rassurés par la réalité telle qu'ils la conçoivent... donc par le pouvoir qu'ils détiennent, quelle que soit la forme que prend ce pouvoir. Changer leurs conceptions, ce serait les mettre en demeure de se changer eux-mêmes, d'accéder à une conscience plus vaste de leur être.

— Mais notre propre ego a besoin de sécurité ? demandai-je.

— La plupart des gens sont victimes d'une *aliénation* de leur ego. Cette aliénation, la société, l'Église et l'éducation en sont responsables. Leur ego profond seul peut connaître la vérité. Je suis aussi crédible que quiconque, non ? Et pourtant vous ne pouvez me voir. Et nombre d'aspects de vous-même vous sont tout autant invisibles. Ces aspects, les gens cherchent à les découvrir en eux-mêmes. N'empêche que, dans leur démarche, ils ont besoin du réconfort et de la sécurité d'un monde familier. Croire à ma réalité, ce serait renoncer à des repères sur lesquels ils exercent un pouvoir. A mesure que vous comprendrez, vous vous apercevrez que ce qu'il vous reste à apprendre dépasse votre entendement.

— Pourtant, la théorie de la réincarnation paraît à beaucoup de gens trop bien ordonnée, trop simpliste pour être vraie.

— Je vous l'ai déjà dit : toute vérité est simple. L'homme s'ingénie à la compliquer. Mais il ne peut *apprendre* la vérité comme on apprend une leçon. Pour progresser, il faut qu'il *découvre* les différents aspects de lui-même, et ensuite qu'il les *vive*. C'est une véritable lutte. Une lutte vers la pure conscience. N'oubliez pas que l'habitat naturel de l'être humain n'est pas la Terre, mais l'Éther. La vérité Divine, n'importe qui la détient

235

en naissant. Mais les hommes l'obscurcissent au point d'oublier qu'elle est là en eux.

— Bon. Mais pour certains intellectuels de mes amis, croire qu'on détient la vérité, c'est faire preuve d'un orgueil incommensurable.

— On ne connaît que sa propre vérité, c'est juste. Mais la seule vérité qui compte, c'est celle qui nous raccorde à nos origines, à la force Divine. Et cette vérité-là est limitée par le scepticisme. Pour celui qui veut connaître Dieu, l'intelligence est superflue. Voilà en quoi nous sommes tous égaux. Vos amis intellectuels cherchent à se distinguer de la masse ? C'est pour se donner l'illusion d'appartenir à une élite. En se fondant sur leur intelligence beaucoup plus que sur la force Divine qui réside à l'intérieur d'eux-mêmes, ils ne sont pas les seuls à nier avec une telle répugnance l'étincelle Divine qui les habite. Mais ils souffrent plus que d'autres de conflits intérieurs, de confusion et de désespoir. Nous aspirons tous à la paix. Or, la voie qui nous y conduit passe par l'intelligence du cœur, et non par celle de l'esprit. Vos amis se fuient eux-mêmes en étant sceptiques. Vous me suivez toujours ?

Oui, tous ces propos m'étaient parfaitement intelligibles. Ils n'avaient rien de religieux : ils tenaient debout, voilà tout. Et je ne voyais vraiment pas pourquoi on en faisait un tel plat. Peut-être parce qu'on refusait de comprendre.

— Pourquoi les guerres, Jean ? Qu'est-ce qui pousse un peuple à vouloir en conquérir un autre ?

— Les mêmes mobiles que l'individu, exactement. Dès qu'un tyran borné accède à une conscience plus forte de lui-même, il se départit de ses ambitions de conquête. Parce qu'il perçoit que sa grandeur n'en dépend pas. On a besoin de conquérir pour se rassurer. La paix et la plénitude vous gagnent, au moment où votre esprit perçoit une extension de ses dimensions. Vous êtes Dieu, vous êtes le Divin. Votre esprit et vos actes doivent s'en souvenir, tout le temps.

— Jean, vous avez fait allusion aux extraterrestres. Je ne sais trop qu'en penser. Est-ce qu'ils participent à cette lutte pour l'accomplissement de soi ?

— Comme tel. Certains extraterrestres ont atteint un degré de conscience, et parfois de technologie, supérieur au vôtre. Ce qui ne veut pas dire qu'on doive les vénérer comme des divinités. Ce sont de simples détenteurs de savoir. A travers

236

les âges, ils n'ont cessé de visiter votre planète. Ils sont venus y dispenser la connaissance et la vérité spirituelles, car ils ont fini par comprendre que ce sont les seules valeurs capables de promouvoir la paix.

— Alors, les références que fait la Bible aux extraterrestres d'Ezéchiel et des autres prophètes sont authentiques ?

— Oui. Les extraterrestres sont apparus sur Terre à cette époque, pour y apporter une plus grande compréhension de Dieu et de l'amour spirituel. Ils apparaissent toujours quand le besoin de spiritualité se fait pressant. Ils sont symbole d'espoir et d'entendement supérieur.

— Me sera-t-il donné d'en rencontrer un ? demandai-je.

Ma question fut suivie d'un silence. Puis :

— Nous reparlerons de ces questions une autre fois, me répondit Jean. Réfléchissez aux propos que nous venons d'échanger et à ce que vous désirez apprendre. Ce sera tout, pour le moment ?

Mon esprit était si malmené que je m'empressai d'acquiescer :

— Merci. Jean, qui que vous soyez. Je ne vois plus rien de précis à vous demander. Il faut d'abord que j'assimile ce que vous m'avez dit.

— Bien, fit-il. Cherchez la paix avec vous-même, avec Dieu et avec son œuvre, car vous en êtes une parcelle. Dieu vous bénisse !

« Qu'on puisse venir d'ailleurs visiter la Terre dépasse notre entendement. »
Dr Mitrovan Zverev,
homme de science soviétique

Kevin eut un frisson, comme si la vibration de l'esprit de Jean traversait son corps avant de le quitter. Il éleva les mains et s'en couvrit les yeux. Puis il se frotta les paupières, semblant émerger d'un profond sommeil.

— Alors ? fit-il d'une voix encore endormie.

Il cherchait à se répérer dans la pièce.

Je me levai, m'étirai, et marchai devant lui en décrivant un demi-cercle.

— Bonjour, dis-je. Je suis là.

— Comment cela s'est-il passé ?

— Mon Dieu ! dis-je. Incroyable ! Je ne sais pas quoi penser !

Avant de se lever, Kevin se redressa sur sa chaise.

— Ne faites que ce qui vous semble juste, commenta-t-il. Avez-vous eu le *sentiment* que ça sonnait juste ? Ils m'ont recommandé de ne me fier qu'à mes sentiments.

— Ce qu'ils m'ont dit est tellement incroyable !

— Par exemple ?

— Sur mes vies antérieures... un tas de choses aussi sur des gens que je connais... que je suis sensée avoir connus dans d'autres vies. D'ailleurs, je suis sensée avoir connu Jean et McPherson, aussi.

— Et alors ?

— Et alors ! Vous y croyez, vous ?

— Je crois à ce qui me paraît juste.

— Et... la réincarnation vous paraît juste.

— Écoutez, ça me serait difficile de faire autrement. Je suis bien l'instrument par lequel s'expriment diverses entités spirituelles, non ? Je ne peux donc qu'admettre les multiples dimensions de l'âme. Sinon, je serais un simulateur ou un illuminé. Et je ne suis ni l'un ni l'autre, que je sache.

Je l'observai attentivement.

— D'accord, fis-je d'une voix hésitante. Mais Jean s'est longuement étendu sur des extra-terrestres qui auraient prodigué à l'espèce humaine toutes sortes de révélations spirituelles inconcevables pour elle. Vous y croyez ?

Il se rassit.

— Bien sûr, affirma-t-il. Pourquoi pas ? Non seulement la Bible en parle très souvent, mais on les retrouve aussi, sous une forme ou sous une autre, dans presque toutes les civilisations terrestres. Je connais un tas de gens qui disent en avoir vus.

— Et vous, Kevin, vous avez déjà vu un OVNI ?

— Non, je n'ai pas encore eu ce plaisir.

— Et vous y croyez quand même ?

— Évidemment ! Je trouve ça plutôt réconfortant. Et d'ailleurs, qui suis-je pour douter des spécialistes ? Ils affirment bien que les visites d'extra-terrestres sont probables. Le point de vue de ceux qui n'y croient pas reste tout autant à prouver !

Il sirota d'un air absent le restant du thé froid. Puis il remarqua la chope.

— D'où vient-elle ?

— McPherson. Il m'a dit qu'il avait besoin d'une chope pour se clarifier les idées. D'une chope comme en Irlande.

— Et... c'est moi qui tenais cette chope ?

— Oui.

— Intéressant...

— Quelle heure le cadran indique-t-il, en ce moment ?

— Bonne question, dis-je en regardant ma montre. Bientôt dix heures.

— En ce cas, je vais aller quérir ma dame, fit-il.

Il se dirigea vers la porte.

— Dites, Kevin, est-ce que nous pourrions nous revoir bientôt ? Je sais que vous êtes fort occupé, mais si vous trouviez une place pour moi dans votre emploi du temps...

— Je vais en référer à ma dame et vous en aviserai.

Je lui ouvris la porte et le remerciai.

Il fit glisser sur ses épaules un peu voûtées son pardessus beige puis descendit l'escalier. Il ressemblait au personnage d'un film que j'avais vu dans mon enfance, *The Lodger*. Il se dirigea dans la rue, vers sa « berline ». Était-ce à leur insu que les médiums adoptaient une attitude un peu théâtrale, qui les dotait d'une personnalité bien à eux ?

Je me mis au lit sans plus tarder, mais ne pus trouver le sommeil. Mes jambes vibraient d'une étrange énergie interne, presque magnétique. Je changeai de position. En vain. L'énergie vibrait toujours... J'avais presque peur, tant ce phénomène m'était inconnu. Les extrémités de mes doigts et le contour de mes lèvres vibraient de la même façon. Cette énergie émanait de mon esprit, je m'en rendai compte malgré la nature physique de la sensation. J'essayai de me concentrer sur de petits détails qui m'étaient familiers... la douce caresse de la brise marine par la fenêtre ouverte, le grondement des vagues, la marche que j'entreprendrai le lendemain matin dans les montagnes couvertes de fleurs sauvages. Je repassai mentalement une certaine chorégraphie, qui, bien souvent, me conduisait au sommeil. J'en comptai chaque pas, chaque mouvement en mesure, ressentant la musique à l'intérieur de moi. J'étirai les muscles de mes jambes, pour neutraliser le flot magnétique de cette énergie étrange et bienfaisante. Il serait bien agréable, pensais-je, de déguster une coupe *Sundae* débordante de glace à la vanille et surmontée d'une épaisse couche de chocolat chaud. Me raccrocher à la réalité présente et terrestre m'était indispensable. Je me surpris à rire. Que diable m'arrivait-il ? Avais-je déjà vécu quelque part avec Gerry, et avec David cinq mille ans plus tôt ? Si je me mettais à y croire, je ne pourrais bientôt plus vivre dans ce monde comme avant. Toutes mes perceptions allaient s'en trouver changées.

Walt Whitman, Pythagore, Aristote et Thoreau avaient-ils été conduits à concevoir le phénomène de réincarnation et même à y croire, pour les mêmes raisons que moi ? Que la notion du temps des Asiatiques fût totalement différente de la nôtre n'avait rien d'étonnant : ils étaient élevés dans l'idée que l'âme se réincarnait indéfiniment. Mon Dieu, pensai-je, si le temps et l'espace étaient à ce point relatifs qu'ils échappaient à toute mesure physique ? Et s'ils étaient simultanés ? Peut-être l'âme contenue dans mon corps me dictait-elle que tout est réel. Cette hypothèse enrichirait la réalité de dimensions que je n'avais jamais soupçonnées. Peut-être la réalité se ramenait-elle à la perception qu'on avait d'elle comme l'affirmaient des philosophes et certains scientifiques ?

Combien l'apport d'une autre dimension spirituelle pourrait féconder notre planète, et tous les humains qui l'habitent. Quel miracle ! Quelle merveilleuse révélation ! Si l'accomplissement de l'âme seul importait, si l'existence physique était accessoire — dans cette perspective cosmique, la mort n'existait pas — alors, chaque seconde de notre temps terrestre prenait toute sa valeur. En nous raccordant *au vaste projet que nous avions contribué à élaborer*. En donnant à chaque atome sa raison d'être. Et ces atomes tourbillonnant autour de mon lit, n'avaient-ils pas, justement, pour mission de perpétuer le message de Jean ? La Force Divine, créatrice de toute chose, se trouve en nous, et nous sommes en elle.

Éperdue par ces vibrations intenses, je me roulai en boule et finis par m'endormir.

Chapitre 16

« Et qu'aujourd'hui même je reçoive mon dû, ou
dans dix mille ans ou dans dix millions d'années
Je le recevrai aujourd'hui dans la joie, mais dans
la joie je vais aussi l'attendre
Ô Toi, la Vie, je sais que tu es ce qui subsiste de
morts multiples
(Je n'en doute pas, je suis déjà mort dix mille
fois)

Walt Whitman
Song of myself

LE lendemain, je n'arrivai pas à m'éveiller. Quand je pus
finalement le faire, après avoir dormi tard, j'allai à Colony
Market acheter un gros yaourt à la pêche. La pêche m'était
toujours bienfaisante.

Sur le chemin du retour, je songeai aux commentaires
possibles de mes amis sur ce qu'il m'était arrivé. Je pensai, en
particulier, à mon amie Bella Albzug. Nous nous étions rencontrées pendant la campagne présidentielle de McGovern et à
travailler ensemble, nous étions devenues très proches l'une de
l'autre. Brillante, dévouée, réaliste, elle n'était pas de nature à
s'en laisser conter. Je me demandai ce qu'elle penserait de moi
et si, un jour, les hommes politiques pourraient afficher leurs
préoccupations spirituelles sans être pris pour des fous par les
électeurs.

Lorsque j'ouvris la porte, le téléphone sonnait. C'était

Bella. Je lui racontai ce qu'il s'était passé au cours de ma séance avec Kevin. Cela prit un certain temps, mais pas une seule fois elle ne m'interrompit.

— Si j'ai bien compris, me dit-elle lorsque j'eus fini, ce Kevin t'a raconté que tu as vécu, dans une civilisation très ancienne, avec quelqu'un dont tu es amoureuse aujourd'hui ?

— Non, pas Kevin. Kevin, c'est le médium. J'ai dialogué avec deux esprits. L'un s'appelle McPherson et l'autre Jean.

— Ah bon ! Mais écoute, tu ne crois pas que ton Kevin te fait du cinéma ?

— Voyons, Bella ! C'est la première chose qui m'est venue à l'esprit. Évidemment, ce n'est pas impossible. Mais alors, il faut lui inventer un Oscar. J'ai lu un tas de bouquins sur la transmission médiumnique et je t'assure que je ne crois pas être tombée dans le panneau. D'ailleurs, beaucoup de gens en font l'expérience...

Bella réfléchit.

— Trêve de plaisanterie... Tu tombes dans le mysticisme !

— Mon Dieu ! mais *non !*

— Alors quoi ! Tu veux dire que tu crois à la réincarnation ?

— Je ne sais pas, Bella. C'est vrai, je ne sais pas. Le problème, dans cette histoire, c'est qu'on ne peut pas juger les choses d'un point de vue intellectuel. Ce sont les sentiments qui comptent. Et j'ai le sentiment qu'il a pu m'arriver ce que les entités m'ont raconté. Je dois m'écouter, *moi*. Tu comprends ? Et je ne peux pas retourner en arrière. Il faut que j'aille plus loin.

J'en étais maintenant convaincue. Bella laissa un long silence.

— Ma chérie, reprit-elle enfin, je ne voudrais pas qu'il t'arrive quelque chose de fâcheux. N'en fais surtout pas étalage, d'accord ? Et appelle-moi.

— D'accord, répondis-je.

J'abordai une phase passionnante de mon existence. Pendant la journée, je commençai à répéter pour une tournée mondiale mon spectacle, je dansais, chantais, jouais et plaisantais avec ma troupe. La nuit, je dévorais tous les livres qui me tombaient sous la main, qui m'aidaient à y voir clair.

Les étagères de ma bibliothèque croulaient sous les ouvrages ésotériques et métaphysiques. Quelle chance, pensai-je, d'avoir chez moi, à Malibu, un bureau, dont je pouvais fermer la porte à clef. Je n'avais aucune envie d'être interrogée sur mes lectures.

Rien que sur la réincarnation, les volumes foisonnaient. J'avais plongé avec avidité dans ce domaine, qui m'intéressait particulièrement. Or, je découvris avec surprise que le phénomène était parfaitement admis. Non seulement par les religions orientales (je le savais déjà), mais aussi par d'éminents penseurs occidentaux. A ceci près que la religion est à la source des croyances orientales alors que les concepts occidentaux procèdent de la philosophie. Cette idée de réincarnation, je la suivis de Pythagore à Platon, sous oublier Socrate, Aristote (encore qu'il se fût séparé du courant platonicien en la rejetant) et Plutarque jusqu'aux néo-platoniciens anglais du XVIIᵉ siècle, précurseurs de John Milton, du poète Dryden et de l'homme politique et théoricien Joseph Addison. J'arrivai au XVIIIᵉ siècle — celui des lumières —, pensant y trouver réticences et opposition à la théorie de la réincarnation. Des réticences, il y en avait, certes. Plus par rejet du formalisme et du dogmatisme religieux que par manque de croyance en l'âme et en Dieu. Les idées nouvelles surgissaient de toutes parts, affirmant l'autonomie de la pensée. Parmi les grands de l'époque : Isaac Newton, Benjamin Franklin, Voltaire, le philosophe allemand Emmanuel Kant, le brillant orientaliste Sir William Jones et l'économiste historien écossais David Hume (plus tard, il ne s'intéressa plus qu'à la raison, tout en reconnaissant que si l'âme était immortelle, en bonne logique elle devait exister avant la naissance aussi bien qu'après la mort). A cette époque de rayonnement de l'intelligence, je m'aperçus que les plus grands esprits croyaient en la réincarnation de l'âme.

Certes, j'étais un peu dépassée par mes découvertes. Mais au moins, je me trouvais en bonne compagnie.

L'œuvre de nombreux écrivains ou poètes, William Blake, Goethe, (pour ne citer qu'eux) témoignait de leurs convictions. Goethe évoquait cette croyance dans sa correspondance. Heinrich Heine, poète lyrique et critique littéraire allemand, pour sa part, la traduisait fort bien en image :

« Qui peut dire quel tailleur a hérité de l'âme de Platon, quel maître d'école a reçu celle de César... Qui sait si l'âme de Genghis Khan n'anime pas aujourd'hui le corps d'un critique littéraire, et si celui-ci, sans le savoir, ne malmène pas les âmes de ses fidèles Bashirs et de ses fidèles Kalmucks tout au long des pages d'une revue littéraire... » *(Mers du Nord)*.

Je lus un nombre incalculable de documents concernant les Transcendentalistes américains : Emerson et Thoreau, pour commencer. Ces auteurs s'insurgeaient contre la religion occidentale, dogmatique et sectaire, comme l'avaient fait leurs prédécesseurs Kant, Schopenhauer, Carlyle ou Wordsworth. Des poèmes de Walt Whitman, *Feuilles d'herbe*, s'élevait un hymne sacré à la réincarnation. « L'univers, pour Whitman, écrit Malcolm Cawley, était en éternel devenir, évolution et non structure, impossible à concevoir autrement que du point de vue de l'éternité. »

Au cours des XVIIIe et XIXe siècles, écrivains, philosophes, savants, musiciens, artistes, poètes, historiens, essayistes et hommes politiques avaient affirmé leur croyance en la réincarnation. Ils y étaient parvenus en observant la miraculeuse splendeur de la vie sur Terre et en étudiant la pensée orientale, pour certains. Ainsi, Thomas Edison, l'astronome français Camille Flammarion, l'astro-physicien suédois Gustaf Stomberg (pour ne citer que ceux-là) avaient suivi cette démarche.

Qu'avait à dire le XXe siècle ? Je découvris, là encore, que les écrits abondaient sur le sujet : Henry Miller, Pearl Buck, Thomas Wolfe, Jack London, Mark Twain, Louisa May Alcott... un florilège sans fin. Je devais me contenter de les survoler et de découvrir les noms de personnalités. Mais quel bonheur : Lord Hugh Dowding, le commandant de la Royale Air Force pendant la Seconde Guerre mondiale, Sir Arthur Conan Doyle, Ernest Seton Thompson, le fondateur du scoutisme en Amérique, Lloyd George et — qui l'eût cru ? — Henry Ford... tous convaincus de la réalité du voyage des âmes. D'autres encore, hommes de science ou pionniers de l'art moderne : Mondrian, Kandinsky, Klee, Malevich, tous théosophes, et Herman Hesse, Rainer Maria Rilke, Robert Frost, John Masefield. Quelques-uns des avocats parmi tant d'autres de la théorie de la réincarnation.

Si l'on devait s'en tenir aux travaux d'un seul homme, je

choisirais ceux de John Ellis McTaggart. A vingt cinq ans, il était considéré comme le plus remarquable dialecticien et métaphysicien depuis Hegel. C.D. Broad, qui lui succéda comme maître de conférences au Trinity College de Cambridge, disait de McTaggart, qu'il figurait « au premier rang des grands philosophes de l'histoire, que son œuvre soutenait aisément la comparaison avec les *Ennéades* de Plotin, *l'Éthique* de Spinoza ou *la Phénoménologie de l'esprit* de Hegel. Naturellement, j'ignorais jusqu'à l'existence de ces ouvrages ardus. Pourtant je compris sans difficulté ce qu'écrivait McTaggart dans son *Immortalité de l'homme et Pré-existence.*

« Quand ils meurent, même les meilleurs n'ont pas atteint la perfection intellectuelle et morale qui leur permette d'accéder d'emblée au Paradis... On admet généralement que, pour y entrer, il existe deux possibilités : ou bien, un perfectionnement immense, hors du commun, qui s'accomplit au moment de la mort, ou bien, plus probablement, un perfectionnement graduel s'effectuant après la mort de nos enveloppes charnelles... L'absence de souvenir n'empêche pas la progression de s'étaler sur plusieurs vies... Un homme qui meurt après avoir acquis la connaissance (tout homme en acquiert) s'en trouve, bien sûr, dépourvu quand il entre dans une nouvelle existence. Sans, pour autant, perdre le pouvoir et la finesse d'esprit acquis auparavant. Ainsi sera-t-il plus sage, dans la seconde vie, du fait de ce qu'il s'est passé dans la première... A n'en pas douter, la personnalité est le produit de conjonctures oubliées. Je n'ai plus le souvenir de la plupart des actions, bonnes ou mauvaises, de ma vie présente. Et pourtant, elles ont assûrément marqué mon caractère. De la même façon, un homme peut véhiculer dans sa nouvelle vie les dispositions et les tendances que les épreuves morales subies dans la précédente lui ont fait acquérir.

Et l'amour ? Essentiel si, comme je le crois, c'est ce qui donne la vie — et, en vérité, à l'univers — son prix et sa suprême réalité. On oublie presque tout des amitiés qui, dans une simple vie, ont duré des années : les confidences, les services rendus, les heures de joie ou de chagrin. Mais rien de tout cela n'a disparu sans laisser une empreinte, sans contribuer, même dans l'oubli, à l'amour actuel qui, lui, n'est pas oublié. De la même façon, à l'heure de la mort, si tout ce qui a fait l'amour d'une vie est balayé, la valeur de cet amour demeure ; celui-ci se fortifie dans une nouvelle vie, du fait de l'acquit de la précédente. »

Si je comprenais bien la philosophie de McTaggart, il y avait donc des êtres qui éprouvaient un *besoin* réel de se rappeler leurs vies antérieures comme moi. Non seulement ils croyaient en elles, mais ils leur attribuaient une signification. Des psychologues avaient recouru à une analyse régressive pour faire resurgir à la conscience des traumatismes subis dans des *vies antérieures* ; traumatismes qui retentissaient sur la vie présente. Le Dr Helen Warbach avait mené une série d'expériences destinées à prouver l'existence de vies antérieures. Ce faisant, elle parvint à aider certains patients, quoique ce ne fût pas le résultat qu'elle cherchait. Dans son livre *Reliving past life*, elle rapportait en détail la genèse de ces expériences, la façon dont elles furent menées et décrit les extraordinaires résultats de ces investigations sur la mémoire des vies antérieures. Elle avait dû, pour cela, interroger mille personnes. Chacune d'entre elles avait fait au moins trois *voyages* dans le temps ; sur ces voyages, on leur avait posé les mêmes questions. Puis on avait enregistré les résultats avant que ces personnes aient pu parler à quiconque desdits voyages. Enfin, on avait corroboré leurs dires par des recherches portant sur l'appartenance sociale, la race, l'alimentation, l'habillement, le type d'habitat des personnes et sur d'autres éléments de recoupement.

Plus que tout autre, ce livre emporta ma conviction que nous avions vécu d'autres vies. Il me restait à poursuivre des recherches sur mon propre passé. Mais où en trouver le temps ?

Mes sacs bourrés de livres, je me produisis en Europe, en Australie, au Canada, en Scandinavie et en Amérique. Je travaillais le soir au théâtre et le jour, je lus, je lus, je lus. De temps à autre, au cours des habituelles libations qui suivent un spectacle, j'eus l'occasion de rencontrer des gens proches de mes préoccupations. Ils m'avouaient à mots couverts combien la réincarnation les intéressait. Ils se souvenaient avoir éprouvé des sentiments indéfinissables ou inexplicables. Certains avaient fait l'expérience de voyages dans le monde astral, d'autres étaient eux-mêmes entrés dans des transes médiumniques, d'autres enfin se souvenaient de vies antérieures qu'ils étaient certains d'avoir vécues. Ceux-là se refusaient à en parler, de crainte de passer pour fous. J'appelai Gerry des quatre coins du monde, en me gardant de lui confier, au téléphone, mon intérêt croissant pour la métaphysique. D'ailleurs, le faire dans des circonstances normales m'eût été aussi difficile. J'aurais aimé le rejoindre. Mais mon emploi du temps et le sien ne semblaient pas concorder. Nos conversations, des plus banales, finirent de me convaincre que son seul intérêt dans la vie restait la politique. Il ne faisait jamais la moindre allusion à ce qui me tenait à cœur : la supraconscience. Je me rappelai le conseil de Jean : laissez les gens libres de progresser à leur guise et à leur rythme vers la conscience, laissez les sceptiques à leur scepticisme. Moi non plus, après tout, je n'adhérais pas à tout ce que je lisais et découvrais. Mais je souhaitais ardemment voir l'homme que j'aimais s'ouvrir à l'éventualité d'une autre dimension. Ma propre réalité subjective s'enrichissait, j'en prenais conscience. Et je vivais en accord avec elle... Mais, j'aurais été bigrement heureuse d'en parler.

Cette tournée me procura de grandes joies. Le travail était dur, mais gratifiant. En chemin, je rencontrai des gens qui s'étaient paisiblement engagés dans la quête de leur identité véritable. Nombre d'entre eux avaient découvert que la psychanalyse ne permettait pas de remonter assez loin : des événements les avaient traumatisés, qui s'étaient produits avant qu'ils ne viennent au monde. L'enfance, son conditionnement, ses expériences n'expliquaient en rien certaines peurs et certaines angoisses profondes. Je les écoutais, secrètement surprise de constater que *tant* de gens partageaient ces préoccupations.

Un épisode, en particulier, me frappa par ce qu'il présentait de cohérent et d'inattendu. Un vieil ami irlandais, que je n'avais pas vu depuis des années, me raconta son voyage au Japon : il musardait dans une rue de Tokyo lorsque son attention fut attirée par un habit de samouraï, à la vitrine d'un antiquaire. Il s'arrêta net, stupéfait, avec la certitude que ce costume lui avait appartenu. Il se souvenait parfaitement de l'épée, du contact du tissu sur la peau et du mouvement du costume quand il le portait. Alors qu'il contemplait, fasciné, ce costume, des scènes de bataille défilèrent dans sa tête jusqu'à ce que sa mort lui revînt en mémoire, un jour où il portait cet uniforme. Entrant dans le magasin, il s'enquit du prix du costume : il n'était pas à vendre. En me racontant son aventure, il m'avoua combien il était surpris de me confier avec cette liberté sa conviction profonde : d'avoir vécu une de ses vies au Japon. Je l'approuvai.

Me souviendrai-je un jour de mes éventuelles vies antérieures, moi aussi ?

Ainsi s'écoulèrent trois mois de tournée, en échanges et en lectures. Autant de pays visités, autant d'hypothèses et d'idées neuves. En appliquant ces convictions à ma vie et à mon travail, j'éprouvais le sentiment d'être plus libre. Bien que le plus souvent cette vigilance ne s'imposât pas, je choisissais avec soin mes interlocuteurs.

Puis, revenue à Malibu, je me reposai, revis mes notes et essayai d'y voir plus clair. Comment démêler ce que j'avais dans l'esprit, je n'en savais trop rien, tant la découverte de certains états de conscience peut être déroutante. Je fis beaucoup de marches sur la plage. Parfois, emportant un livre avec moi, j'allais m'asseoir sous un arbre, dans un petit parc situé non loin du restaurant diététique de Malibu.

Un après-midi, alors que j'étais installée sous mon arbre après avoir dégusté un jus de carottes et un tofuburger *, arriva un de mes anciens amants. Scénariste et réalisateur de télévision à New York, c'était un homme extrêmement caustique, plein d'humour et cynique. Son esprit vif et brillant m'avait attachée à lui pendant de longues années.

A sa façon de me dire bonjour, en me faisant une légère tape sur la tête, je sus tout de suite que c'était Mike. Accoutré d'un jean, d'un T-shirt et d'un blouson de cuir, il tirait sur sa pipe. Chez lui, le costume reflétait la manière d'être : le genre Je-me-fiche-de-ce-dont-j'ai-l'air.

— Que deviens-tu ? me demanda-t-il sans préambule. Où étais-tu passée toute cette année ?

— Ici et là, répondis-je. Une tournée mondiale. Je viens de rentrer.

* Tofuburger : steak de céréales, ici à base de Tofu.

— Ah ! Ah ! fit Mike. Toujours en quête de mysticisme ?

Sa perspicacité me surprit un peu. Il poursuivit :

— Tu t'arranges toujours aussi bien pour combiner travail et voyage. Pas mal. Je devinais tout de suite quand tu étais tenaillée par l'envie d'aller voir ailleurs.

Je m'accroupis par terre : il se laissa tomber à côté de moi.

— Ah oui ? Tu le comprenais ? dis-je, découvrant un aspect de sa personnalité qui m'avait échappé quand nous étions ensemble.

— Bien sûr. Mais je n'avais pas envie de te voir partir. Alors je ne bronchais pas.

Nous nous regardâmes en souriant.

— Ça me fait du bien de te voir.

Il le pensait vraiment.

— Tu as quelque chose derrière la tête. J'ai appris que tu te faisais rare, sauf pour un gars que personne ne connaît et que tu vas voir en Europe.

« Oh zut ! pensai-je, le monde est vraiment une balle de golf ! » Je me contentai de rire. Mike aussi... il n'attendait pas que je lui parle de ma vie amoureuse.

— Dis-moi une chose, Mike : tu me trouves naïve ? Tu penses que je crois tout ce qu'on me raconte ?

Mike tira sur sa pipe. Son expression devint sérieuse. Il se rendait compte — comme avant — que je cherchais à cerner certains traits ignorés de mon caractère.

— Non, répondit-il. Je ne dirais pas tu es naïve. Tu es curieuse et opiniâtre. Tu as aussi le don de voir le bon côté des choses quand elles en sont dépourvues.

— C'est-à-dire ?

— Par exemple, tu es partie pour la Chine en décidant que la révolution chinoise était un succès. Tu as ignoré les problèmes. Je sais que tu n'as rien vu d'autres que ce qu'on a bien voulu te montrer. Ce qui explique tes déclarations enthousiastes.

— D'accord. Et à quoi pensais-tu en parlant de mysticisme ?

— Shirley, j'ai toujours trouvé un côté oriental à ta façon de raisonner. Je ne sais pas. Je l'ai d'abord crue abstraite... tu étais tellement détachée des choses du quotidien... Moi, je voulais toujours savoir qui ramassait les ordures et toi ce qui se passait dans la tête d'un éboueur.

— C'est vrai, dis-je en songeant aux remarques semblables des autres hommes que j'avais aimés. C'est un reproche, Mike ?

— Non, pas du tout. C'est ta façon d'être. Tu étais toujours en train de gratter le fond des choses pour leur chercher un sens caché. Admirable. Ça peut rendre un type fou. Mais moi, ça m'a fait réfléchir.

Nous nous sourîmes avec la complicité d'anciens amants qui s'apprécient toujours. Mike se pencha sur mon livre.

— Qu'est-ce que c'est ? demanda-t-il.

— Rien. Un livre.

— Sur la réincarnation. Tiens, tiens.

— Eh oui.

— Pourquoi ?

— Je ne sais pas.

J'avalai ma salive, me demandant si j'allais continuer dans cette voie.

— J'ai l'impression qu'il y a du vrai. Voilà pourquoi je me documente.

Mike me regarda dans les yeux.

— Te voilà donc à l'heure californienne !

— Pourquoi californienne ?

— Parce qu'ici, tout le monde s'intéresse à ce truc. Il n'y a vraiment qu'en Californie qu'on peut élire un gouverneur du nom de Moonbeam * !

— C'est vrai. Mais on s'y intéresse ailleurs.

— Ah oui ! Et où ça ?

— Voyons, Mike, mais dans le monde entier.

— Où, par exemple ?

Quand il décidait de vous soumettre à un interrogatoire, Mike vous donnait le sentiment d'être au banc des accusés.

— Eh bien, pendant ma tournée, j'ai discuté avec un tas de gens, en Europe, en Australie, au Canada, partout, quoi.

— Et qu'est-ce qu'on-t-a raconté ?

— On m'a raconté des quantités de choses. Les uns se rappelaient des expériences vécues dans une autre vie. D'autres évoquaient des sentiments ou des impressions de déjà vu.

_____

* *Moonbeam* = rayon de lune.

250

— Et bien moi, j'ai la preuve qu'il y a une vie *après* la mort.

— Vraiment ? demandai-je, heureusement surprise à l'idée qu'une discussion allait être possible. Quelle preuve ?

— Le Congrès des États-Unis : il est mort et il vit toujours.

Je ris, mais je sentis mon estomac se retourner. Mon Dieu, pensai-je, buvons la coupe jusqu'à la lie !

— Très drôle, concédai-je.

— Je vais te dire une chose, reprit-il. Je pense que, dans ce bas-monde, nous avons déjà assez d'ennuis comme ça. Il m'importe peu de savoir si oui ou non j'étais esclave en Égypte, il y a cinq mille ans.

Je ne pus m'empêcher de me demander par quel hasard il avait mentionné cette époque-là plutôt qu'une autre. Mais je gardai cette réflexion pour moi.

— Tu as déjà entendu parler de communication médium-nique ? repris-je.

— Ce truc sur lequel Oliver Lodge a écrit à la fin du siècle dernier, en Angleterre ? Pour entrer en contact avec son fils mort, ou quelque chose du genre ?

Il m'époustouflait. Je le savais lecteur insatiable, mais je ne l'imaginais pas fréquentant les librairies spécialisées dans l'occultisme.

— Exactement, répondis-je. Lodge a fait de nombreuses recherches psychiques dont on connaît mal la nature... sur des faits qui paraissent probables.

— Mais en quoi ça te concerne ? Tu as trouvé un médium qui t'aide à communiquer avec Chou En-lai ?

Il connaissait ma sympathie pour Chou En-lai et savait que j'aurais fait n'importe quoi pour le rencontrer !

— Non, répondis-je, pas avec Chou. Mais peut-être avec des guides désincarnés.

Mike s'appuya sur son coude et mordilla sa pipe.

— Tu as envie d'en parler ? demanda-t-il.

J'allumai une cigarette et me lançai. Je lui racontai ce qu'il m'était arrivé, sans rien omettre : ma rencontre avec Ambrès en Suède, puis avec John et McPherson, par l'intermédiaire de Kevin, en Californie. Je lui parlai du nombre de gens, partout dans le monde, qui tiraient un savoir de la communication médiumnique. Certes, je n'ignorais pas que certains médiums n'étaient que des charlatans. Mais était-ce une raison pour généraliser ? Tout y passa : mes vies antérieures, l'enseignement sur l'amour spirituel, sur Dieu, sur les extraterrestres et leur message, toujours identique. J'évoquai mes lectures : le cas de gens qui, dans le passé ou aujourd'hui, avaient l'impression d'avoir déjà vécu d'autres vies. Je mentionnai les personnalités de renom, artistes, philosophes, hommes de sciences religieux qui acceptaient la notion de réincarnation. Et je conclus qu'avec eux, je me sentais en bonne compagnie.

Il retira sa pipe de sa bouche et s'accroupit, menton dans les genoux.

— Shirl, dit-il, d'abord n'oublie pas que moi, Mike, je suis de *ton* côté. (Je me contentai de le regarder sans répondre.) Alors, il suffit que quelqu'un entre en transe, poursuivit-il, qu'une voix différente sorte de sa bouche pour que tu gobes tout ce qu'il te raconte ?

Je ne dis toujours rien.

— Écoute-moi, bien. Les gens ne pourront pas s'empêcher de se demander ce qu'il t'arrive. On te parle de vies antérieures, d'extraterrestres. Mais, ressaisis-toi, Shirl, c'est de la folie ! Ta crédulité va faire rire tout le monde. Je n'aime pas te voir dans cette situation.

En suçant ma paille, je fis un curieux bruit au fond de mon gobelet vide.

— Je me fiche des « gens » dont tu parles. Ce n'est pas à eux, mais à toi que j'ai demandé si tu me croyais naïve. Tu vois, Mike, je ne me sens pas crédule, mais simplement curieuse. Je veux savoir. Ça me paraît tout à fait possible... Et pourquoi ça ne le serait pas, bon Dieu ?

— Mais vraiment, tu y crois ?

— Je ne sais pas. Je suis presque convaincue que nous avons eu des vies antérieures. Des expériences nous le prouvent. Je suis sur le point de découvrir bien d'autres choses encore... une autre dimension, un univers absolument fascinant dont je n'ai aucune envie de me priver. Qu'est-ce qu'il y a de naïf dans tout ça ? J'avais l'esprit ouvert, d'accord ? Bon. Hé bien, je l'ai toujours. Tu sais ce qui me chiffonne en ce moment ? Je ne suis plus sûre que la « réalité » soit réelle. C'est tellement relatif...

— Attends un peu, protesta Mike. N'allons pas plus loin pour le moment. Quand un producteur de Hollywood se fait tirer l'oreille pour payer un scénariste, c'est « réel », non ?

— Bien sûr : c'est réel pour le scénariste. Et ça l'est aussi pour ses mômes, la première fois qu'on leur refuse une gâterie. Mais perdre une maison, une voiture, un téléviseur, des vêtements, de la chaleur ou de la nourriture, ça n'a aucune réalité pour les millions d'être qui, de toute façon, n'ont jamais possédé ce genre de choses. Et ça n'en a pas plus pour la poignée de gens qui, à l'autre bout de l'échelle, ont toujours tout eu. Alors l'argent n'a peut-être pas tant d'importance ? Il faut peut-être en tirer la leçon. Pourquoi la vie ne serait pas une suite de leçons ? De leçons bien réelles ?

— Alors, l'homme qui ne peut pas nourrir ses mômes, pour toi, c'est une leçon ?

— Je ne sais pas, Mike. Je n'ai jamais connu ça mais, si ça m'arrivait, j'essayerais de comprendre plutôt que de ruminer ma rancœur. J'essayerais de comprendre le *pourquoi* des choses, au lieu de m'en prendre à celui qui m'a entubée.

— Merde ! Ne viens pas me dire que tu resterais plantée comme une imbécile avec ces conneries sur Dieu et l'amour et que tu te laisserais baiser jusqu'à la garde !

L'éloquence de Mike atteignait parfois de tels sommets.

— Non, je n'aimerais probablement pas ça. Mais quand j'ai l'impression qu'on veut m'avoir, je fais peut-être une expérience qui m'aide à mieux me comprendre. Et puis, que tu le veuilles ou non, ça se passe tous les jours. Alors si je me rebiffe, c'est la guerre non ?

— La guerre ?

— Bien sûr. Dans le monde entier, il y a des gens qui possèdent et d'autres qui n'ont rien. Même dilemme. Si la mort est une illusion, ou bien on se résigne à l'injustice, ou bien on la combat violemment.

Mike s'appuya contre l'arbre. Un nuage voila le soleil et des mouettes s'envolèrent dans un ensemble parfait.

— Tu te rends compte, dit Mike, que tous les dictateurs du monde ont tiré parti de ce genre de raisonnement pour faire endurer aux autres des souffrances injustifiables ? Défendre une telle philosophie est méprisable. C'est se donner bonne conscience. Proclamer que chacun doit tendre l'autre joue, c'est tout simplement ouvrir la voie à la tyrannie. J'estime que j'ai le droit de m'insurger et de me révolter quand un salaud quelconque me fait du tort.

— Donc tu justifies le meurtre, du moment que *toi,* tu le juges nécessaire ?

— Oui, si je suis menacé par un type qui veut me tuer.

— Je comprends. C'est comme ça qu'on réagit d'ordinaire. Mais c'est une illusion de croire que nous tuons nos ennemis. Que ce soit pour des raisons personnelles ou pour obéir à un gouvernement ou à une autorité religieuse, nous n'avons rien fait d'autre en tuant qu'alourdir notre dette karmique. Voilà le principe de la réincarnation. Si la mort n'est pas le néant, le point final, à quoi ça sert de tuer ? Si on peut « prouver », comme on dit, que tuer n'est pas une solution, que c'est se perdre, au sens littéral du mot, alors peut-être les gens avisés chercheront d'autres solutions ?

— Un peu ésotérique, ta démonstration dit Mike. Je comprends que ça te préoccupe, c'est dans ta nature. Et je te connais assez pour savoir que tu iras au fond des choses. Mais, Shirl ! Est-ce que tu as pensé aux conséquences ?

— Lesquelles ?

— Merde ! Mais les gens vont se demander ce qui t'arrive ! Parce que, figure-toi, ils ne te connaissent pas comme je te connais. Ils vont penser que tu es complètement givrée.

Mike s'inquiétait de moi autant que Bella ou même Gerry. Mais en quoi mes préoccupations les menaçaient-elles ? Pourquoi ces êtres ne pouvaient-ils se rendre plus perméables à ces questions, en se faisant un peu moins de souci à mon sujet ?

— Mike, tu sais bien qu'on se pose tous, un jour ou l'autre, ce genre de question. Qu'on se trouve confronté à quelque chose qu'on ne peut expliquer.

— Bien sûr ! Et après ? Ça restera inexpliqué, voilà tout. Pourquoi faire appel à des croyances sophistiquées pour expliquer des choses qu'il vaudrait mieux laisser tomber ?

Je me sentais tellement sur la défensive que j'en étais exaspérée.

— Pourquoi laisser tomber ? Quel avantage trouvez-vous donc au statu quo, pour vous y accrocher à ce point ? Moi, ça ne me satisfait pas, Mike. J'ai toujours voulu savoir pourquoi une rose était rouge et pourquoi une pensée était solide. Des réponses superficielles ne m'ont jamais convaincue. Je risque donc de continuer à m'interroger toute ma vie, quoi qu'il arrive.

Mike me tapota la main.

— Shirl, un tas de gens ont vécu sans être pleinement satisfaits : Pasteur et madame Curie entre autres. Et regarde ce qu'ils ont découvert. Alors, qui sait ? Mais eux ne dépendaient pas du public pour gagner leur vie. Ils pouvaient s'occuper de leurs recherches. Tandis que toi... je ne voudrais pas que tu perdes ton crédit.

— Je ne pense pas que je le perdrai, Mike. En tout cas, ma recherche compte plus que tout le reste, en ce moment. Je ne peux pas laisser tomber. Et lorsque j'aurai atteint les limites de ma personnalité ou de celle d'autrui, je saurai ce que j'ai été auparavant, je saurai, par exemple, si nous deux nous avons déjà vécu une relation semblable, dans une vie antérieure, et si ne l'ayant pas achevée, nous sommes venus la conclure dans cette vie-ci.

— Tu veux dire que cette conversation peut nous aider à découvrir de quoi il retourne ?

— Possible.

— Pour moi, cette existence est suffisamment préoccupante et m'accapare assez l'esprit. Tes histoires ne m'aideront pas à trouver la caution pour faire sortir de tôle un copain qui s'est laissé embarquer dans une affaire de drogue.

Il se leva et s'étira.

— Sois prudente, Shirl, c'est tout ce que j'ai à te dire. D'accord ?

Nous nous levâmes et fîmes une petite promenade en direction de la montagne, nous tenant mutuellement par la taille. Mike se pencha pour me murmurer à l'oreille :

— Dis-moi, pendant notre vie passée, c'était moi que tu venais voir en Europe, incognito ?

Ce soir-là, épuisée, je décidai de me reposer sans écrire. Je passai la fin de la journée assise sur mon balcon à regarder le vent jouer avec le sable, sous le soleil couchant. La marée était basse. Tel un miroir, la mer reflétait une incandescence rose-orange. Je me demandai quand les poissons d'argent entamaient leur course et comment ils savaient que le moment était venu. Les poissons avaient-ils une âme ?

Au loin, une silhouette solitaire marchait là où les vagues venaient mourir. Je la suivis du regard. J'ai toujours été curieuse des pensées de ceux qui déambulaient au soleil couchant.

Certains semblaient avoir un but. D'autres musardaient. D'autres enfin marchaient sans donner l'impression de se mouvoir. Peut-être étaient-ils ailleurs.

Cette silhouette d'homme paraissait marcher à la recherche de quelqu'un. Son regard ne se portait pas vers la mer, mais vers les immeubles sur pilotis. Il mangeait quelque chose. Une pomme, me sembla-t-il, et, de l'autre main, il tenait une paire de sandales. Son épaule gauche était plus basse que la droite. Il venait vers moi. Je regardai mieux. Il vit que je l'observais du balcon et me fit un signe de la main. C'était David. Oh mon Dieu ! pensai-je, que va-t-il se passer ? Arrivé devant mon immeuble, il s'immobilisa, sourit, fit un nouveau signe de la main et, d'une voix forte, m'appela.

Chapitre 17

« Je maintiens que le sentiment religieux cosmique est la plus forte et la plus noble des incitations
à la recherche scientifique. »

Albert Einstein
Comment je vois le monde

—H ELLO ! cria-t-il de la plage. Tu devrais venir me
rejoindre, c'est magnifique.

Je me levai, m'accoudai à la balustrade. David
portait un pull par-dessus sa chemise, et une paire de chaussettes de sport blanches dépassaient de la poche arrière de son
pantalon.

— Comment vas-tu ? lui lançai-je.

Il jeta sa cigarette dans les vagues.

— Tu devrais venir faire une balade, cria-t-il. On pourrait
marcher jusqu'au grand rocher et ensuite, si ça te tente, aller
dîner à Holiday House.

Je me dégageai de la balustrade.

— Tu ferais bien de prendre un pull-over, ajouta-t-il. Le
temps ne va pas tarder à fraîchir.

Je me munis du pull de laine qui m'avait suivie dans le
monde entier — le pull vert que Gerry aimait tant — et dévalai
les marches de bois qui conduisaient sur la plage. J'avais
l'impression de voir David pour la première fois. A certains
égards, j'aurais souhaité ne l'avoir jamais rencontré. Mon
entretien avec Mike m'avait laissée meurtrie, et j'étais loin
d'avoir surmonté ce sentiment.

Quand je le rejoignis, David m'observa fixement.

— Tu te sens bien ? fit-il.

— Très bien, oui.

— Je vois, dit-il. (Nous commençâmes à marcher dans le soleil couchant.) Alors, tu as beaucoup réfléchi, hein !

Il alluma une cigarette.

— Je n'en ai pas eu vraiment le temps, répondis-je prudemment. Dis-moi... tu ne trouves pas que tu fumes beaucoup, pour quelqu'un qui se plonge dans la spiritualité, et qui est censé surmonter ses petites misères ?

— Je ne sais pas. C'est sans doute que ça m'aide à garder les pieds sur terre. Autrement, je serais constamment dans les nuages ! Tu ne fumerais pas, toi, si tu t'engageais à fond dans ma voie ?

— Moi, fumer ? fis-je d'un ton un rien perçant. Si je croyais vraiment à tout ce que je suis en train de découvrir, je devrais fumer des cigarettes grosses comme des séquoias !

— Je sais. Ça fait un peu peur, au début. Et le tabac est une bonne façon de se désensibiliser. La preuve, tu vois : je me suis intoxiqué !

Nous marchions sur le sable frais. Des bécasseaux se pourchassaient en un savant menuet vespéral. Un menuet auquel j'avais l'impression de me livrer, moi aussi, avec David. Je me tus pendant un certain temps. Puis songeai que je n'avais rien à perdre en faisant le premier pas.

— Notre amitié ne date pas d'hier, nous avons déjà été mariés, toi et moi, je suppose que tu le sais ?

— Oui, me dit-il en riant. Je le sais.

— Comment l'as-tu appris ?

— Oh, comme ça... Unis pour l'éternité ou quelque chose du genre, n'est-ce pas ?

J'émis une interjection évasive. Il tira une bouffée de sa cigarette et contempla le coucher du soleil. L'assurance avec laquelle il venait de s'exprimer le rendait presque pompeux.

— Tu sais, lui dis-je, j'ai beaucoup réfléchi. Quand les astronautes voyagent dans l'espace, leurs capsules sont entourées d'une nuée d'esprits ?

Ma question le fit rire et il toussa.

— En en certain sens, oui, fit-il. Puisque le monde des esprits est omniprésent... il nous entoure, en ce moment même. Je veux dire... nous ne sommes pas invisibles aux entités spirituelles, même si elles nous sont invisibles. Par moments, tu peux même le percevoir, non ? Tu ne t'es jamais demandé d'où te venaient certaines idées, certaines inspirations ? Tu n'as jamais eu le sentiment d'être guidée par une force invisible ? Beaucoup de grands esprits en parlent à propos de leur inspiration. Pour moi, cette force, c'était probablement leurs guides spirituels, et aussi une sorte de réminiscence de facultés qu'ils avaient eues dans une vie antérieure. Mozart, par exemple : pour jouer du piano à l'âge de quatre ans...

— David, dis-je, l'interrompant dans sa dissertation, quelle preuve peux-tu me donner de tout ça ? Je te pose cette question très sérieusement. Quand tu débites des théories de ce genre en ayant l'air d'y croire, tu passes pour un abruti qui croit au Père Noël !

— Eh bien, moi, je le ressens, j'y crois. Je le sais. Point final. Bien sûr qu'il n'y a pas de preuves. Et alors ? Ce qui manque aujourd'hui, c'est justement un lien entre le monde spirituel et le monde physique. Et le chaînon manquant, c'est l'âme. Si le monde pouvait comprendre que l'âme ne meurt jamais, il n'aurait pas aussi peur et, par la même occasion, il comprendrait sa raison d'exister.

Quand David ouvrait la bouche, il versait aisément dans le discours spirituel.

— En somme, dis-je, la réincarnation c'est comme le show-business : tu répètes jusqu'à ce que ce soit parfait ?

Il eut l'esprit de rire de mon analogie.

— Oui, admit-il, quelque chose comme ça. Tu sais, je suis convaincu que le Christ enseignait la théorie de la réincarnation.

Je m'emmitouflai dans le col roulé de mon pull. Ces derniers temps, un rien me faisait frissonner.

— Qu'est-ce qui te le fait croire ? lui demandai-je, me souvenant de ce que Jean m'avait dit à propos de la Bible.

De la plante de son pied, David fit clapoter la surface de l'eau, troublant l'image que reflétait le sable mouillé.

— J'ai lu diverses interprétations de l'enseignement du Christ qui ne figurent pas dans la Bible, fit-il, en me dévisageant.

Il hésita, puis :

— La Bible ne fait aucune allusion à la vie du Christ entre l'époque où il avait environ douze ans et celle où il s'est mis à prêcher la bonne parole, aux alentours de la trentaine.

— Oui, on me l'a déjà dit. Il n'avait peut-être pas grand-chose à dire avant d'avoir acquis une certaine maturité ?

Il secoua la tête.

— Bien des gens pensent que ces dix-huit années mystérieuses, le Christ les a passées à voyager en Inde, au Tibet, en Perse, au Proche-Orient... Un tas de légendes et de récits nous parlent d'un homme qui correspond en tous points à Jésus. Les descriptions qu'ici et là on a données de lui concordent. Il se disait le fils de Dieu, croyait en la réincarnation des Hindous, s'était fait adepte yogi, et avait acquis la maîtrise totale de son corps. Plus tard, il aurait accompli les miracles rapportés par la Bible pour apprendre aux gens qu'ils pouvaient eux aussi en accomplir pourvu qu'ils découvrent la spiritualité et le pouvoir qui étaient en eux.

David ignorait tout de ma séance avec Kevin et Jean. Il ignorait aussi que j'avais rencontré, à l'Ashram, une femme que l'avatara Saï Baba avait prise sous sa protection en Inde. Avec son mari, elle avait écrit un livre et tourné un documentaire sur ces années de la vie du Christ que la Bible passe sous silence. Janet et Richard Bock, après s'être livrés à des recherches approfondies sur cette période de l'existence terrestre de Jésus, avaient recueilli une foule de témoignages auprès d'archéologues, de théologiens, de sanscritistes, d'hébraïstes et de bien d'autres spécialistes éminents. Tous s'accordaient pour affirmer que le Christ avait pérégriné à travers l'Inde.

David n'avait jamais rencontré Janet et Richard, me dit-il, mais il aimerait beaucoup comparer ses notes, rassemblées au cours des deux années qu'il avait passées en Inde, avec les leurs. D'après lui, le Christ était revenu en Israël pour y enseigner ce que lui avaient appris ses maîtres indiens, c'est-à-dire la théorie de la réincarnation.

— Mais, David, dis-je, pourquoi est-ce qu'on ne trouve pas ces enseignements dans la Bible ?

— Ils y étaient. Mais à la suite d'un concile œcuménique réuni par l'Église catholique à Constantinople, aux alentours de l'an 553, la Bible a été expurgée de ses interprétations primitives. Les membres du concile ont décidé de supprimer ces enseignements du Christ, pour consacrer la toute-puissance de l'Église. Elle voulait rester la seule autorité compétente en matière de destinée humaine, tu comprends ? Dans les passages tronqués, il était dit que tout être humain est maître de sa propre destinée, dans le présent comme dans l'avenir. Que Dieu seul était juge, qu'il s'était fermement opposé à l'édification d'une église, quelle qu'elle fût, ainsi qu'à la propagation d'une religion rituelle qui asservirait l'homme en le dépossédant de son libre arbitre et en le privant de sa volonté de s'élever, par lui-même, vers la vérité.

Kevin m'avait dit les mêmes choses. Mais il était logique qu'on se documente sur le fameux concile quand on s'intéressait à la réincarnation.

Le Soleil n'allait pas tarder à disparaître derrière les vagues. Au-dessus du Pacifique, il rayait les nuages d'un embrasement rose-violet.

— En tout cas, reprit David, je suis convaincu que le jour où l'Église a détruit les enseignements du Christ, le genre humain s'est fait avoir sur toute la ligne.

Je ne répondis pas. Si l'Église nous *avait* enseigné cela, pensai-je, ce principe cohérent m'aurait donné une *raison* de croire en la dimension spirituelle de l'homme : car je devenais responsable de ma propre destinée. Chacun pouvait décider de ses actes selon sa conscience, il n'incombait plus à l'Église de juger de nos conduites. La souffrance et l'horreur de ce monde, devant lesquelles je m'étais toujours sentie impuissante et désemparée, m'étaient expliquées. « Tu récolteras ce que tu as semé », prenait un sens différent. J'aurai trouvé un grand réconfort à l'idée que nous vivions pour toujours, dans l'éternité, en moissonnant selon nos actes et nos conduites. « Tends l'autre joue » prenait aussi une signification nouvelle. Ce commandement était plus facile à appliquer si l'on avait l'éternité devant nous.

La science tenait pour fondamental le principe de causalité. Pourquoi ce principe ne pouvait-il s'appliquer à l'existence de l'homme ? Les principes seraient-ils à jamais établis d'après ce qui est visible, donc démontrable ? Le sens moral, l'éthique, l'amour, nous étaient invisibles. N'en existaient-ils pas pour autant ? La science, les disciplines fondées sur la démonstration expérimentale n'étaient pas mon fort. Mais pourquoi ces domaines avaient-ils pris tant d'importance ? Là où il fallait lutter pour comprendre la raison de notre existence, je n'accordais pas grande valeur aux preuves matérielles.

Une telle lutte relevait de chaque individu personnellement, et non d'« experts » en tous genres. « Bienheureux les humbles, car ils recevront la terre en héritage. » Les humbles, ceux qui ne recherchaient pas la puissance, étaient étroitement unis à Dieu, à la bonté de l'existence, au *genre humain*. La Règle d'Or *était* le premier et l'ultime axiome à respecter.

David et moi marchions en silence. Nous parcourûmes environ cinq kilomètres en longeant la côte, jusqu'à la plage publique, près de laquelle il avait garé sa voiture. C'était une vieille Dodge de couleur verte. Je remarquai sur son siège arrière une pile d'ouvrages liés par une ficelle.

— Je t'ai apporté quelques nouveaux livres, me dit-il. Et aussi une Bible. Tu n'as qu'à les lire et voir ce que tu en penses. Tu veux qu'on aille dîner ?

Des livres. Avais-je besoin d'autres livres ?

Au restaurant, la table que nous choisîmes surplombait la mer. Quand nous échangions des propos, David et moi, il ne s'agissait jamais de simple bavardage. Jamais l'un ne demandait à l'autre si la journée avait été bonne, ou s'il aimait Brahms. Pourtant quand j'étais en compagnie d'un homme, je n'éludais pas les détails, car ce sont eux qui vous renseignent sur la personnalité de l'autre, sur ce qu'il attend de vous, sur ses ambitions. Que sais-je ?

Avec David, c'était différent. Ce qui m'attirait n'était pas l'homme, mais plutôt ce qu'il avait à dire. Dès qu'un homme et une femme sont mis en présence, ils observent tacitement un code d'échange. Un code auxquel on ne pense même pas, et qui s'exerce tant que l'une des deux parties ne cherche pas à placer l'échange sur un autre plan.

David ne semblait nullement désireux de transgresser ces règles. Cela me réconfortait. Instinctivement je savais que nos relations ne prendraient pas une autre tournure.

Ce soir-là, en dépit d'un excellent bordeaux, d'un bœuf Wellington superbe, de la lueur des bougies et de l'intense intérêt de chacun pour ce que disait l'autre, et nonobstant la curiosité des clients qui s'interrogeaient sur l'identité de mon compagnon de table, pas un instant il ne me vint à l'esprit que nous pourrions, David et moi, instaurer des relations plus intimes. Pas plus que je n'avais cherché à savoir ce qui l'avait conduit à ses croyances.

Sa pensée avait dû évoluer comme la mienne quand des événements particuliers m'y avaient poussée.

Nous parlâmes ce soir-là, de la *nécessité* de croire, nous demandant si l'espèce humaine avait progressé d'elle-même ou si elle avait été « guidée » dans son cheminement par quelque force spirituelle. Nous étions d'accord au moins sur ce point : garder l'esprit ouvert à tout nouveau concept. Pour David, cette disponibilité authentifiait la vraie intelligence.

— Quand j'ai entrepris ma recherche spirituelle, poursuivit-il, je suis passé par des sentiments contradictoires. Mais chaque fois que je me sentais « déphasé » par rapport au monde qui m'entourait, je prenais le temps d'écouter ce que ma propre intuition me dictait. Et plus je suivais ma voix intérieure, plus je me sentais en accord avec mon moi profond.

Aujourd'hui, tant de gens suivent la même démarche que c'est ça, la réalité. En me racontant cette suite d'incertitudes, David me faisait comprendre, avec calme et discrétion, ce qu'il avait lui-même ressenti. Le dîner touchait à sa fin. C'est alors qu'il me demanda si j'avais déjà vu un OVNI.

Venant de lui cette question me surprit. Car c'était une chose d'entendre Jean parler, dans un même élan, de Dieu, de la vérité spirituelle et des extra-terrestres, et une autre de découvrir qu'un ami faisait la même association « d'idées ».

— Moi, non, répondis-je, d'un ton désinvolte. Mais je connais beaucoup de gens qui en ont vus, y compris Jimmy Carter du temps où il était gouverneur de la Georgie. Il ne m'en a jamais parlé, mais j'ai lu le compte rendu qu'il a remis à la presse. Un compte rendu très sérieux, dépourvu de passion, comme il a l'habitude d'en rédiger.

— Qu'est-ce que c'est à ton avis ? demanda David.

— Mon Dieu... je ne sais pas. Peut-être des armements secrets dont personne ne veut parler, ou des machins météorologiques... ou des canulars. Ou alors des visiteurs de l'espace ? Toi, qu'est-ce que tu penses ?

Il sirota son café, son cognac, s'essuya les lèvres avec sa serviette.

— Je pense qu'ils viennent de l'espace, fit-il. Je pense que les extra-terrestres sont des êtres supérieurement évolués sur le plan spirituel, et qu'ils nous rendent visite depuis fort longtemps.

— Juste ciel ! Qu'est-ce qui te fait croire à une chose pareille ?

Je le regardai avaler une autre gorgée de café, en observant le plissement paisible de ses yeux à la lueur de la bougie. Je guettai l'expression qui m'indiquerait où il voulait en venir... Quelle association d'idées l'avait conduit aux OVNIs ?

— Beaucoup de gens ont écrit sur le sujet...

— Beaucoup de cinglés, oui, l'interrompis-je.

— ... et il en est fait mention un peu partout dans l'Ancien Testament. On y trouve un tas de descriptions qui correspondent à celles de vaisseaux spatiaux... et je ne suis pas le seul à être de cet avis.

De nouveau, je pensai à Jean. Et à mes lectures. Mais David reprit.

— Von Daniken est sans doute un peu cinglé, mais je crois qu'il est sur la bonne voie, affirma-t-il.

— Celui qui a écrit *Chariots of the Gods* * ?

— Oui.

Je pouvais sentir mon bel « esprit ouvert » à deux doigts de se refermer tout net :

— C'est bien lui qui a fait de la prison en Suisse pour avoir émis des chèques sans provision ? demandai-je.

— Oui, mais quel rapport ? Nous avons tous nos contradictions. Il a sans aucun doute été malhonnête, et il aurait pu trouver un autre moyen de se tirer d'affaire. Mais son œuvre, elle, n'est pas tombée dans le discrédit.

Après ma séance avec Jean, j'avais lu tous les livres de Von Daniken. Cet auteur soutenait que de nombreuses ruines très anciennes étaient les vestiges d'édifices construits par des civilisations extrêmement évoluées avec l'aide d'extra-terrestres : la Grande Pyramide, Stonehenge, Machu Picchu et les aires d'atterrissage de Nazca, au Pérou...

D'après lui, toujours, les chariots de feu décrits par Ézéchiel étaient des vaisseaux spatiaux. Et c'était encore à des habitants d'autres planètes que les Terriens devaient la colonne de feu, qui, pendant quarante ans, avait guidé Moïse et les Hébreux à travers le désert (le partage des eaux de la mer Rouge avait été la péripétie la plus miraculeuse de cette migration).

Quand *Chariots of the Gods* avait été porté à l'écran, j'étais allée le voir. Il démontrait que la présence d'extra-terrestres avait ponctué notre histoire depuis ses origines. Pour étayer sa démonstration, il se servait des fresques des grottes et de

* *Le Choc des Titans.*

certains monuments. Les spectateurs étaient restés rivés à l'écran pendant la séance et, le film achevé, personne ne s'était levé : cette réaction m'avait frappée. Éblouis par ces théories, ces gens semblaient ne pas savoir comment réagir. A la sortie du cinéma, je n'avais pas entendu la moindre remarque sarcastique, la moindre parole de dérision. Et pourtant, j'avais tendu l'oreille. Perdus dans leurs pensées, sans paraître ni inquiets ni impressionnés, les spectateurs avaient évacué la salle à la queue leu leu, jusqu'à ce que le silence fût rompu par quelqu'un qui proposait un hamburger. Cette réaction du public m'avait encore plus intéressée que ma propre façon de réagir au film.

Et voilà que ce soir-là, David associait les OVNIs à une intelligence spirituelle. Comme Jean. Après l'avoir écouté attentivement, je l'interrogeai :

— D'après toi, les chariots cracheurs de feu et autres prodiges rapportés dans la Bible étaient dus à des êtres venus d'un autre monde ?

— Oui. Pourquoi des êtres plus évolués que nous, vivant sur d'autres planètes n'essaieraient pas de nous enseigner une vérité spirituelle supérieure à la nôtre ? Après tout, pourquoi la Force Divine ne s'expliquerait-elle pas scientifiquement ? Les miracles, comme nous les appelons, du Christ, de Moïse et des autres, n'ont pas encore été expliqués par la science, que je sache ? Trop de gens ont été témoins de ces « miracles », pour qu'on puisse les considérer comme des mythes forgés de toutes pièces. La seule explication, c'est que certains êtres supérieurs détenaient des connaissances que nous n'avons pas.

Je bus une gorgée de cognac dans le verre de David.

— Écoute, lui dis-je, qu'est-ce qui t'amène à associer les possibilités spirituelles de l'homme à l'espace intersidéral ?

— Regarde combien l'histoire abonde en données impossibles à expliquer autrement que par l'intervention d'une intelligence supérieure. Ces données touchent au religieux, au spirituel, à l'idée de Dieu.

— D'accord, mais qui te dit que cette intelligence supérieure n'était pas celle de civilisations humaines extrêmement évoluées, qui se sont ensuite perdues, volatilisées, détruites d'elles-mêmes ? Pourquoi l'intelligence supérieure devrait à tout prix venir d'un autre monde ?

— Je me suis posé la même question, fit-il. Mais vois-tu,

265

nous n'avons pas qu'un exemple d'intelligence supérieure. Elle s'est manifestée un peu partout dans le monde, à des époques très différentes. D'après Platon, Aristote et bien d'autres, l'Atlantide a *réellement* existé en tant que civilisation puissamment évoluée. Les Incas et les Mayas étaient aussi instruits en astronomie et en astrologie que nous le sommes aujourd'hui, si ce n'est davantage. Les Sumériens, deux mille ans avant Jésus-Christ, avaient des connaissances mathématiques et astronomiques très poussées... Si tu veux, je te donnerai d'autres livres à lire là-dessus. Mais pour moi, notre Terre n'a pas cessé d'être observée, secourue et instruite par des êtres qui en savaient bien plus long que nous sur le plan spirituel, scientifique, astronomique, mathématique et physique.

Il ne restait plus de cognac. Et mon esprit commençait à crier grâce.

— Et pourquoi les humains n'auraient pas découvert tout ça par eux-mêmes ? dis-je.

Avant de répondre, David avala les glaçons restés au fond de son verre.

— Trop de preuves nous indiquent que les humains ont été aidés par des *dieux*, des êtres évolués, au sens *cosmique* du terme. Trop d'écrits provenant d'anciennes civilisations rapportent que des *dieux* se sont déplacés entre la Terre et les étoiles, dans des machines de feu volantes, qu'ils sont venus nous apporter — je cite de mémoire — aide, savoir et promesse d'immortalité. Alors, je me suis dit : Pourquoi pas ? Aujourd'hui, plus un seul scientifique sain d'esprit ne croit que nous représentons la seule forme de vie dans l'univers, tu n'es pas d'accord ?

— Si.

— Alors, ça vaut la peine d'y réfléchir, non ? D'un certain point de vue, ça peut paraître loufoque et déranger les idées reçues, mais ça tient debout. A partir du moment où tu t'y intéresses, pardonne-moi mon intransigeance, tu dois aller plus loin.

Nous sortîmes de table après avoir partagé l'addition. J'étais épuisée. Mais au moins l'insatisfaction que me valait ma liaison avec Gerry avait-elle du bon. Intransigeance, avait dit David, en parlant de lui.

D'habitude, c'était *moi* qui me montrais intransigeante

266

lorsque je voulais comprendre. Il me battait sur mon propre terrain !

David me remit la pile de livres et me déposa devant mon appartement de Malibu.

Nous avions discuté de la vie après la mort, de la vie avant la naissance... Pour en arriver à la vie sans frontières... Je le remerciai et lui souhaitai bonne nuit.

Chapitre 18

> « La véritable grandeur de la connaissance
> consiste à ne pas laisser ce que nous ne savons pas
> obscurcir ce que nous savons. »

Ralph Waldo Emerson
The Skeptic

Jusque-là, j'avais beaucoup lu sur la transmission médiumnique et la réincarnation. Maintenant, je commençais à
m'intéresser à l'éventualité d'une vie extra-terrestre, en relation
avec la nôtre.

Pendant des jours, je me plongeai dans les livres que
m'avait donnés David, jusqu'à en avoir mal aux yeux. Ces
lectures furent appelées à jouer un grand rôle dans les événements qui devaient se produire plus tard dans ma vie. C'est
pourquoi je le résume ici, succinctement. Lorsque je fais
référence à la Bible, j'emploie la terminologie biblique.

Dans l'Ancien Testament, Ézechiel décrit la Terre comme
s'il l'avait observée de très loin. Et ses impressions ressemblent
en tout point à ce que doit ressentir le passager terrestre d'un
vaisseau spatial : la sensation d'être attiré par une sorte
d'aimant. Il compare la vitesse des va-et-vient de ce véhicule à
celle de l'éclair, et nomme son commandant « Le Seigneur ».

En dix-neuf ans, Ézéchiel a eu quatre fois l'occasion de
rencontrer des vaisseaux et des équipages de ce type. Il raconte
combien leurs occupants, *quand ils établissaient des relations
avec les humains*, étaient attentifs à ne pas les effrayer et

pacifiques dans leur comportement, en rien « hostile ou témé-
raire ». Ézéchiel ajoute que « Le Seigneur » lui témoignait
égards et respects.

L'Exode décrit le véhicule qui guida la fuite des Hébreux
hors d'Égypte et les achemina vers la mer Rouge comme « une
Nuée durant le jour et une Colonne de Feu durant la nuit ». La
« Colonne » voleta au-dessus des eaux et les sépara : ce qui
permit aux fugitifs de gagner le désert. Là, elle les conduisit
pendant quarante années, en leur prodiguant des directives
religieuses. « Un ange au-dedans d'elle » remit à Moïse le
Décalogue. On trouve des « anges » dans toute la Bible, laquelle
sous-entend clairement qu'ils sont des envoyés d'un autre
monde.

Au cours des quarante années passées dans le désert, les
Hébreux n'avaient aucun moyen de se procurer de l'eau et des
vivres. La « Colonne de Feu » y pourvut : « Voici que je vais
faire pleuvoir du pain du haut du ciel », dit le Seigneur à Moïse
(Exode 16:4).

La « Nuée » servait aussi de phare aux Hébreux pendant
leur traversée du désert : « Car la nuée de Yahvé se tenait
pendant le jour sur la Demeure, et, pendant la nuit, il y avait du
feu dans la nuée, aux yeux de toute la maison d'Israël, en tout
leur exode » (Exode 40:38).

Dans Les Nombres, la précision est encore plus grande.
C'était la nuée qui guidait les Hébreux dans leurs déplace-
ments : « Quand la nuée s'élevait de dessus de la tente, aussitôt
les enfants d'Israël levaient le camp, et, à l'endroit où la nuée
demeurait, ils campaient » (Exode 9:15-23).

Moïse communiquait avec un être qui se tenait « dans la
nuée ». Le Seigneur s'adressa un jour au peuple en ces termes :
« Écoutez donc mes paroles ; s'il y a parmi vous un prophète de
Yahvé, c'est en vision que je me manifeste à lui, c'est en songe
que je lui parle. Tel n'est pas mon serviteur Moïse ; lui est à
demeure dans ma maison. Je lui parle bouche à bouche, en me
faisant voir et non par énigmes ; et il contemple la figure de
Yahvé » (Nombres 12:6-8).

Jusqu'à l'Exode, les Hébreux n'avaient pas vraiment de
religion. Ils croyaient à une sorte de terre promise. Mais
pendant leurs quarante années d'errance dans le désert, les
anges leur inculquèrent l'évangile et la religion d'un autre
monde : le Royaume des Cieux.

270

Un groupe d'élus — Moïse, Abraham, Pierre, Luc, Jacob et d'autres — fut instruit par les « anges » et reçut d'eux un code de conduite, une éthique et un culte. A maintes reprises, Jacob rencontra des anges. Un jour il en vit un si grand nombre qu'il les décrit comme « une troupe de Dieu » (Genèse 32:2). Dans leurs enseignements, les anges insistèrent pour que le peuple de la Terre apprît le pouvoir de l'amour, la Règle d'Or et la croyance en la vie éternelle.

Dans les Actes des Apôtres, le Christ, lui, engage ses disciples à porter le message de *son* monde à tous ceux de *leur* monde. Et, dans le Nouveau Testament, il déclare : « Vous êtes d'ici-bas, et moi je suis d'en-haut. Vous êtes de ce monde, et moi je ne suis pas de ce monde » (Jean 8:23). Il affirme être en contact permanent avec des êtres de son monde à lui, qu'il nomme les « anges », lesquels tiennent beaucoup à ce que leur message soit transmis sur Terre.

Les autres livres de David révélaient des faits tout aussi troublants que la Bible.

Ainsi, dans les plaines de Nazca, au Pérou, on peut observer des sortes d'aires d'atterrissage datant de plusieurs milliers d'années ; et près de là, des peintures d'animaux, d'oiseaux, et aussi une silhouette casquée d'un heaume identique à ceux que portent aujourd'hui les astronautes. Ces aires et ces figurations ne sont visibles que d'avion, à une assez grande altitude.

A Tiahuanaco, petite ville des Andes située à quatre mille mètres d'altitude environ, existe un calendrier astrologique vieux de vingt-sept mille ans, qui consigne, en symboles, une connaissance astronomique postulant la rotondité de la Terre. Telles qu'elles sont enregistrées sur ce calendrier, les révolutions de la Lune autour de la Terre, celles de la Terre et des autres planètes autour du Soleil, sont absolument exactes. La légende de Tiahuanaco, elle, parle d'un vaisseau d'or descendu des étoiles.

A Sacsahuaman, on peut voir un mégalithe de vingt mille tonnes, extrait d'une carrière située à quelque distance, puis transporté et basculé à son emplacement actuel.

Des formations de sable vitrifié ont été découvertes dans le désert de Gobi et dans certains sites archéologiques très anciens de l'Irak. Ces concrétions sont identiques à celles qu'ont produit, à notre époque, les explosions nucléaires dans le désert du Nevada.

Les cunéiformes et les tablettes trouvées à Ur comptent parmi les plus anciens documents écrits de l'histoire humaine. Elles rapportent que des dieux parcouraient les cieux dans leurs « nefs », que d'autres dieux étaient venus sur terre avec des armes puissantes et terrifiantes, puis étaient repartis vers leurs étoiles.

Les Esquimaux pensent que les ancêtres de leurs tribus primitives ont été amenés au nord du monde par des dieux pourvus d'ailes de métal. Quant aux Indiens d'Amérique, leurs anciens sages relatent l'histoire de l'oiseau du tonnerre qui a introduit chez eux le feu et les fruits. Les légendes mayas foisonnent, elles aussi, d'allusions aux « dieux » qui connaissaient tout : l'univers, les quatre points cardinaux et la rotondité de la Terre. Le calendrier maya était si perfectionné que ses prévisions portaient sur soixante-quatre millions d'années.

Dans les légendes religieuses du peuple dont les Incas sont issus, on découvre que les étoiles sont habitées, que des « dieux » venus de la constellation des Pléiades sont descendus sur Terre. Les cunéiformes sumériens, assyriens, babyloniens et égyptiens proposent la même image de « dieux » tombés du ciel et repartis vers les astres. Ces dieux voyageaient dans des vaisseaux de feu ou dans des bateaux de l'air, possédaient des armes effroyables et puissantes, et avaient promis aux humains l'immortalité.

Le Mahahbarata, un récit épique de l'Inde vieux de cinq mille ans, ne manque pas non plus de mentionner ces machines volantes : elles pouvaient se mouvoir dans toutes les directions, monter, descendre, avancer et reculer dans les airs en couvrant de grandes distances, à haute altitude et à une vitesse inouïe.

Le *Tantyua* et le *Kantyua*, deux livres tibétains, font constamment référence aux engins volants de la préhistoire, qu'ils nomment « les perles du ciel ».

Ces informations devaient être ignorées du commun des mortels, précisent les textes. Des chapitres entiers du *Samarangava Sutradhara* sont consacrés à la description de machines volantes dont la queue crachait « le feu et le vif-argent ».

Ensuite, viennent les hommes de l'antiquité qui arrivent à soulever et transporter des blocs de pierre pesant plusieurs centaines de tonnes. Les obélisques des Égyptiens proviennent de la région d'Assouan et c'est dans les carrières du sud-ouest du Pays de Galles et de Marlborough que les architectes de Stonehenge ont extrait leurs mégalithes. Les statues de l'Ile de Pâques — que les autochtones ont baptisée l'Ile de l'Homme-Oiseau — proviennent de carrières situées à plusieurs kilomètres de leur emplacement actuel. Les blocs de pierre ont d'abord été extraits desdites carrières, puis taillés avant d'être transportés.

Quant à la Grande Pyramide de Gizèh, son secret demeure. Les documents de David soulignaient que le monument, selon des études scientifiques et géodésiques contemporaines, avait été édifié au centre géophysique de la surface terrestre, très exactement *. Et ce n'est là qu'un aperçu des merveilles mathématiques *intrinsèques* de la pyramide de Khéops. Car les dimensions des antichambres, des salles et des couloirs correspondent aussi aux dates d'événements capitaux dans l'histoire des civilisations terrestres. Or, fait remarquable, ces dates ont été prévues, et non enregistrées après coup. La période du Déluge, par exemple, y a été prédite avec exactitude, ainsi que la montée de la spiritualité et son effacement devant le matérialisme. La naissance du Christ, sa crucifixion, l'avènement des empires, les grandes guerres entre les nations, le développement des religions et des idéologies, y sont inscrits. Tout comme les dates exactes des deux guerres mondiales, et leurs conséquences territoriales.

Mes lectures me confirmèrent que l'enseignement du Christ sur la réincarnation avait été supprimé de la Bible lors du cinquième concile œcuménique de Constantinople, en l'an 553. D'ailleurs, l'Encyclopédie catholique déclarait elle-même, en toutes lettres, qu'à la suite de ce concile « quiconque proclamerait sa foi en la préexistence des âmes serait frappé d'excommunication ».

Je lus jusqu'à en être épuisée tous les ouvrages de David. Certes, j'avais déjà entendu parler de tout cela de façon plus ou moins décousue. Mais là, j'avais pu consulter directement ces monceaux de textes rapportés par des chercheurs, puis cau-

* Si l'on projetait tous les continents sur une surface plane, la pyramide représenterait l'« épicentre » de la projection. En outre, ses dimensions en centimètres correspondent au diamètre et au rayon polaires de la Terre, de même qu'elles correspondent très précisément aux mesures, en temps et en mouvement, des équinoxes de l'année solaire.

tionnés par les plus éminents scientifiques, archéologues et théologiens. Cette somme de preuves me parut trop considérable pour être prise à la légère, ou rejetée sans appel. Il m'eût été impossible de l'ignorer en gardant la conscience tranquille. Et si je ne savais pas très bien quelles conclusions en tirer, j'étais sûre que je n'allais pas cesser d'y penser, en me demandant pourquoi ces découvertes me semblaient si nouvelles.

A diverses occasions, j'avais entendu des scientifiques, à la télévision, déclarer « inéluctable » la vie extraterrestre dans le cosmos. Mais, à ma connaissance, personne ne s'était appuyé sur une documentation aussi imposante que celle de David pour le prouver. Elle inclinait à prendre un peu plus au sérieux les antécédents extraterrestres de notre histoire... d'autant que ces antécédents nous éclairaient sur les progrès spirituels et sur la genèse du monothéisme.

Pourtant, si convaincants que fussent les arguments avancés par un scientifique en faveur de cette démarche, je savais pertinemment qu'un autre scientifique les rejetterait. Car sur ce point au moins, nos « spécialistes » ne se mettraient jamais d'accord. C'était sans doute la raison pour laquelle aucune présentation de la question dans son ensemble n'avait été tentée et aucune concertation des différentes disciplines scientifiques ne s'était faite pour accréditer ces hypothèses.

On pouvait en dire à peu près autant de l'Église. Imagine-t-on un prédicateur fondamentaliste affirmant, un dimanche matin, du haut de sa chaire électronique, que Moïse a été guidé à travers le désert par un vaisseau spatial ?

Je ne pus m'empêcher de rire en y songeant, alors que j'étais assise sur mon balcon à observer la farandole des bécasseaux. Tout était absurde, et nous vivions dans un monde à l'envers.

Durant mon enfance, mon adolescence, et depuis que j'étais entrée dans l'âge adulte, *nul ne m'avait appris à penser en dehors des cadres traditionnels inculqués par mes maîtres.* Il était grand temps, aujourd'hui, que je pense par moi-même. Et si mon idée était folle, je pouvais me référer à d'illustres prédécesseurs : Christophe Colomb n'avait certainement pas été le premier à soutenir que la Terre était ronde. Quelle arrogance, quand on y réfléchissait, de croire que nous étions les seuls êtres doués de raison raisonnante dans l'univers, et de le proclamer !

Un peu plus tard, David m'appela :

— Alors, tu avances ?

— Au point d'en avoir l'échine brisée, répondis-je.

— Que dirais-tu d'un petit voyage ?

Sans même prendre le temps de réfléchir, j'acceptai :

— Oh, oui ! Un voyage où ?

— Au Pérou.

— Tu veux dire... dans les Andes ?

— Pourquoi pas ?

— Tu as raison. Pourquoi pas ? J'ai deux semaines de libres.

Peu importe où j'irai pourvu que j'y aille !

— Alors, rendez-vous dans deux jours à l'aéroport de Lima.

Chapitre 19

« Je suis convaincu d'avoir existé des milliers de fois déjà tel que j'existe à présent, et j'espère bien exister des milliers de fois encore... L'homme est un dialogue entre la nature et Dieu. Sur d'autres planètes, il ne fait aucun doute que ce dialogue est plus élevé et plus riche. Ce qui nous manque, c'est de savoir qui nous sommes. Lorsque nous saurons cela, le reste viendra tout seul. »

Johann Wolfgang Gœthe
Mémoires de Johannes Falk

LE vol de nuit pour le Pérou me rappela le bon vieux temps. Celui où je prenais l'avion quand bon me semblait, libre de toute contrainte et disponible, pour aller seule au bout du monde. Je n'avais révélé à personne ma destination : on savait seulement que j'étais partie en voyage. La plupart de mes amis et mon agent étaient accoutumés à mes fugues.

Je dormis du sommeil du juste. A mon réveil, l'appareil survolait Lima. Plus exactement, il survolait l'épaisse purée de pois derrière laquelle se cachait la capitale et son port. C'était pis qu'à Los Angeles. Je remplis mon formulaire de débarquement, déclarai le montant d'argent dont je m'étais munie, me demandant à quoi pouvait bien ressembler la vie quotidienne dans une dictature militaire d'Amérique du Sud.

Je débarquai à l'aéroport Jorge Chevez dans la fraîcheur matinale. Il nous fallut marcher de l'appareil à l'aérogare de béton.

Il y avait avec moi des passagers de toutes nationalités, et pas seulement des Péruviens qui rentraient au pays. Manifestement, Lima était un centre international d'affaires... d'affaires plus ou moins louches et illégales, pensai-je. Rien qui puisse soulager la misère des pauvres bougres du coin. Voilà que ça me reprenait...

Nul ne reconnut, à l'arrivée, la riche gauchiste au cœur tendre ! Les papiers et le passeport que je présentai au contrôle n'impressionnèrent personne. Douaniers, policiers, porteurs, employés de l'aéroport, tous, sans exception, avaient l'air de flics d'opérette dans leurs uniformes. Bien que le gouvernement fût, en principe, composé de militaires de gauche, je m'attendais à cette rigidité me rappelant celle de la gestapo. Je ne connaissais du Pérou que la civilisation inca, les plaines de Nazca, et je savais que le pays était tout en montagnes.

J'avais bourré une grande valise de vêtements d'été et d'hiver, m'étais munie d'une paire de bottes de marche, d'un magnétophone, d'une pile de cassettes, et de papier en quantité. Quoi qu'il pût m'arriver, je tenais à le prendre en note.

Je passai la douane sans encombre, si ce n'était un document en triple exemplaire que j'avais oublié de remplir et attendis ma valise. Le soleil venait tout juste de dissiper la fraîcheur matinale quand je regardai les gens tassés derrière une barrière, attendant les voyageurs. Personne de ma connaissance parmi eux. Cet aéroport de béton était sinistre. Enfin, le carrousel se mit en marche. Je pus récupérer ma valise et mon sac de voyage, me frayer un passage vers la sortie, afin de trouver un taxi qui me conduirait en ville. Je n'éprouvai pas la moindre crainte.

Juste à l'instant où je jetais mon dévolu sur un taxi (« pourvu qu'il tienne bon jusqu'au Sheraton local », pensai-je), je sentis quelqu'un s'emparer de ma valise avec autorité. Je me retournai. C'était David.

— Présent ! fit-il.

Il portait autour du cou une écharpe de laine et, sur le dos, une veste de l'armée dont il avait remonté jusqu'au menton la fermeture Éclair. Le visage bronzé, il me souriait.

— Monsieur Livingstone, sans doute ? ironisai-je.

— Pour vous servir, m'dame. Tu as fait bon voyage ?

— Pas mauvais.

— Heureux de t'accueillir dans les montagnes que j'aime

tant. Elles m'ont souvent sauvé la vie. Elles respirent la paix.

Je le regardai dans les yeux, n'éprouvant pas le besoin d'en savoir plus.

— Viens, fit-il, ne fais pas attention à ma guimbarde. Pas moyen de trouver une Land Rover. C'est pourtant le meilleur moyen de circuler là-haut.

— Là-haut ? Nous partons tout de suite pour les Andes ?

— Bien sûr. Difficile de faire autrement d'ailleurs. Le Pérou, *c'est* les Andes ! Mais attends de les voir de près. Ce n'est pas l'Himalaya, mais c'est aussi superbe.

Il se saisit de mes deux bagages, me dirigea vers une vieille Plymouth rouge de location, garée sur le bord d'un chemin de terre longeant l'aérogare.

— Tu as pris un petit déjeuner dans l'avion ? Oui ? Alors, on fait quelques provisions et on fonce tout de suite sur Llloclapampa.

L'air pollué combiné au brouillard me valut une quinte de toux. J'avais imaginé Lima comme une station balnéaire inondée de soleil, bénéficiant d'un climat idéal, où les gens déambulaient en bermuda. Ce que j'avais sous les yeux était plutôt humide, moite, minable et déprimant.

A propos de Lima, David me raconta une légende reposant sur des faits historiques. Lorsque Pizarre envahit l'empire des Incas, ceux-ci manifestèrent leur volonté de paix en conduisant les armées espagnoles vers ce qui est aujourd'hui la capitale, afin qu'elles y établissent leur campement. Ils avaient montré ce site avec une grande fierté aux conquérants qui les avaient soumis. C'était au début de l'année. Janvier et février sont des mois paradisiaques, où le site jouit d'un microclimat exceptionnel. Mais tout le reste de l'année est lugubre. A peine les Espagnols se furent-ils installés que le temps se mit à changer. « Pas de chance, vraiment », avaient commenté les Incas. Le temps ne s'améliora pas et la pneumonie ne tarda pas à sévir parmi les armées de Pizarre.

— Parle-moi un peu des Incas, dis-je. D'où leur venait leur ingéniosité ?

— Sans doute acceptaient-ils volontiers les aides extérieures. Les peuples primitifs ne redoutent pas les miracles. Ils les acceptent tels quels, en estimant que d'autres en savent plus long qu'eux.

— Qui, par exemple ?

Il se contenta de me répondre par un clin d'œil.

— Pardon, dis-je. J'avais oublié tes habitants du Ciel.

David alluma une Camel, et me demanda de réfléchir à ce dont j'aurais besoin, car là où nous allions, nous serions trop heureux de trouver une lampe à pétrole.

— Je sais que tu as l'habitude de voyager à la dure, fit-il, mais cette fois-ci, tu n'auras pas de sherpas ou de porteurs... Prends du papier de toilette, des conserves de base, une bouillote et tout ce qui pourra te réchauffer. Il n'y a pas de chauffage là où on va, tu sais.

Cela me rappela mes nuits passées dans une hutte de l'Himalaya : comme j'étais sur le point de mourir de froid, je recourus à une technique conduisant à la « victoire de l'esprit sur la matière ». Je me concentrai sur ce que je pouvais imaginer de plus brûlant : le Soleil. Grelottante, claquant des dents, je m'étendis sur un lit de fortune, fermai les yeux et, quelque part au fond de ma tête, finis par trouver mon propre soleil jaune-orangé. Je me concentrai aussi fort que possible jusqu'à ce que je sente mon plexus solaire, transpirer et la lumière du jour inonder mon cerveau. Au cours des deux semaines passées dans les neiges himalayennes, chaque soir j'eus recours à cette technique.

Il me faudrait peut-être y faire appel. Mais, cette fois, je craignais fort d'en avoir perdu la maîtrise.

La route asphaltée qui conduisait à Lima était encombrée de camions vomissant des nuages de fumée et de voitures crasseuses. Des hommes en costumes grisâtres passablement élimés déambulaient nonchalamment dans les rues. Je me demandai quelles activités pouvaient bien les attirer vers un bureau si tôt le matin.

— Lima est au bord de la révolution, me dit David. Le taux d'inflation grimpe à une telle vitesse que les gens ne peuvent plus joindre les deux bouts. Épouvantable. Et comme d'habitude, ce sont les pauvres qui en pâtissent le plus. Les salaires stagnent et les prix montent. Comment le gouvernement s'y prend pour foutre une telle pagaille, je n'en sais rien, mais c'est en soi révélateur de ce qui se passe dans tous les régimes du monde. Ce n'est pas ton avis ? Bon, maintenant, cap sur le supermarché, pour nos rations de survie.

Le fait de me retrouver dans un pays que je ne connaissais

280

pas, m'étonnait, même si je n'y étais pas venue pour le dépaysement.

Le prétendu supermarché avait la superficie d'une modeste boutique de New York. Et pas vraiment la classe d'une épicerie fine de la Première Avenue. J'eus l'impression que les propriétaires augmentaient les prix quand bon leur semblait. Les viandes, les fromages, les pains et les gâteaux étaient disposés dans des présentoirs vitrés. Une boisson gazeuse du nom de Inca Cola semblait avoir la prédilection de David : il en acheta une pleine caisse, avec un décapsuleur, ouvrit sur-le-champ une bouteille de ce breuvage et le vida d'un trait.

— Entre les cigarettes et cette merveilleuse saloperie, fit-il, tu repasseras pour la cure thermale !

J'avais un faible taux de sucre sanguin ; par précaution, j'achetai des boîtes de thon, des noisettes, du fromage, et aussi des œufs, en espérant pouvoir les faire durcir quelque part. Je me serais volontiers laissée faire par quelques-unes des multiples pâtisseries péruviennes qui étaient proposées, mais en réfléchissant à ce qu'il adviendrait de moi si, là-haut, j'avais une brusque attaque d'hypoglycémie, j'y renonçai.

David parlait couramment l'espagnol. A ma grande surprise, je l'observai jacasser avec la caissière ; la morphologie de son visage semblait se modeler autour des mots péruviens. Il avait vraiment le don d'*épouser* la nationalité qu'il endossait.

— Eh oui, fit-il en sortant du magasin, le monde *est* un théâtre, et la vie une intrigue dont nous ne sommes que les acteurs.

— L'avantage pour toi, dirait-on, c'est que tu soupçonnes d'avance le dénouement, non ?

— Quelque chose comme ça... répondit-il en faisant basculer sur le siège arrière la caisse de Inca Cola, ... seulement, tu ne sais jamais comment vont réagir ceux qui n'ont pas encore lu l'intrigue...

Il me fit un clin d'œil entendu et ouvrit la porte de la guimbarde.

Nous évitâmes le centre de Lima ; je ne pus donc me faire la moindre idée de cette ville. Je savais qu'on y trouvait quelque part un Sheraton, et aussi un musée d'histoire naturelle dont les collections retraçaient la civilisation inca, et même pré-inca.

David roula en direction du nord-est, vers les contreforts des Andes. Il était déjà venu de nombreuses fois au Pérou, m'apprit-il. Le pays était à peu près trois fois plus étendu que la Californie et, en raison de sa diversité géographique, on y rencontrait trois types de climats. Nous allions d'abord gagner Huancayo, une ville de cent mille habitants située assez haut dans les Andes. Mais nous ne nous y arrêterions pas. Trop de poussière et trop de monde. Nous ferions étape plus loin dans un coin qu'on pouvait difficilement qualifier de village, où nous trouverions des bains minéraux, de quoi nous sustenter, un gîte pour dormir et une vue paradisiaque, unique au monde. Il ponctua son discours d'un nouveau clin d'œil et, bien que le temps fût plutôt couvert et maussade dans cette banlieue de Lima que nous allions bientôt quitter, je commençai à me sentir heureuse. Nous avions près de quatre cents kilomètres à parcourir avant d'atteindre Huancayo, sur une route qui grimperait de plus en plus raide...

Juste à la sortie des faubourgs de Lima, nous nous arrêtâmes devant un bazar, où David me conseilla d'acheter un poncho en laine d'alpaga. Il me serait fort utile, m'expliqua-t-il, car je pourrais m'en servir comme couverture la nuit venue. J'en choisis un très beau, soyeux au toucher, d'un beige que j'adorais. David ne fit aucun commentaire sur mon manteau de cuir signé Ralph Lauren. Je ne fus pas mécontente de le dissimuler sous mon poncho. J'achetai une écharpe assortie. Le tout me coûta dix-huit dollars. Pour l'instant, je crevais de chaleur dans mon blue jean, mais j'avais suffisamment voyagé pour savoir qu'en montagne, rien n'est jamais assez chaud lorsque le soleil s'est couché.

Bientôt, la route devint sinueuse. Nous y croisâmes des Indiens drapés dans leurs ponchos. Nous traversâmes Chosica, une bourgade située à une quarantaine de kilomètres de Lima.

— Les gens descendent vers la plaine littorale avec l'espoir de changer de vie, dit David, en secouant la tête, et ils finissent dans les endroits de ce genre... Lamentable.

A l'exception de quelques cactus, aucune trace de verdure : le sol était aride. Sur les collines environnantes, pierraille, sable, poussière... et panneaux publicitaires vantant Inca Cola.

Un camion chargé de vieux sommiers à ressorts nous dépassa, arborant un portrait de Che Guevarra.

— Ici, on l'admire beaucoup, commenta David. Parce qu'il est mort pour ses idées.

Je remarquai que les gens ressemblaient à des Tibétains. Une voie ferrée longea la route, et nous croisâmes un convoi chargé de charbon.

Enfin, le soleil se dévoila, donnant au ciel des tons de turquoise pâle. L'air fraîchissait. Des arbres çà et là verdirent le paysage. Je songeai à l'insalubrité des grandes villes partout dans le monde. Loin d'elles, même les sourires étaient plus épanouis. Je me sentis heureuse, insouciante de ce qui pouvait m'arriver.

Nous traversâmes de petits villages et nous vîmes partout des Indiens travailler la terre. Plus nous grimpions, plus le paysage devenait vert. Passé Cocachacra, nous longeâmes le cours d'une rivière.

— C'est le Rio Mantaro, me dit David.

Maintenant, la ligne de chemin de fer plongeait souvent sous des tunnels creusés à flanc de montagne. Nous passâmes devant une fonderie.

— Dans les villages miniers comme celui-ci, m'expliqua David, on fond la houille qu'on extrait de la montagne. Les gens travaillent à ça toute leur vie, jusqu'à ce qu'ils en meurent.

Le village s'appelait Rio Seco et, dans ses environs, la terre était plus riche, plus sombre. De petites pierres carrées, autour desquelles on avait disposé des fleurs, dépassaient du sol çà et là, à proximité de la route.

— Ce sont des tombes, m'apprit mon compagnon. Dans les Andes, chaque fois que quelqu'un se tue en voiture, on l'enterre sur les lieux de l'accident.

Nous roulions maintenant à plus de quinze cents mètres. Je me sentais envahie par une légère somnolence.

Une femme vêtue d'un sarrau à rayures roses et chargée d'eau passa. Selon David, elle s'en retournait ainsi à Rio Seco, trois ou quatre kilomètres derrière nous.

Bientôt la route cessa d'être asphaltée. David me proposa de faire halte dans un restaurant en bord de route, pour y manger un peu de riz et de haricots. Nous roulions depuis une heure ; il nous restait cinq ou six bonnes heures de route.

Le restaurant tenait de la gargote mexicaine, mais je fus surprise de la qualité de la cuisine. David et moi nous attablâmes devant un plat composé de riz et de haricots, d'œufs farcis à la sauce piquante, et d'une salade de pommes de terre nappée d'une sorte de mayonnaise au beurre d'arachides.

C'était délicieux. Du fait de l'altitude, je respirais un peu plus vite. David m'entraîna vers l'arrière-salle, où était installé un appareil à oxygène pour touristes incommodés par la raréfaction de l'air. Nous étions à plus de trois mille mètres. Il m'était déjà arrivé de danser à environ deux mille cinq cents mètres sans en ressentir le moindre trouble. Je ne m'inquiétai donc pas. Mais j'inhalai un peu d'oxygène : cela me stimula tant que j'eus le sentiment que j'allais m'envoler.

Au cours du déjeuner, nous discutâmes des coutumes péruviennes, de la faction militaire de gauche qui gouvernait le pays. Selon David, elle ne se maintiendrait plus longtemps au pouvoir. Le Pérou importait en presque totalité son gaz et son pétrole du Moyen-Orient, alors qu'il possédait d'énormes réserves énergétiques enfouies sous ses montagnes. En me parlant, il paraissait détendu, heureux de voir que je l'étais aussi, beaucoup moins soucieux qu'à Los Angeles. Le patron du restaurant voulut lui offrir un verre de *pisco*, mais il le refusa : il lui fallait garder les idées claires pour conduire sur la route en lacets qui nous attendait.

Pendant le repas, nous n'abordâmes aucun sujet personnel. Au moment où nous partions, je remarquai sur le comptoir, près de la porte, deux pots de terre portant chacun une inscription en espagnol : *PARA LLORAR* et *PARA REIR* (Pour pleurer, pour rire). Juste au-dessous des deux pots était écrit aussi, mais en anglais : Es-tu bien sûr que ta femme t'aime ?

Nous remontâmes dans la Plymouth. Un panneau annonçait que nous nous trouvions à 3 746 mètres au-dessus du niveau de la mer. Si j'éprouvais le mal des hauteurs, me dit David, je pourrais trouver un appareil à oxygène à Casapalca, un centre minier des environs. Ce ne fut pas nécessaire.

Bientôt le sol ne fut plus que glaise rouge-orangée. Des hommes cassaient des pierres au bord de la route. Cela me rappela l'Himalaya. Nombre d'entre eux fumaient. Soixante-dix pour cent des Péruviens étaient de souche indienne, appris-je. Ils ressemblaient à des Orientaux ou des Mongols, avec leurs cheveux de jais et leur visage tanné, basané, où perçaient des yeux comme des raisins noirs. Les femmes aux longues tresses sombres, surmontées de coiffes blanches soigneusement amidonnées et bordées d'un liseré noir, portaient des robes en épaisse cotonnade, aux couleurs vives.

L'exploitation de la houille et des autres minerais semblait résumer l'existence de ces gens. Des terrils s'élevaient partout dans les vallées, où des Indiens remplissaient à la pelle les camions de ramassage. Les Andes péruviennes regorgeaient en minéraux qui n'existaient nulle part ailleurs, découvris-je encore, grâce à David.

Il me parla pendant un certain temps des mouvements tectoniques qui s'étaient produits sous la Cordillère. Là, étaient enfouies des civilisations vieilles de plusieurs milliers d'années. Il serait bien simple de les redécouvrir si le gouvernement voulait bien y consacrer un budget suffisant.

— Mais ils ne le feront pas, ajouta-t-il. Ils n'ont pas de respect pour le passé.

Nous traversions maintenant un petit village du nom de Chicla, où l'on exploitait la craie. Mais seule l'église était blanche. Tous les autres bâtiments — et aussi les autobus — étaient peints en bleu turquoise, pour imiter la couleur du ciel, peut-être ?

Juste à l'entrée d'un tunnel, la voiture se mit à crachoter, puis tomba en panne.

— Manque d'oxygène, diagnostica David. La carburation se fait mal.

Le moteur se remit en marche, à l'instant précis où un paysan engageait son troupeau de lamas sous le tunnel.

On commençait à apercevoir de la neige sur les sommets. Des fleurs sauvages poussaient çà et là. Plus nous nous élevions, plus leurs couleurs étaient vives.

En traversant San Mateo, je vis des eucalyptus et des pins. Dans chaque village, une église.

Maintenant, le relief avait pris une teinte rouge sombre. Celle du minerai de fer, me dit David. Partout le linge séchait, suspendu à des cordes. Au fur et à mesure que nous gagnions en altitude, le soleil se faisait plus brûlant. Un peu plus loin, deux femmes, coiffées de larges chapeaux de paille blancs, tricotaient en dévidant de longs écheveaux de laine de lama.

Depuis longtemps la route avait cessé d'être asphaltée. Un porc hirsute et velu déambula entre deux bâtisses flanquées de placards publicitaires. Mobil Oil d'un côté, Coca Cola de l'autre.

La route se rétrécissait dangereusement. Il n'était pas rare, me fit remarquer mon compagnon, qu'un autobus basculât dans le ravin.

Bien que le soleil fût de plomb, les hommes portaient des chandails et des calottes de laine. L'enseignement des cimes leur rappelait que le froid les unissait à la montagne. Là-haut, au sommet d'un pic de six mille mètres, flottait le drapeau péruvien.

La température avait encore baissé. Le soleil étincelait dans l'air vif et raréfié. Nous étions très exactement à 4 818 mètres au-dessus du niveau de la mer, un panneau fiché là où la route croisait la voie ferrée, en un lieu nommé Abra Anticona, nous le précisa. Il était aussi écrit : *PUNTO FERRO-VIARIO MÁS ALTO DEL MUNDO* (Point ferroviaire le plus haut du monde). Un autre panneau, tout proche du précédent, portait cette inscription : *EXISTEN LOS PLATILLOS VOLA-DORES CONTACTO CON OVNIS* (Les soucoupes volantes existent. Point de contact avec les OVNIs).

Je fronçai les sourcils et regardai David d'un air interrogateur.

— Alors ? fit-il en souriant. Je ne suis pas le seul à être cinglé, tu vois.

— Qu'est-ce que ça veut dire ? demandai-je.

— Qu'on voit beaucoup d'OVNIs dans les parages. C'est de notoriété publique. Mais personne ne s'en émeut davantage.

Je pris une grande bouffée d'air.

— Et... c'est pour voir des OVNIs que nous sommes venus ? Que tu m'as amenée ici ?

— Peut-être.

— Oh, mon Dieu !

— Le mot tombe bien !

La route, un peu moins cahoteuse, perdait de l'altitude. Les montagnes verdoyaient à nouveau. Nous longeâmes le lit d'un splendide cours d'eau cuivré.

— C'est toujours le Rio Mantaro, fit David. C'est comme ça que je voulais te le montrer. Tu as déjà vu quelque chose de plus beau ? Et là-bas, de l'autre côté de la plaine, c'est ce qu'on appelle ici le Val du Mantaro.

Nous roulions dans un paysage de collines vallonnées, où le jaune-orangé se mélangeait aux ombres violettes que faisait naître le soleil déclinant, en cette heure du jour que les gens du cinéma qualifient de « magique ».

David immobilisa la Plymouth le long d'une bâtisse de

briques. Près d'elle, deux hommes confectionnaient des briquettes d'argile.

— Terminus, dit-il. Voici Llocllapampa. C'est ici que nous nous installons.

— Où ça ?

— Là-bas. C'est l'hôtel.

Il me montra, de l'autre côté de la route, un autre bâtiment de briques. A l'exception d'une troisième construction — toujours de briques — situé à une trentaine de mètres plus loin, aucune trace d'habitations dans tout le voisinage. Et pas le moindre hôtel en vue.

— Allons d'abord à l'hôtel, reprit-il, ça va nous dégourdir les jambes.

Sur le bas-côté, trois femmes battaient du grain avec des balais de paille. Un coq leur courait sous les jupes. Elles nous adressèrent un sourire. David parlementa en espagnol avec elles, me désignant du geste comme s'il me présentait. Je leur fis un petit signe de tête. Puis David revint à la voiture pour en sortir nos bagages, m'invitant à le suivre vers la bâtisse de briques.

Une porte à deux battants donnait accès à une cour intérieure malpropre. Là, une allée pavée conduisait vers ce qui se révéla être deux chambres adjacentes. Je poussai une porte. Sur le sol de terre battue, d'une netteté douteuse, était disposé un châlit. Près de lui, un cageot faisait office de table de nuit. Pas d'électricité. Pas trace non plus de lavobo. Sur le lit, une couverture assortie d'un oreiller grisâtre... Ni draps... ni taie d'oreiller...

Je me retournai vers David.

— Tu débordes d'imagination, dis-je.

— Oui m'dame, approuva-t-il en souriant.

— Et c'est... ici que nous allons...

— Ouais. Pas terrible, mais tu es chez toi. Moi, c'est juste à côté.

Il me désigna quelques clous fichés dans le mur de briques :

— Ta penderie. Tu ferais bien de déballer tes affaires, me conseilla-t-il. Dès que le soleil sera couché, tu seras dans le noir complet.

— Je vois, dis-je, sans trop d'enthousiasme.

— Je reviens tout de suite, fit-il en se dirigeant vers sa chambre.

Quelques secondes plus tard, il cogna contre ma cloison. Me cria que le Rio Mantaro nous tiendrait lieu de salle de bains et de commodités, que nous y descendions séance tenante, et que je serais bien avisée de me vêtir chaudement : nous allions prendre le premier bain de notre cure thermale.

Non, je n'étais pas en pleine science-fiction. Il ne pouvait s'agir que d'un épisode ressurgi d'une de mes vies passées.

Chapitre 20

« Il apparaît tout de suite que ce monde sensible,
cet univers apparemment réel, qui pourtant nous
est opportun et pratique à certains égards, ne peut
être *le* monde, mais simplement l'image que nous
nous en faisons... le seul témoignage des sens ne
peut permettre d'accéder à la réalité ultime. »

E. Underhill
Mysticism

DE la valise qui m'avait accompagnée autour du monde je sortis un pull, mon nouveau poncho et un chapeau de soleil. Ce chapeau, je ne l'oubliais jamais, car après deux heures d'exposition en altitude, mon visage virait au rouge tomate. Je cachai mes sous-vêtements dans la valise, me demandant comment je pourrais les laver. Grâce à Dieu mes règles s'achevaient, je n'aurais plus à m'en préoccuper dans les jours à venir. Ma montre-bague était là, ce qui me rassura. Elle me rattachait au monde. Je sortis mes cassettes, mon magnétophone, et du papier pour noter rapidement mes premières impressions sur le site. Bientôt le soleil se coucherait ; je pressentais à quel point il allait faire froid.

David entra après avoir frappé et me tendit une serviette de toilette. Puis il m'engagea à prendre mon poncho et à chausser mes bottes de marche pour notre première descente aux bains minéraux.

— Aux bains minéraux ? Par ce froid ?

— Pourquoi pas ? Au début, c'est mortel, mais tu verras...

Nous traversâmes la cour pavée pour nous retrouver sur la route. Les montagnes alentour étaient bariolées d'ombres pourpres. Dans une étable, des animaux invisibles révélaient leur présence par des rumeurs et des grondements. De l'autre côté de la route, faisant face à notre « hôtel », le bâtiment de briques près duquel David avait garé la Plymouth portait sur sa façade l'inscription *FOOD*. On pourrait donc y manger quelque chose. A travers la porte, une radio nasillarde retransmettait du foot-ball. A l'intérieur, des Indiens riaient et se congratulaient en naviguant entre les tables disposées pour la *cena*. De la soupe fumait sur un réchaud à gaz. Une vieille femme édentée vint nous en proposer un bol.

— Non, me dit David. Après le bain. Les sels minéraux nous donneraient des brûlures d'estomac si nous mangions maintenant.

Je n'avais pas très faim, mais j'aurais aimé emporter quelques œufs durs. David demanda à la vieille Indienne si elle pouvait aller chercher mes œufs dans la Plymouth et les préparer.

Puis, en nous éclairant d'une lampe électrique, nous descendîmes un escalier de pierre. Je craignais de trébucher dans la pénombre. Passe encore pour la féérie du Shangri-La des Andes ! Mais de là à oublier que je devais bientôt remonter sur les planches ! Tout à coup, le Rio Mantaro m'apparut, nimbé de la lumière du couchant. Une splendeur ! Il dévalait fougueusement les rochers, éclaboussant au passage les branches des arbres enracinés sur ses berges escarpées. Des touffes d'herbe verte jalonnaient le sentier. Au bord de la rivière orange quelques Indiens enveloppés dans leurs ponchos regardaient le soleil se coucher derrière les cimes.

David m'entraîna vers un enclos de briques couvert d'un toit de zinc, déverrouilla une porte de bois grossière, entra, alluma une bougie et la déposa sur un banc de bois, près duquel, dans une cavité naturelle assez profonde, de l'eau scintillante gargouillait.

— Tu as devant toi l'un des bains minéraux les plus célèbres des Andes, m'annonça-t-il.

Je me penchai pour mieux voir. Une légère vapeur recouvrait la surface de l'eau. Je m'agenouillai à même le sol et y plongeai la main. A ma surprise, l'eau était chaude et pétillante... comme du champagne.

— C'est dû aux sels, fit David. Excellent pour les douleurs des os et des muscles.

Je retirai ma main. En un rien de temps elle fut gelée.

— Tu voudrais que je crève de froid en sortant ? demandai-je en riant.

— C'est glacé pendant quelques minutes, mais après, tu verras, tu auras très chaud.

Je me redressai, gênée. Allais-je plonger toute habillée ? Étais-je sensée me dévêtir devant lui ?

— Vas-y, proposa David. Je t'attends dehors. Appelle-moi dès que tu es dans l'eau.

J'ôtai prudemment mon poncho et l'accrochai à l'un des cinq clous du mur. Ensuite, je retirai mon pull et mon pantalon. Je pris soin d'accrocher mes vêtements de façon à pouvoir les remettre rapidement en sortant. J'enlevai tout à la hâte, culotte, chaussettes... Sur le banc, un petit tas bien net. Au diable ce que David en penserait.

Tremblant de froid, je m'approchai du bassin, aventurai précautionneusement la jambe droite dans l'eau pétillante, touchai le fond un peu glissant. Puis je m'y plongeai jusqu'au cou, comme dans une énorme vasque d'eau minérale, chaude et pétillante. Merveilleux. Il me fut difficile de garder les pieds au fond, tant je flottais.

— J'y suis ! hurlai-je à David. C'est extraordinaire !

— Attends que toute ta peau en soit vraiment imprégnée, dit-il en entrant. Tu vas voir.

Il se retourna vers le mur et se dévêtit en moins de cinq secondes.

Quand je me retournai, il me faisait face, de l'eau jusqu'au cou.

Je respirai à fond pour essayer de me détendre.

— Tu dois être patient avec moi, dis-je. J'ai fait des tas de chose dans ma vie, mais rien de semblable.

Je me sentais un peu ridicule.

— Oui, tu as raison.

Je repris une profonde inspiration, sans chercher à comprendre ce qu'il avait voulu dire.

— Regarde, reprit-il. Fais des mouvements de bras dans l'eau. Tu vas sentir les bulles coller à ta peau.

Je m'exécutai, usant de mes bras comme de battoirs à champagne. Le mouvement engendrait de la chaleur. Cela ressemblait aux bains de soufre japonais, en plus doux et plus lénifiant.

La lueur de la bougie dansait toujours sur le mur. Je voyais les yeux de David briller de l'intérieur. Des gouttelettes lui tombaient du menton. Quelle image se faisait-il de moi ?

Ne sachant trop que dire, je lui demandai :

— Tu viens ici souvent ?

Ma question le fit rire. Il se tourna vers la bougie.

— Oui m'dame, répondit-il. Tu veux essayer quelque chose ?

Merde ! Nous y voilà, pensai-je.

Je m'efforçai de regarder alentour comme si de rien n'était.

— Tu vois la flamme de la bougie ? poursuivit-il.

— Oui.

— Bon. Concentre-toi sur elle et inspire à fond.

— Tu veux que j'inspire à fond ?

— Oui, bien à fond.

J'inspirai jusqu'à suffoquer en avalant ma salive. Pas très original : je n'avais fait que ça toute la journée, respirer à fond.

— Et les bras, j'arrête de les remuer ? demandai-je, pour montrer combien j'étais résolue à tout essayer.

— Oui, laisse-les flotter. Tu ne risques pas de couler.

Voilà qui était rassurant. Au moins, je ne coulerais pas. Je laissai donc mes bras flotter.

— Mon Dieu ! pensai-je, c'est maintenant qu'il va me sauter dessus. Il va me choper sous les aisselles, et cette saloperie de flotte va m'empêcher de baisser les bras.

— Maintenant, fit David, tu vas te concentrer sur la flamme de la bougie jusqu'à ce que tu sentes que cette flamme, c'est *toi.*

Seigneur ! Il se fiche de moi, me dis-je. *Moi,* une flamme ? Alors que j'ai déjà du mal à me sentir *moi-même !*

Je fixai la lueur vacillante, m'efforçant de ne pas cligner des yeux. Une inspiration encore. Mon cœur battait à tout rompre. J'étais certaine que David pouvait l'entendre s'affoler. Je ne remuai pas d'un pouce, les yeux rivés à la bougie.

— Dis-moi, Shirl, de quoi as-tu peur ? dit-il calmement.

— Moi, peur ?

— Non, pas toi. La femme qui est en toi.

292

Je me sentis tout à fait ridicule. Je pensai à tous les types qui m'avaient dit : « La seule chose que je souhaite, c'est de m'allonger près de toi pour me détendre. Et ne rien *faire* d'autre. »

— Écoute, reprit-il, si je pensais à ça, ce serait simple de te le proposer, non ?

Au moins, il ne s'encombrait pas de périphrases. Je toussai.

— Eh bien... j'hésite, dis-je, prudemment.

— Qu'est-ce qui te fait hésiter ? Je te demande d'essayer quelque chose : ce n'est pas ce que tu crois. D'ailleurs, je n'en ai pas la moindre envie.

Le salaud ! Pas la moindre envie.

— Pourquoi ? dis-je. Ou plutôt... pourquoi pas ?

— Qu'est-ce que ça veut dire, pourquoi pas ? Nous ne sommes pas venus ici pour ça, que je sache. Si c'est ce que tu as en tête, un peu de patience. Laisse-moi au moins me faire à l'idée...

Je ris de bon cœur.

— Continuons, fit David. Concentre-toi sur la flamme et respire à fond.

— D'accord. Je crois que ça vaut mieux. Après tout, on a déjà vécu deux vies ensemble, non ?

— Juste, dit-il en riant à son tour.

Il ne me prenait pas au sérieux, bien sûr. Je me concentrai à nouveau sur la flamme. Il me conseilla d'inspirer profondément. A nouveau j'essayai.

— Concentre-toi sur la flamme comme si elle était le centre de ton être. Tu dois devenir bougie. Pense à la flamme, à rien d'autre.

Je me concentrai tout en respirant aussi intensément que je le pouvais. Il le faut, me disais-je. C'est lui qui a raison et moi qui suis folle. Il est tout de même gentil. Le calme revenait dans mon esprit. Je réussis à me détendre, à me concentrer. Mes paupières se faisaient lourdes et mes yeux se fermaient presque, mais je voyais toujours la bougie. Les paroles de David me semblaient provenir de très loin :

— Très bien. Continue.

Le son de sa voix au-dessus de l'eau me rassérénait. Je respirai plus lentement. Les battements de mon cœur ralentirent eux aussi. Le temps s'écoula jusqu'à m'échapper peu à peu. La flamme vacillait toujours.

Lentement, lentement, je *devenais* l'eau. L'eau et chacune de ses bulles. J'étais totalement consciente de mon être et d'appartenir à tout ce qui m'entourait.

Mais je percevais surtout l'intérieur de moi-même. Ce réflexe involontaire de ma respiration était doué d'une vie propre. J'éprouvais le lien profond entre ce rythme respiratoire et l'énergie environnante. L'air lui-même me semblait pulsation. J'*étais* l'air. J'étais l'air, l'eau, la pénombre, les murs, les bulles, la bougie, les pierres glissantes, le murmure de la rivière. Alors je sentis ma propre énergie se porter vers David. J'étais aussi lui. Mais là, quelque chose dans mon esprit me retint d'aller plus avant. Une fois de plus, mon hésitation — ma peur si on préfère — me dissuada de poursuivre. Je mis un terme à cette tentative de fusion avec le Tout.

— Ça suffit pour cette fois, fit la voix de David. Bravo. Que dis-tu de ce premier essai de méditation par le souffle ?

Je m'étirai et lui demandai l'heure.

— Qu'importe l'heure, me répondit-il. Oublie-la. Tu as *respiré*. Vraiment respiré. Le souffle, c'est la vie. Tu ne te sens pas reposée ?

— Si, absolument. J'ai été hypnotisée ?

— Non, c'est simplement dû à un élargissement de ton champ de conscience. On peut se régénérer ainsi en un rien de temps. La respiration est une fonction involontaire. Plus tu la contrôles, plus longtemps tu restes jeune.

Zut ! me dis-je. Voilà ce qu'Elizabeth Arden devrait inclure dans ses conseils de beauté. J'entendais distinctement la voix de David, mais je me sentais encore détachée de ma propre voix. Il me parlait des tortues géantes, qui ne prenaient que quatre inspirations par minute et vivaient jusqu'à trois cents ans. Moi, j'avais le sang chaud, et je commençais à trembler de froid.

— Tu veux vivre vieille ? fit-il.

Je secouai la tête. J'avais le cerveau plein de bulles de champagne.

— Vivre vieille ? Je ne sais pas. Et toi ?

— Moi ?

— Non, rectifiai-je, l'homme qui est en toi.

Il me sourit.

— Si je veux vivre vieux ?

— Oui.

— Bien sûr que je le veux ! répliqua-t-il. Seulement, je n'y crois guère.

Quelque chose dans son intonation me fit frémir. Ma propre réaction intérieure me surprit.

— Une chose est sûre, dis-je. Personne ne pourrait vivre longtemps dans un froid pareil. Je grelotte. Pas toi ?

— Tu as raison. Il est temps de sortir.

Il se tourna vers le mur et je mis un pied hors de l'eau. Mes dents claquaient comme si elles étaient fausses, et je tremblais si fort de tous mes membres qu'il me fut difficile de reprendre la serviette que j'avais accrochée au clou. Je me frottai vigoureusement pour activer la circulation. Je finis par me réchauffer quelque peu. Tout d'abord, mes vêtements me semblèrent froids, mais la chaleur de mon corps prit le dessus dès que j'eus passé mon pull et mes chaussettes.

— Je me sens incroyablement bien maintenant, dis-je. Quelle merveille, cette eau !

— Prends ma lampe de poche et va m'attendre dehors, me proposa David. Le temps de me sécher et j'arrive.

A l'extérieur, il faisait un bon moins dix, mais l'air était pur et léger. En contemplant la rivière, en contrebas, et les montagnes qui se détachaient de l'obscurité, je pensai que la vie était un roman. Deux mois auparavant, même dans mes rêves les plus fous, je n'aurais jamais imaginé quelque chose de semblable. Mon intuition avait du bon, décidément, je pouvais lui faire confiance.

La faim me saisit brusquement. Il fallait que je mange immédiatement, sinon, le taux de mon sucre sanguin chutait. David surgit à ce moment-là, souriant.

— Allons manger un morceau, dit-il. Ils ont du lait chaud et un ragoût à l'indienne. Viande et légumes aux herbes des montagnes, tu m'en diras des nouvelles.

Il me conseilla d'utiliser la rivière comme toilette. Plus tard il ferait beaucoup trop froid pour y redescendre.

Je m'accroupis derrière un rocher et me servis de Kleenex dont j'avais fait provision. Il faisait si froid que je me demandai si une température pareille n'allait pas m'empêcher de dormir.

— Ne pense pas encore au sommeil, me dit David, qui

semblait, une fois de plus, lire ma pensée. Chaque chose en son temps.

Une heure plus tôt, ces paroles m'auraient paru cacher une secrète intention.

Dans la gargote, la radio diffusait toujours un match de football, en hurlant. Une jeune femme cuisinait, un enfant accroché à ses jupes, un autre sanglé dans son dos. Elle portait le traditionnel chapeau de soleil bien que le soir fût tombé.

David commanda du lait chaud et du ragoût. Nous parlâmes diététique. Je lui dis combien j'adorais les cochonneries, en sachant que c'était mauvais pour ma santé, ce qu'il me reprocha. Selon lui, prendre soin de son corps, c'était prendre soin de son esprit. Simple affaire de chimie. Comme je n'y connaissais pas grand chose, il m'exposa brièvement les principes de la diététique.

Je l'écoutai, en réfléchissant à son comportement. Il ressentait le besoin de m'enseigner tout ce qu'il savait, le plus vite possible. Il me conseillait de me détendre, et je ne le sentais pas détendu. Il critiquait mes habitudes alimentaires, mais mangeait les mêmes choses que moi. Parfois il me semblait suffisant, imbu de lui-même. A d'autres moments, j'avais le sentiment qu'il ne jouissait pas pleinement de cette vie qu'il me conseillait d'aborder avec enthousiasme et sérénité. Son comportement à mon endroit ressemblait exactement à mon attitude vis à vis de Gerry, quand je lui conseillais de se détendre pour mieux se connaître. Je me demandai ce qu'il penserait s'il me voyait ici. « Si on me voyait ! »... C'étaient les paroles d'une de mes chansons. Comment réagirait le public, à Las Vegas, si j'ouvrais mon spectacle par quelques plaisanteries sur mes révélations spirituelles dans les Andes ? Il me semblait avoir deux identités... ou dix... je ne savais plus. Et si j'étais actrice parce que je n'avais rien oublié des rôles joués dans d'autres vies ?

Je dévorai le ragoût qu'on nous servit comme si demain était disette. Quel délice, ce plat aux herbes de montagne. Je sauçai le jus du ragoût avec du gros pain de maison. Ce geste me ramena aux jours heureux de mon enfance, où je campais en Virginie. Le monde et la vie paraissaient si simples alors.

— Demain, fit David, nous ferons une longue promenade dans la région. Tu comprendras pourquoi j'aime tant cet endroit.

Il me prit le bras pour traverser la route et regagner notre hôtel. Les étoiles étaient si basses que j'avais l'impression de pouvoir les cueillir comme des prunes en tendant la main. Les Andes dans leur glissement paisible ne ressemblaient pas aux chaînes himalayennes du Bhutan. Plus basses et plus étalées, elles paraissaient moins coupées du reste du monde. Sans doute les cultures en terrasses, présentes ici sur toutes les pentes, me préservaient-elles de ce sentiment d'insignifiance que j'avais éprouvé sur le toit du monde, parmi les lamas du Bhutan.

Nos chambres sentaient le renfermé et le moisi. Je me demandai qui d'autre y avait couché. La température devait avoir encore chuté de quelques degrés. David me tendit la bougie, m'assurant qu'il en avait une autre, et me souhaita bonne nuit.

— A propos, fit-il. Juste un petit truc pour dormir par des températures pareilles : ne garde rien sous ton poncho. Tu auras beaucoup plus chaud.

Moi qui avais l'intention de me vêtir de tout le contenu de ma valise.

— Mais non, me dit David. Le corps est source de chaleur et se suffit à lui-même. Essaie, tu t'en rendras compte.

A mon tour je lui souhaitai bonne nuit. Je l'avais assez entendu. Suivant son conseil, je me déshabillai sous le poncho et priai le ciel de me réchauffer ; mes pieds étaient glacés. J'attendis dans la douceur de l'alpaga. J'attendis que ma propre chaudière commence à fonctionner, en apaisant de mon mieux mon esprit et le claquement de mes dents. Je songeai à ma couverture électrique, chez moi, près de l'océan. Qu'il était bon de la régler au maximum pour dormir la fenêtre ouverte, par les fraîches nuits d'orages ! Dans l'âpreté sauvage des Andes, ma couverture électrique symbolisait tout à coup le summum de la civilisation. Je pensai à Gerry. Combien il m'aurait été difficile, impossible même, de lui écrire ce que je faisais. Où pouvait-il en être ? Le savait-il seulement ? Je pensai aussi à mon spectacle. Où étaient donc ce soir mes tziganes et mes danseurs ? Chez Joe Allen, sans doute, à manger des cheeseburgers en papotant sur ces stars qui ne leur arrivent pas à la cheville. Que signifiait être une star, quand on n'était pas tout à fait sûre de l'avoir mérité ?

Mes muscles se détendirent grâce à l'espace de chaleur compris entre mon corps et ce qui le recouvrait. C'était *l'espace* qui était chaud, pas le poncho ou la couverture. Je compris soudain que le plus intelligible de l'existence se trouvait dans ce qui échappait à notre *vue*. La vérité invisible exigeait que nous nous acharnions à la découvrir. Il ne suffisait pas de *voir* pour croire, absolument pas, il fallait aussi *regarder*. Tout était là.

Dans un frisson de bien-être, je m'assoupis, bercée par le seul murmure du silence.

Chapitre 21

« Aucune théorie purement physique n'expli-
quera jamais la physique. Je crois qu'en nous
obstinant à comprendre l'univers, nous essayons
du même coup de comprendre l'homme. Aujour-
d'hui, il me semble que nous commençons à
soupçonner que l'homme n'est pas un humble
rouage sans incidence ou presque sur le fonctionnement de l'énorme machine, mais plutôt qu'il
existe entre l'homme et l'univers un lien autrement plus intime que nous ne l'avions cru jusqu'ici... le monde physique se rattache à l'être
humain au sens le plus profond. »

Dr. John A. Wheeler

LE soleil se leva au-dessus des montagnes vers cinq heures et
demie. Il ne put envahir ma chambre, dépourvue de
fenêtre, mais je perçus sa présence à travers les murs, tant était
sensible le contraste entre le froid nocturne et la chaleur de ses
premiers rayons. Mon poncho m'enveloppait confortablement.
J'avais eu bien chaud toute la nuit.

Je sautai du lit. Pieds nus sur la terre battue encore froide,
je trouvai illogique de me vêtir maintenant que le soleil était
levé, alors que j'étais restée nue par une nuit aussi rude. L'air de
la montagne resterait froid et vif, je le savais, mais du fait de
l'altitude, le soleil nous chaufferait intensément. Mon chapeau
californien sur la tête, je sortis.

Un humet odorant me parvint d'en face. En contournant la
Plymouth, j'aperçus David, assis sur un mur de torchis. Il

regardait les hommes qui, comme la veille, confectionnaient des briquettes.

— Bonjour, lança-t-il. Tu as passé une bonne nuit ?

— Tu avais raison. Nudité égale chaleur. Je ne voulais pas le croire, mais cette nuit, j'en ai eu la preuve.

— Ça devient une habitude chez toi, tu ne trouves pas ?

— Quelle habitude ?

— De ne rien croire avant d'avoir la preuve.

— Puisque tu le dis... Au fait, on mange quelque chose ?

— Les femmes ont fait durcir tes œufs. Pense à emporter un peu de sel. En attendant, allons prendre du lait chaud et des petits pains.

Dans la gargote, la femme à l'enfant sur le dos nous adressa un large sourire, laissant entendre qu'elle ne s'expliquait pas la nature de l'idylle que nous vivions, David et moi. Faire chambre à part devait être une étrange coutume yankee.

— Ici, on ne pose jamais de questions, fit David. Chacun est libre de faire ce qu'il veut.

Nous prîmes place près d'une fenêtre, d'où j'aperçus les femmes de la veille, toujours occupées à battre le grain.

— Elles séparent le blé de la bale, me dit David avec un clin d'œil de connivence. Décidément, il n'arrêtait pas de me faire des clins d'œil. Dans un jour ou deux, reprit-il, nous mangerons du pain de ce blé.

A la lumière matinale, je remarquai que notre hôtel était surmonté d'un toit de tuiles rouges. Des coqs aux plumes du même rouge picoraient parmi les femmes.

David se laissa aller en arrière sur sa chaise et m'observa. Il ne s'était pas rasé. Sans doute avait-il décidé de se laisser pousser la barbe. Il avait vraiment un beau visage.

— Bien dormi ? me redemanda-t-il. Tu as fait de beaux rêves ?

— Je ne m'en souviens pas. J'étais déjà bien contente d'avoir chaud.

Je n'avais pas la moindre envie de me prêter à une analyse.

Nous dévorâmes nos galettes de pain roulées avec un bon bol de lait chaud. Puis je décortiquai un œuf. Dans un endroit pareil, on n'avait pas besoin de grand chose. Simplement d'être un peu soi-même. Je proposai d'aller nous promener et nous sortîmes. L'air vif et mordant me caressa les joues. Mon cœur battait plus vite à cause de l'altitude. Je m'étirai les bras, inspirai à fond et tendis le visage vers le soleil.

Je préférais les montagnes aux autres paysages sur terre. Elles avaient vu tant de choses, et restaient pourtant si patientes, si résignées, si pleines de sagesse silencieuse. Elles recélaient tous les extrêmes — la hauteur, la profondeur, l'abîme, le sommet, l'immensité, l'insignifiance, la lutte, la conquête — tout. Une montagne surmontait toujours les épreuves, même s'il s'agissait d'une déchirure de ses entrailles.

— Marchons vers la rivière, dit David. Tu veux te laver les dents ?

J'avais emporté ma brosse dans ma poche arrière. Quand nous eûmes descendu les marches de pierre et dépassé l'enclos du bassin minéral, David s'élança ; bras étendus, comme un gamin à l'heure de la récréation. Pris d'une allégresse juvénile, il gambada sur l'herbe de la rive, en balançant la tête d'un côté puis de l'autre.

— Comme je t'aime ! cria-t-il à l'adresse du Rio Mantaro. Mais pourquoi cours-tu si vite ? Où est-ce que tu vas ?

Un peu stupéfaite, je me mis à rire et courus le rejoindre.

— Pardonne-moi, dit-il, mais j'adore l'eau. Là, tout près, il y a un autre bassin minéral où tu peux boire, te brosser les dents ou te laver.

Il s'élança vers le point d'eau à grandes enjambées, s'agenouilla sur le bord, y plongea la tête et la ressortit, riant sous le soleil. Ses cheveux poivre et sel ruisselaient sur son visage, et il souriait avec tant d'abandon que je me sentis redevenir enfant moi-même.

Des pellicules sulfureuses blanches flottaient à la surface du bassin. J'en scrutai le fond, un léger courant contraire rendait l'eau effervescente. David en but quelques gorgées dans ses mains en coupe.

— Il faut se faire au goût, commenta-t-il. Mais pour la santé, c'est miraculeux. Ça te dépure tout l'organisme et stabilise la digestion.

Je sortis ma brosse à dents, la plongeai dans l'eau et fis

tomber quelques gouttes sur le bout de ma langue : un peu salée.

— David, tu ne te sens pas triste aujourd'hui, n'est-ce pas ?

— Non. Au grand air, je me sens toujours bien. Ce sont les villes qui m'attristent, parce que les gens y attachent trop d'importance à ce qui n'en a pas. Dès que tu perçois la nature, tu te perçois toi-même.

Il secoua ses cheveux mouillés et se laissa tomber en arrière, les mains à plat sous la tête, pour regarder le ciel.

J'achevai de me laver les dents, me relevai et m'étirai au soleil. Puis nous nous mîmes en route.

Je clignais des yeux en contemplant le ciel bleu parsemé de nuages. Mon Dieu, que c'était beau ! Cette splendeur n'existait que pour elle-même, n'avait nul besoin de justifier son existence et demeurait inexplicable. Elle était là, voilà tout. Elle ne dépendait que d'elle-même, n'avait pas besoin d'être partagée pour prendre toute sa valeur. La beauté n'était que beauté. Et elle nous était aussi indispensable que le boire ou le manger.

David me demanda si j'étais bien. Décidément, comme il semblait libre et détendu ! J'opinai de la tête, en me demandant quel effet cela pouvait faire de se connaître dans le moindre de ses recoins.

Trois oiseaux bleus étaient perchés sur une branche. Ils me toisèrent sans même cligner des yeux quand nous passâmes au-dessous d'eux. Tant d'effronterie me fit rire.

A côté de nous, le Rio Mantaro roulait son flot rapide et impétueux. Je ramassai une branche et la laissai traîner derrière moi. Il me plaisait de n'avoir rien d'autre à faire que traîner cette branche.

— David, demandai-je, interrompant sa rêverie inté-rieure, crois-tu que la nature humaine soit une réalité ?

Il leva les yeux en respirant profondément, avant de répondre :

— La nature en tant que telle ? Non. Je crois qu'on nous a appris à ressentir presque tout ce que nous ressentons. Et que nous pouvons être, ou faire, ou penser, à peu près n'importe quoi. Tout dépend de ce qu'on nous a inculqué.

Je traînais toujours la branche, me souvenant de mon séjour en Chine. Ce voyage m'avait amenée aux mêmes conclusions. Si, dans leur passé, les Chinois avaient usé de

302

violences et de cruautés, c'était que l'époque, la mode du jour, la nécessité impérative de maintenir la hiérarchie de leur système de classes l'avaient voulu ainsi.

Et puis un jour, Mao était venu déclarer que le peuple chinois était une page vierge. Sur cette page on pouvait écrire des merveilles. Il avait la conviction que la nature humaine était affaire d'éducation... qu'on pouvait enseigner au peuple des attitudes de pensée plus démocratiques, plus justes et plus humaines. Certes, pour inculquer aux Chinois le sens de la justice, il leur avait imposé un militantisme et un endoctrinement contraignants.

Chacun, quel que soit son niveau de responsabilité, devait participer à des séances d'autocritique. Cela représentait un effort gigantesque, monumental : une thérapie de groupe, dans laquelle on mobilisait les comportements hérités du passé pour les transformer. Et cela semblait porter ses fruits. Bien sûr, le droit à l'individualisme ou au refus de participation était aboli. Mais le pays se trouvait alors dans une situation si catastrophique que tout le monde avait ressenti la nécessité de fournir un effort.

Cette détermination unanime à changer la nature de l'être humain me semblait caractéristique de la nouvelle Chine. Leur solidarité avait amené les Chinois à réviser de fond en comble un système de valeurs qu'ils avaient tenu pour sacré pendant des siècles. Ils bouleversaient peu à peu un ordre de priorités considéré jusque-là comme immuable, pour en tirer une meilleure connaissance d'eux-mêmes.

Que pouvait-on ressentir en découvrant certains traits de son caractère, par exemple, en découvrant qu'on n'est pas nécessairement animé d'esprit de compétition, ou de conquête ? Qu'on ne jalouse pas les autres et qu'on ne vit pas uniquement pour satisfaire des ambitions matérielles ? La véritable question n'était peut-être pas de savoir qui nous étions, ou qui nous n'étions pas mais, plutôt, qui nous pourrions devenir, en faisant confiance aux forces spirituelles en nous. Mais quelle place les Chinois faisaient-ils à la spiritualité ? Je n'avais décelé aucune dimension de cet ordre chez eux. Elle semblait même être tournée en dérision comme si on pressentait qu'elle pourrait contrarier le cours de la révolution.

Hélas, si les Chinois s'obstinaient à renier la dimension spirituelle de l'homme, leur révolution ne tarderait guère à prendre la même tournure que les autres mouvements révolutionnaires contemporains.

L'idée de Dieu — vocable pouvant aussi bien désigner des énergies spirituelles extrêmement complexes — manquait dans nos vies quotidiennes. Et sans doute cette lacune induisait-elle le monde en horreurs, en injustices et en guerres.

Je comprenais mieux la théorie de Buckminster Fuller. Il soutenait que le plus clair de la *réalité inhérente* à nos activités échappait totalement à nos perceptions visuelles, olfactives ou tactiles. Pour lui, l'homme *était* esprit métaphysique. Et le cerveau ne servait que comme réceptacle de l'information. Seul, l'esprit métaphysique de l'homme était capable de communiquer. Le *cerveau*, lui, ne le pouvait pas. L'homme portait en lui un système de microcommunication, et l'humanité un système de macrocommunication. Ainsi, *toute information sur toute chose, y compris sur Dieu*, était continuellement émise et captée sous forme d'ondes électromagnétiques. Mais nous n'en étions pas conscients, du fait que nous n'utilisions qu'un pour cent de notre aptitude à percevoir la vérité.

Qu'est-ce qui aidait l'homme à comprendre d'où il venait, où il allait ? Comment un état pourrait-il apporter des réponses à ces questions fondamentales sur nos origines et notre finalité ? Pareille ambition n'aboutirait-elle pas à la déposséder précisément de son pouvoir ?

Je comprenais pourquoi les communistes n'avaient jamais pu implanter leur idéologie en Inde. Il était impossible au peuple indien de renoncer à sa profonde spiritualité, même en échange d'un niveau de vie meilleur. Leurs croyances comptaient parmi les plus anciennes du monde. Dans chacun de leurs actes, dans chacune de leurs omissions, leur nature spirituelle était présente. Comment un régime communiste aurait-il su les rallier au matérialisme révolutionnaire de Marx, si Mahatma Gandhi lui-même avait été incapable de les convaincre d'éloigner les vaches des maisons et des rues ? En Inde, on croyait encore à la métempsycose, cette réincarnation sous forme animale qui précède la réincarnation sous forme humaine. Et sait-on si les Indiens ne sont pas dans le vrai ?

Quel imbroglio ! Il ne laissait de m'étonner. Tant qu'un fil dépassait, impossible de dévider l'écheveau. La réponse semblait résider en une force dotée d'une connaissance, d'une raison, d'une compréhension et d'une charité supérieures aux

304

nôtres. Avant que cette force nous devienne intelligible, il nous faudrait nous comprendre nous-mêmes. Alors seulement *nous* deviendrions le Grand Mystère.

David et moi marchions sur les berges rocailleuses de la rivière orangée dont nous remontions le cours. Le soleil chatoyant de midi était brûlant. Je retirai mon poncho, et David s'offrit de le porter. Mon chapeau de soleil californien me semblait infiniment plus précieux, pour l'instant. Mes bottes de marche, solides et résistantes avec leurs semelles de caoutchouc, m'aidaient à progresser sur les rochers saillants. Je n'avais pas mal aux pieds.

Je m'assis sur une roche pour prendre quelques notes. David barbotta dans la rivière.

Un peu partout sur les berges, des montagnards péruviens lavaient leur linge. D'autres se reposaient, étendus sur le sol, le plus souvent au soleil. Ils semblaient économes de leurs gestes, ne se hâtaient pas, comme si pour eux le temps ne comptait guère. Leurs mouvements s'accomplissaient à un rythme mesuré. Il leur arrivait de nous adresser un sourire en passant près de nous, ou un signe de tête. David répondait alors par quelques civilités en espagnol. Nulle part, il ne donnait l'impression d'être un étranger.

— Il y a un bassin de soufre à ciel ouvert, un peu plus haut sur la rivière, me cria-t-il. Tu veux te laver les cheveux ou te baigner ? Une cure thermale en plein soleil, c'est formidable, non ?

Séduite par sa proposition, je me levai pour le suivre. Me souviendrais-je plus tard, de cette liberté d'émotions ressentie au cœur des Andes ? Serais-je capable de me remémorer cet état proche de la paix absolue, la prochaine fois que je serais prise dans un embouteillage à New York, que les éclairages flancheraient au moment critique de mon spectacle, ou que mon dernier film apparaîtrait comme un four au box office ? Et Gerry... ? Allais-je me laisser submerger par la rancœur et le dépit, au bout de cette course d'obstacles qu'était devenue notre liaison ? Serais-je capable de mieux comprendre ses travers, de voir les miens avec plus de recul, quand cet instant euphorique, sous le soleil brûlant des rives du Mantaro, me reviendrait en mémoire ?

305

Nous remontâmes le cours d'eau vers le bassin de soufre. Je traînais toujours ma branche. Des cris d'oiseaux, perçants et cristallins, fusèrent dans l'air raréfié de la montagne. Parviendrait-on jamais à *voir* la musique, à *entendre* les couleurs d'un arc-en-ciel...

— A quoi penses-tu ? fit David.

— Je ne sais pas très bien... Je me demandais s'il existait une technique quelconque qui nous permettrait de rester sereins et en paix avec nous-mêmes, quand le reste va de guingois dans notre petit monde...

David fronça les sourcils.

— Je ne sais pas si ça marcherait pour toi, dit-il, mais un jour quelqu'un m'a conseillé une technique qu'il appelait le « Rêve d'Or ». Quand, par exemple, je ne peux trouver le sommeil, parce qu'un tas de prétendus problèmes se bousculent dans mon esprit et m'obsèdent, voilà ce que je fais : je pense à ce qui me rendrait le plus heureux au monde *à cet instant précis*. Je me représente la scène dans ses moindres détails... comment je serais habillé, le temps qu'il ferait, les sons que j'entendrais, qui se trouverait près de moi, ce que je mangerais, toucherais... bref, tout ce qui pourrait me combler, sans rien oublier. Et alors, j'attends. Je vis en esprit cette scène née de ma propre volonté, de ma propre imagination... et cette scène devient tellement réelle que je finis par *être* heureux. Je sens que je commence à me détendre, et même à vibrer à une fréquence plus régulière. Ensuite, en un rien de temps je plonge dans le sommeil... ou dans « l'astral », je préfère cette définition.

En l'écoutant, je m'imaginai mettant en pratique sa technique. Elle me sembla très accessible.

— C'est donc ça, le Rêve d'Or ? dis-je.

Il hocha la tête :

— Bon titre de chanson, non ?

— Bien meilleur que « Le Rêve impossible », en tout cas !

— Quand tu te concentres sur ce qui te rendrait heureuse, poursuivit-il, tu émets une fréquence électromagnétique qui agit intérieurement, et te pénètre d'un sentiment de calme et de paix avec toi-même.

— Tu déclenches le pouvoir de l'esprit sur la matière, c'est ça ?

— Oui, mais il y a autre chose, j'en suis convaincu. A mon

avis, c'est dû à une profession de foi... à une affirmation de la foi en elle-même... Si tu veux, à partir du moment où tu crois suffisamment en quelque chose — en quelque chose que tu peux obtenir grâce à la concentration ou à la méditation, appelle ça comme tu voudras — alors tu produis inconsciemment assez d'énergie positive pour atteindre ton but.

— Et si ce que tu recherches n'est pas réaliste ?

— Qui sait ce qui est réaliste et ce qui ne l'est pas ?

— Tu veux dire que la foi peut soulever des montagnes ?

— Probablement. Le Christ devait procéder de cette façon. Encore que lui possédait bien plus que la technique, la foi, la méditation ou la concentration, il avait aussi le *savoir*.

— Et ce savoir, il le tenait d'où, ce petit malin ?

— Il disait le tenir de Dieu. Mais il disait aussi être le Fils de Dieu. Sans doute voulait-il nous faire comprendre qu'il avait tout appris à travers Dieu. Les avâtara indiens soutiennent tous la même chose d'ailleurs : que *Dieu* leur a donné assez de pouvoir et de savoir pour accomplir Son œuvre, pour changer les pierres en petits pains ou les malades en bien portants.

— Toi, tu y crois vraiment, David, hein ?

— Je crois... qu'on ne se connaît pas suffisamment la plupart du temps pour savoir ce qu'on veut. C'est en sachant mieux qui nous sommes que nous nous rapprochons de Dieu, de la Source de la Création.

Je me traînai en soufflant et en haletant sous le soleil de midi. L'altitude commençait à produire son effet.

— David me distança un peu pour aller repérer le sentier qui conduisait au bassin. J'avais hâte de me laisser flotter dans l'eau sulfureuse. Je voulais m'y plonger, m'y enfoncer toute entière, me couler dans mon Rêve d'Or, dans cette vision — j'en pris soudain conscience — que je ne m'étais jamais représentée encore. J'étais incapable d'imaginer ce qui me rendrait *précisément* heureuse, incapable de me concentrer sur les odeurs, les images, les sensations ou les sons nés de ce rêve, puisque j'ignorais tout du rêve lui-même.

David me fit prendre un sentier parallèle à la rivière, plus haut dans la montagne. Au bout d'un kilomètre à peine, nous atteignîmes un auvent de bois. Des marches de pierre plongeaient vers une cavité à l'air libre cernée de murs de roche. Et là, au fond de cette cavité, bouillonnait l'eau sulfureuse du bassin. Trois vieilles femmes y barbotaient. Elles avaient conservé leurs robes multicolores et leurs coiffes empesées. En nous voyant descendre l'escalier, elles se couvrirent le visage et nous tournèrent le dos.

— Ici, les vieillards sont très pudiques, m'apprit David. La nudité les met mal à l'aise, et ils ont besoin qu'on respecte leur intimité. Quand nous serons en bas, tournons-leur le dos. D'ailleurs, elles ne tarderont pas à s'en aller.

De l'autre côté du bassin, un jeune homme était affalé dans l'eau, tout habillé, en jean et en chemise, les jambes étendues sur un rocher.

— C'est par respect pour ces vieilles femmes qu'il ne s'est pas déshabillé, demandai-je.

— Oui. Sinon, il devrait lui aussi attendre qu'elles s'en aillent pour sortir de l'eau. Et puis, le temps de retourner chez lui et ses vêtements mouillés seront secs.

David prit un œuf dur dans le sac et en retira la coquille.

— Pas très recommandé de manger avant un bain de soufre, mais tant pis, fit-il en me tendant l'œuf.

Les vieilles femmes sortirent de l'eau et remontèrent les marches après nous avoir salués d'un mouvement de tête un peu raide. Le jeune homme ne bougea pas. Nous nous approchâmes du bord. Le soufre y formait des auréoles blanches qui scintillaient au soleil, malgré une légère buée de condensation. David déposa sur le sol mon poncho et le sac d'œufs durs.

Je m'étirai au soleil. Le jeune homme ne semblait pas disposé à partir. Il contemplait fixement l'eau du bassin.

— Bon, qu'est-ce qu'on fait ? demandai-je. On se déshabille quand même ?

— Gardons nos sous-vêtements, tout le monde y trouvera son compte, proposa-t-il.

J'ôtai mon pantalon, mes chaussettes et mes bottes, me réservant de retirer au dernier moment mon chemisier, car je ne portais pas de soutien-gorge. Je le fis avec une légère précipitation que je ne pus m'empêcher de remarquer, juste avant d'entrer dans l'eau. Le jeune homme continua de s'absorber dans la contemplation du bassin. David se déshabilla. Ni l'un ni l'autre ne semblèrent se soucier de ma semi-nudité.

Tout comme la veille au soir, l'eau était chaude et pétillante. Mais de m'y plonger en plein soleil rendait l'expérience infiniment plus exaltante. Les rayons du soleil dispersaient sur les traînées de soufre une telle profusion de lumière que l'eau en profondeur prenait l'aspect d'une flaque de vif-argent chatoyant. De la mousse et des algues rendaient les pierres du fond glissantes, mais la densité de l'eau assurait mon équilibre. Vers le centre du bassin, un rocher immergé me permit fort opportunément de m'asseoir en gardant la tête hors de l'eau. Maintenant, le reflet de l'onde argentée m'aveuglait presque. J'avais été bien avisée de garder mes lunettes de soleil et mon chapeau. « Ridicule, pensai-je aussitôt. Ridicule de se baigner dans un décor d'une telle beauté en se protégeant de ses méfaits. » Je remuai les bras de haut en bas, jusqu'à ce que mon corps fût couvert de bulles sulfureuses. Elles se plaquaient sur ma peau, y provoquaient des picotements à peine perceptibles qui semblaient activer ma circulation. Une source souterraine alimentait le bassin d'un courant tiède qui, lentement, remontait en surface, là où le soleil le réchauffait encore. La température de mon corps se situait entre les deux. David mit un pied dans le bassin, vêtu d'un slip modèle courant. Ses jambes étaient droites et musclées, sauf la gauche, à y regarder de plus près, qui avait été fracturée et imparfaitement ressoudée. Quand il était habillé, ce détail ne se remarquait pas. Quant à son torse svelte, il n'était pas spécialement musclé. Et les épaules me parurent un peu étroites. Pas le genre de gaillard à faire des poids et haltères, mais en bonne forme physique.

Il se rendit compte que je l'examinais sous tous ses angles et sourit sans rien dire. Puis il avança dans le bassin, s'agenouilla dans l'eau jusqu'au cou, respira profondément, fermant les yeux de plaisir, pour mieux savourer le picotement des bulles et l'air pur des hauteurs.

Le jeune homme ne bougeait toujours pas. Il semblait en état de transe. Cette masse liquide de vif-argent produisait-elle cette effet-là ? Je posai la question à David.

— Ça arrive effectivement, me répondit-il. Voilà pourquoi ces bains sont si relaxants. Par ici, les gens savent que l'eau est aussi bénéfique pour le corps que pour l'esprit. Dommage qu'ils ne retirent pas leurs vêtements.

Petit à petit, je commençai à ressentir les effets du bain : de vagues brûlures d'estomac, qui irradiaient d'un point précis, dans le haut du thorax.

— Le soufre et les sels minéraux te révèlent les anomalies

de la fonction digestive, m'expliqua mon compagnon. C'est pourquoi il vaut mieux ne rien manger avant. Mais ce n'est pas grave. Ça te signale simplement que tu as des problèmes de digestion.

Il se dirigea vers l'autre côté du bassin pour s'isoler, s'assit tranquillement sur un rocher immergé, de l'eau jusqu'au cou, et se mit à contempler sereinement la profondeur, semblant réfléchir ou méditer. Les yeux clos, je tournai le visage vers le Soleil. C'était divin. Puis je regardai David, ses yeux grands ouverts, son visage dénué de toute expression. Une mouche parcourut l'arête de son nez. A peine s'il donnait l'impression d'être là tant il paraissait en paix avec lui-même. Je l'observai un long moment. Le garçon en blue jean partit. Sur le haut des marches, les vieilles femmes attendaient.

J'allai déposer mon chapeau de soleil au sec, sur un rocher, pour tremper mes cheveux dans l'eau. Le soufre les assouplit. Je les mouillai à plusieurs reprises, me penchant en arrière. Je me sentis transportée, inondée d'allégresse. Aurais-je l'audace de me précipiter dans la mer, de m'abandonner totalement à elle, en y plongeant la tête et le visage, pour me sentir libre de toute retenue... ? Voilà ce que je voulais atteindre... la liberté sans retenue... pouvoir appréhender le monde en étant délivrée de toute idée préconçue. Je voulais être disponible à tout. A nouveau, je regardai David. Il semblait être parvenu à cet état, débarrassé de la moindre pensée négative... serein. Il paraissait faire corps avec l'eau... être l'eau... seule son apparence devait être humaine.

Je me demandai combien de temps il allait méditer dans l'eau effervescente. Il n'avait pas bougé d'un pouce. Des bulles pétillantes adhéraient à ses bras immobiles. J'aurais voulu atteindre cet état privilégié. Que se passait-il à l'intérieur de son être, pendant qu'il reposait, inerte, sur son rocher ?

Pouvait-il projeter son âme hors de son corps à volonté ? Était-il son âme, ou était-il son corps ? Non... seule l'énergie de l'âme était éternelle. Nous devions être notre âme... et notre corps l'abritait comme une maison...

David cligna des yeux en revenant au soleil, au paysage environnant. Il se passa la main sur le menton.

— Mon Dieu ! fit-il. J'étais en pleine méditation ! Combien de temps je suis resté comme ça ?

Je n'en savais trop rien. Un peu plus d'une heure,

peut-être ? De toute façon, le temps ne comptait pas. La durée elle-même avait-elle une existence propre ?

Il rit en hochant la tête. Puis il me demanda à quoi je pensais.

Seigneur ! Comment tout condenser en une formule ?

— Mon esprit vagabondait, répondis-je. Je me demandais, par exemple, si un bébé, quand il vient au monde, n'est pas rempli de connaissance, et s'il ne l'oublie pas en grandissant.

— Je sais, le corps est une entrave. Je me sens beaucoup mieux là-haut, fit-il en tendant le bras vers le ciel, comme s'il voulait le palper. Viens. Allons faire un tour. J'ai quelque chose à te dire mais... je ne sais trop comment m'y prendre. Il est plus facile de penser quand on se remue.

Il sortit de l'eau. Sur le haut des marches, une des vieilles femmes attendait que nous partions. Très vite, nous nous rhabillâmes au soleil. Puis, David me tendit un œuf dur épluché ; nous remontâmes les marches de l'escalier, nous saluâmes la femme, nous excusant d'être restés si longtemps dans le bassin, et reprîmes le sentier qui longeait les eaux orangées du Rio Mantaro.

David marcha devant moi. Au bout d'un moment, il s'arrêta, s'étira et, levant son visage vers le Soleil en soupirant d'aise :

— J'espère que tu commences à éprouver un peu de bonheur et de paix intérieure, me dit-il. Les épanouir ne dépend que de toi.

Cette allusion discrète à ma vie privée me décontenança. Il le perçut.

— Je sais qu'il s'agit de *ta* vie personnelle, ajouta-t-il, mais ce qui nous échappe, c'est justement cet aspect de nous-mêmes. Maintenant, tu commences à rassembler les différentes facettes de ta personnalité.

Je me tournai vers le Soleil à mon tour. Qu'elles étaient rares les circonstances où j'avais vécu un réel et total instant de bonheur en pouvant l'exprimer sincèrement. Ce sentiment de plénitude, je l'avais, la plupart du temps, tué dans l'œuf en pensant aux mauvais côtés que comptait forcément mon existence. Exactement comme je le faisais en ce moment. Le soleil sur mon visage me procurait un plaisir extrême si je ne pensais pas au risque d'insolation que je courais. Cette contradiction me fit rire. Mon nez deviendrait rouge, pèlerait. Et après ?

David se mit à gambader. Décidément, il adorait cela. Je m'élançai derrière lui. Nos sacs à dos rebondissaient sur nos épaules, nos genoux se dérobaient chaque fois que nous butions sur des cailloux. Mais sa gaieté était communicative, et je me mis à rire avec lui, d'un rire irrépressible. Dès qu'une pensée contrariante m'effleurait, je m'efforçai de la chasser de mon esprit. Des visions fugitives me revinrent en mémoire... Gerry, les films que j'avais tournés... Hollywood, Hawaï, New York... le monde entier... les danseurs que j'avais connus... les gens que j'aurais préféré ne pas avoir rencontrés... Chaque fois que ces évocations prenaient un tour négatif, je les dissipai grâce à cette lumière intérieure que j'avais perçue pour la première fois dans l'Himalaya. Qu'avais-je donc lu à ce propos ? Que nous sommes environnés de lumière. Puis que cette lumière descend en nous, et que nous finissons par être la lumière.

Après avoir franchi de petites sources tributaires du Mantaro, nous recommençâmes à batifoler et à faire des cabrioles. Des oiseaux bleus et des moineaux voltigeaient dans les branches. Nous traversâmes plusieurs fois la rivière sur une passerelle de cordages, pour le seul plaisir de nous y balancer. Le temps s'écoulait en restant immobile.

Je me sentais sincèrement heureuse. Le temps ne m'importait plus. Il n'était plus sensation ni mouvement. Il n'était plus que le temps. Qu'il eût été bon de pouvoir bannir de mon esprit les pensées corrosives surgies de mon autre monde, bien réel celui-là.

Lorsque nous regagnâmes Llocllapampa, nous étions au bord de l'épuisement. Après avoir déposé nos sacs à dos dans nos chambres, nous traversâmes la route dans la lumière de l'après-midi pour aller nous restaurer de lait chaud et de galettes de pain roulées. Dehors, la femme au bébé sur le dos séparait le grain de la bale, et trois hommes mastiquant des feuilles de cola mêlaient la paille à l'argile, pour confectionner les briquettes de torchis d'une future demeure.

Chapitre 22

« Je ne puis croire un seul instant que c'est sur
cette insignifiante petite balle que nous appelons
la Terre que la vie est apparue pour la toute
première fois... Les particules qui s'amalgamèrent
pour donner naissance aux créatures vivantes sur
notre planète provenaient sans doute d'autres
corps quelque part dans l'univers. »

Thomas A. Edison
The Diary and Sundry Obervations

LE lendemain, le froid était vif et, pour une raison que je ne
m'explique pas, ce matin-là me parut tout neuf et plein de
promesses. Je regardai ma montre-bague ; c'était mon bijou
préféré. Elle m'avait accompagnée partout à travers le monde.
10 juillet, neuf heures, indiquait-elle. Je me demandai quel
temps il faisait à Londres. J'imaginai la pluie, des rues sales, des
gens aux parapluies dégoulinants... et Gerry sortant d'une
station de métro pour gagner le Parlement.

Je passai un pantalon, un chemisier, un pull, enfilai mes
bottes de marche et sortis. David était assis sur une murette de
torchis, face à l'hôtel.

— On pourrait aller à Ataura, lança-t-il, mais d'abord
achetons des œufs. Le menu n'est pas très raffiné ici.

Il me fit un clin d'œil et, d'un bond désinvolte, s'engouffra
dans le restaurant.

Peu après, la femme au bébé dans le dos en sortit, un
panier de légumes à la main, qu'elle déposa près de la
voiture.

— Elle vient avec nous, commenta David qui me tendit un

313

verre de lait chaud et deux œufs durs déjà épluchés. Elle doit vendre ses légumes et n'a pas souvent l'occasion de se faire véhiculer.

Souriant de toute sa bouche édentée, la femme prit place à l'arrière. J'aurais bien aimé lui offrir des dents neuves.

La lumière matinale des Andes était très différente de celle de l'Himalaya. Les ombres semblaient dessinées d'un trait plus épais et s'étalaient davantage dans ce paysage fait de hauts-plateaux plutôt que de montagnes.

Les blés dorés ondulaient mollement sous la brise. Moutons, vaches et lamas se déplaçaient paresseusement le long de la route. Parfois, se mêlaient à eux des bambins marchant à peine et des femmes portant sur le dos des bébés sanglés dans des sacs rouge-orangé.

Je mangeai mes œufs. David conversait en espagnol avec notre passagère, et me traduisait leurs propos. Elle parlait de certaines fleurs sauvages qu'on broie pour en faire une pâte. Cette pâte, une fois chauffée et appliquée sur les sinus, les décongestionnait. Chacune des herbes des collines possédait des vertus médicinales et on les trouvait toutes à Ataura. Pendant qu'elle bavardait, son bébé dormait si profondément et avec tant d'abandon qu'il ressemblait à un ballot de linge dans son giron.

Je posai la main sur le dossier du siège avant. La femme vit la bague-montre à mon doigt, la toucha de ses mains chaudes. Puis elle dit quelque chose en espagnol, que David traduisit :

— Elle veut ta bague. Elle la trouve très belle et elle la veut.

J'eus un choc. Allais-je me défaire de mon bijou préféré et de ce qu'il représentait pour moi, un lien temporel avec le monde, pour le donner à cette femme que je ne connaissais pas ?

J'observai les réactions de David. Il observa les miennes.

La femme prit mon doigt et en retira la bague. Je la laissai faire. Elle serra le bijou dans sa main, puis leva le visage vers le Soleil.

— Qu'est-ce qui la rendrait heureuse ? demandai-je à David. Tu peux traduire ma question ? Qu'est-ce qui la rendrait vraiment heureuse ?

Il s'exécuta :

— Des bagues et un tas de choses, lui répondit-elle.

314

— Ces choses la rendraient plus heureuse que le bon-heur ?

— Oui ! affirma-t-elle avec force. Ça voudrait dire que ma famille est aisée.

Elle mit la bague-montre à son doigt et allongea la main pour en contempler l'effet. Elle souriait.

— Et ça, fit-elle, en désignant notre boîte de Kleenex, c'est comme du papier hygiénique ?

Je lui tendis la boîte après lui avoir montré comment le couvercle se soulevait. Elle la prit, la tourna, la retourna, examina toutes les coutures et en sortit lentement un mouchoir. Quand elle en vit un second apparaître, elle parut surprise. Mais elle ne s'amusa pas à en tirer d'autres, se contentant des deux premiers. Elle croisa ses mains sur le bébé et regarda la montre-bague. Je ne dis rien. J'observai la scène, honteuse à la crainte qu'elle pût la garder. Qu'est-ce qui me retenait de lui dire simplement : « Elle est à vous. J'en achèterai une autre plus tard ? » J'y attachais trop de sentiments et de souvenirs. Chaque « objet » que je possédais évoquait un moment de ma vie. La valeur matérielle n'y était pour rien, seul m'importait le contenu émotionnel. Les « objets » en eux-mêmes semblaient prolonger mes sentiments : toujours présents quand j'avais besoin d'eux, ils représentaient la permanence, ne me quittaient jamais. Je n'avais qu'à tendre la main pour les toucher et m'assurer de leur existence. Je pouvais compter sur eux, ils me protégeaient, ils symbolisaient les êtres dont l'amour comptait pour moi. Venais-je de trouver l'explication de la cupidité ? Cherchons-nous notre premier substitut à l'amour — de cet amour dont nous ne recevons jamais assez — dans la couverture qui tient chaud ou dans l'ours en peluche qui console ? Le regard perdu au loin, David devinait mes pensées, je le savais. Devant nous, les cimes glacées et enneigées se confondaient aux nuées blanches.

— Les pics de Huaytapallana, fit-il.

Je les regardai. Ils semblaient planer au-dessus du monde, dans leur blancheur resplendissante et immatérielle. Quelle pouvait bien être la température là-haut ? Shangri-La se trouvait-il au-delà ? Qu'éprouverait-on si on se lançait dans l'escalade ?

— Vous êtes déjà grimpés là-haut ? demanda la femme.

— Non, répondis-je, et vous ?

— Oh non ! dit-elle. Mais bien des gens ont vu des soucoupes volantes surgir de derrière ces pics. Vous en voyez aussi dans les montagnes, chez vous ?

Je me tournai vers elle, la scrutai attentivement. Son regard n'était qu'innocence et simplicité.

— Oui, dis-je, je suppose que oui, mais moi je n'en ai jamais vu.

— Elles laissent des traces quand elles atterrissent, reprit-elle, et si vous vous approchez de trop près, ils prennent peur et s'enfuient. Ils sortent la nuit quand il fait trop froid pour qu'on puisse les observer. Il y en a beaucoup qui circulent dans le ciel.

Je pris un kleenex et je me mouchai.

— Qu'est-ce que c'est, d'après vous ? demandai-je.

— Je ne sais pas. Moi, je me contente d'écouter ce qu'on dit, répliqua-t-elle.

— Et que font-ils ?

— Des savants viennent ici pour les observer. Ils disent que nous ne sommes rien à côté d'eux.

— Et ces soucoupes, d'après vous, que font-elles ?

— Elles viennent de Vénus.

— De Vénus ?

— Oui, c'est ce que les savants disent. Elles viennent étudier notre planète.

— Elles vous font peur ? demandai-je.

— Non. Quelqu'un d'ici en a vu atterrir une. Il a voulu s'en approcher, mais elle est repartie. Il a pensé qu'il leur avait fait peur.

— Pourquoi peur ?

— Parce qu'il était plus grand qu'eux.

J'attendis qu'elle en dise davantage. Elle se contenta de regarder par la vitre sans rien ajouter. Non qu'elle ne voulût pas parler, mais le sujet ne l'intéressait guère et elle n'en savait pas plus. Peut-être avait-elle voulu se montrer courtoise en satisfaisant la curiosité d'une étrangère. Quoi qu'il en fût, elle redressa la tête du bébé et se lança dans des propos amers sur la vente de ses légumes et sur l'augmentation excessive du coût de la vie. Elle avait entendu parler de certains produits chimiques que nous utilisions pour rendre nos légumes plus gros et se demandait où elle pourrait bien s'en procurer.

Nous roulions en terrain plat. J'essayais d'assimiler ce que

316

la femme nous avait dit. Le Soleil au zénith faisait étinceler des pics glacés.

Trois policiers nous arrêtèrent à un carrefour et demandèrent à David où nous allions. Ils se penchèrent par la fenêtre pour nous dévisager. S'apercevant que nous n'étions pas de la région, ils nous mirent en garde contre des émeutes à Auencayo (où de toute façon nous n'allions pas) et nous firent signe de continuer notre route.

Plus nous approchions de la ville, et plus nombreux étaient les gens sur la route. De temps à autre, se détachait le costume sombre d'un homme vêtu à l'occidentale. Ils s'habillent ainsi quand ils portent le deuil, m'apprit David.

La femme parlait de ses enfants. Elle en avait cinq et n'en voulait pas d'autre. Aussi avait-elle cessé toute relation sexuelle avec son mari. Quand je lui parlai des méthodes de contraception, elle eut du mal à me comprendre, elle ignorait tout de sa propre physiologie. Elle était jeune, la trentaine. Toutes ses amies du même âge étaient dans la même situation ; elles se refusaient à leur mari pour limiter leur progéniture.

De nombreuses femmes portant sur le dos des sacs rayés rouge-orangé se dirigeaient vers Ataura. Elles portaient la coiffe andine et, sous leurs jupes, des jupons de piqué blanc. Des figurantes pour les extérieurs d'un film, aurait-on dit. Des chiens couraient partout. Lorsque nous entrâmes dans la ville, la première chose que j'entendis fut un juke-box jouant un disque de Neil Sedaka. Dès que la voiture fut stationnée, la femme nous quitta avec ma montre-bague et son bébé. Je la suivis des yeux. David m'observait.

Les échoppes de la rue proposaient toutes sortes de marchandises, literie, café fraîchement moulu, vieux disques... Nous marchâmes sous le soleil. Il faisait chaud, mais l'ombre des bâtisses était fraîche. Dans chaque boutique, des petites bougies éclairaient une image du Christ. Les gens déambulaient en sirotant un breuvage à base de maïs. Des chiens trottinaient tout autour des étalages de fruits et de légumes. A même la chaussée, en plein soleil, on voyait des cordes, des chaussures, des cuvettes en plastique, des haricots, des petits-pois et des tissus de couleur. Des adolescents proposaient de vieux albums de bandes dessinées. Une femme tressait la corde qu'elle venait d'acheter.

Près du juke-box d'un restaurant, un vieil homme, vêtu

d'un pantalon de toile en guenilles, d'une paire d'espadrilles et d'un pullover gris déchiré, un chapeau de feutre brun sur la tête et une fleur sur l'oreille gauche, se dandinait à contretemps en voulant suivre la musique d'Elvis Presley. Une bouteille vide de Inca Cola dépassa de sa poche arrière de pantalon quand il se pencha au-dessus d'un convive pour mendier quelques restes qu'il enfouit aussitôt dans son chapeau. A une table proche, un homme complètement ivre mangeait de la soupe et hurlait tout seul des obscénités. Dans la rue, des jeunes attendaient l'ouverture d'un cinéma. L'affiche annonçait *les Dix Commandements* ; une barrière de fer forgé bleu-turquoise les canalisait vers la caisse.

Notre passagère nous rattrapa et nous conduisit au marché aux herbes. Sur une couverture à même le sol, on avait disposé de petits tas d'essences aromatiques, à ce qu'on nous affirma, susceptibles de guérir toutes les maladies ou presque... Tara pour l'asthme, Valériane pour les nerfs, *Hircampuri* pour le foie, la digestion, le diabète, la bile et les brûlures d'estomac.

J'achetai de quoi faire des infusions. Une écorce d'arbre du nom de Sangredanada avait la réputation de guérir les ulcères. J'aurais dû en acheter aussi.

Je m'imprégnai d'images. Trois femmes assises au bord d'un trottoir. L'une d'elles berçant un bébé, une main posée sur les genoux de sa voisine ; une autre caressant un chien qui rongeait un os. Un homme frottant au soufre le bord de son chapeau pour le rendre plus rigide. Il vendait un fromage de lait bouilli, le *Quesillo*.

Au marché aux fleurs, je fus éblouie par l'exubérance vivace des glaïeuls, des marguerites, des œillets d'Espagne, des gueules-de-loup, des chrysanthèmes et des jonquilles. Des enfants gambadaient au milieu des fleurs, en mangeant du pop corn.

Notre passagère proposa ses légumes aux passants. Elle portait toujours ma montre-bague. J'essayai de faire comme si de rien n'était. Je savais que nous la reverrions. David et moi déambulâmes jusqu'à ce que nous eûmes faim. Nous nous assîmes alors à la terrasse d'un restaurant, commandâmes du riz, des haricots servis avec des oignons et une sauce au *rocoto*, l'épice la plus forte qui soit, me semble-t-il.

— Tu te plais ici ? demandai-je à David.

— Oui. Ici tout est authentique. Les gens n'ont pas de prétention. Ils sont ce qu'ils sont. Ils sont simples.

— Dès que les gens parviennent à un peu d'aisance, ils se déchirent peut-être davantage. Au fond, il faudrait rester pauvres et continuer à se battre.

— Non, dit-il, je ne suis pas d'accord. Ce serait refuser le progrès et la possibilité d'une vie meilleure. Tiens, la réponse pourrait être dans ma devise. Tu veux l'entendre ?

Il s'éclaircit la gorge et, comme s'il récitait un jour d'examen :

— Travaille dur. Ne mens jamais. Efforce-toi de ne blesser personne. Voilà, c'est ma façon de vivre, je me récite chaque jour ces trois préceptes. Ils sont incrustés dans mon esprit.

— Il t'arrive de te sentir déprimé ? Seul ?

— Bien sûr !

— Comment est-ce que tu tiens le coup, alors ?

— Le bonheur consiste peut-être à savoir ce en quoi l'on croit.

— Mais si on est toujours sûr de son fait, n'est-ce pas dangereux ?

— Si. Ceux qui sont sûrs de leur fait exigent des autres qu'ils pensent comme eux.

Je réfléchis un moment à ce qu'il venait de dire.

— Crois-tu que je sois de ceux-là ?

— C'est-à-dire ?

— Que je n'en fais qu'à ma tête ?

David reposa sa fourchette.

— Autant que j'aie pu m'en rendre compte, je crois devoir répondre par l'affirmative.

Cela me fit l'effet d'une gifle. Les larmes me vinrent aux yeux.

— Mais, qu'est-ce qu'il t'arrive ? dit-il, surpris.

J'essayai de contenir mes larmes. En vain. Je les sentis couler le long de mes joues et le regard bleu et doux de David sembla me scruter jusqu'au tréfonds de l'âme. Au même instant, j'eus l'impression de mieux me comprendre.

David avança la main pour sécher une larme sur mon menton.

— En voilà une qui a fait un long chemin, dit-il. Le chemin que nous devons tous parcourir avant de comprendre qui nous sommes... C'est là que le bât blesse entre toi et ton ami ?

J'eus du mal à m'exprimer.

— Mon ami ?

— Oui, dit David, il y a forcément un homme dans ta vie. Un homme que tu rejoins régulièrement dans des endroits impossibles.

— Comme avec toi, en somme ?

— Euh, un peu.

— Ce que tu as dit de moi est juste. Les choses sont difficiles, pour lui comme pour moi. Je veux le forcer à voir clair en lui et il s'y refuse. Enfin, ce n'est pas exactement ça. Tu as raison, je crois, je veux lui imposer ma façon de voir les choses. Si seulement il acceptait de *voir*, il trouverait sa voie tout seul. Mais il ne veut pas. Il a peur. Je dois m'y faire, bon gré mal gré. S'il veut ignorer sa propre identité, je n'y peux rien, tu ne penses pas ? C'est son affaire, c'est son droit, non ?

David me prit la main.

— Alors que toi, au contraire, tu vas au fond des choses. Tu es de ces êtres qui ne cessent de harceler les autres, sans t'épargner toi-même pour autant. Tu as assez de courage pour te regarder en face... j'appelle cela courage, mais c'est peut-être autre chose... Le manque d'indulgence vis-à-vis de soi-même lorsqu'on se regarde agir. En fait, tu ne devrais pas être aussi intransigeante. Je te l'ai déjà dit, sois plus patiente avec toi-même.

Pourquoi sa gentillesse me faisait-elle pleurer ?

— Calme-toi, dit David. Tu sais, je connais ça moi aussi. Il faut en passer par là pour arriver à quelque chose.

— Est-ce que je sais seulement où je veux arriver ? bredouillai-je, à travers mes larmes.

— A ton être. C'est ta résidence profonde et primordiale, c'est l'endroit que tu essayes d'atteindre, tu me crois ? Tu ne le sens pas comme ça ?

— J'ai le sentiment de n'avoir vécu que pour la frime. Une belle photo pour la galerie. Le plus clair de ce que j'ai vécu, de ce que j'ai cru, n'était qu'illusion.

— Quoi par exemple ?

— Par exemple... j'ai longtemps pensé que lorsque je mourrai ce serait la fin. J'ai cru que la vie se résumait à ce que je voyais, qu'il n'y avait rien d'autre que le moment présent, que mes initiatives devaient se limiter à ça. Et je découvre qu'on joue un rôle dans une pièce inconnue dont le scénario n'est jamais achevé. Alors, quand je réfléchis à la façon dont j'ai tenu mon rôle, je ne suis pas trop fière de moi.

— Mais c'est pareil pour chacun de nous, Shirl. Et puis, de quoi est-ce que tu t'inquiètes ? Ce n'est pas ton dernier rôle, tu en joueras bien d'autres, et tu les joueras jusqu'à ce que tu maîtrises parfaitement ton jeu.

Je me mis à rire, balbutiai quelque chose et repris des haricots à la sauce piquante.

— Le pire c'est la sauce. C'est ça qui me fait pleurer.

— Tu vois, la vie est comme la sauce piquante. Dès que tu y prends goût, elle te fait pleurer. Le plus important, c'est de *l'accepter* en bloc. Mais on ne peut le faire qu'après s'être accepté soi-même. Et pour ça, il faut se connaître, ce qui est la forme la plus achevée de la connaissance. Socrate l'a bien dit : « Connais-toi toi-même. » Essaie de te conformer à ce précepte. Parce que tu *es*, toi-même, un microcosme, un cosmos en miniature.

Je me penchai en soupirant. Mes jambes étaient raides car j'étais restée assise trop longtemps. Je ressentis le besoin de me lever, de m'étirer et de marcher.

David régla l'addition et nous sortîmes. Les gens remballaient leurs marchandises pour ne pas être pris de court par le coucher du soleil. Dans les montagnes, le soleil est maître du négoce, de toute activité et de toute attitude.

Nous fîmes un petit tour. Il acheta de l'Inca Cola à un marchand ambulant et moi une clémentine. Notre passagère s'était éclipsée avec ma bague-montre ; elle avait dû trouver un autre véhicule ou alors elle avait décidé de rester au village.

Nous repartîmes vers Llocllapampa. En ce début de soirée, la lumière était pure, d'un bleu violacé. Partout, dans la plaine qui entourait Ataura, des paysans rentraient chez eux, le pas lourd. Au loin des chiens aboyaient. On entendit aussi des cris d'enfants. David conduisait sans rien dire. Ses propos de l'après-midi me semblaient pertinents, je voulais mener ma vie comme je l'entendais ; j'exigeais de mes proches qu'ils se scrutent comme je tentais de le faire. David m'incitait à réfléchir pour progresser. Il n'avait pas jugé mauvais en soi mon besoin de harceler les autres pour qu'ils y voient clair et évoluent. Mais il m'avait encouragée aussi à ne pas heurter leurs réticences. J'éprouvais bien moi-même des difficultés à atteindre la vérité : pourquoi d'autres n'en auraient pas rencontrées aussi ? J'avais dû rendre la vie impossible à Gerry. Il m'aimait profondément, il respectait mes idées, mais il ne pouvait pour autant se regarder en face comme je l'aurais souhaité. Plus d'une fois, il avait exprimé la crainte de ne pouvoir combler mes attentes. Je comprenais maintenant ce qu'il avait voulu dire. Aucun homme ne pouvait relever ce genre de défi. Il devait être lui-même, et non l'homme de mes vœux. S'il ne l'était pas, tant pis pour moi.

Le soleil avait complètement disparu. Je sentais une grande paix intérieure. Un monde harmonieux me procurait l'harmonie avec moi-même.

David semblait hypnotisé par la route. Il regardait droit devant lui sans mot dire. Puis il se tourna vers moi.

— Shirl, il faut que je te dise quelque chose. A propos d'une fille qui s'appelle Mayane.

— Mais bien sûr. Raconte-moi.

Il continua à conduire en silence pendant quelques minutes, puis reprit :

— Pose-moi des questions, ça me facilitera les choses, tu veux bien ?

— D'accord, répondis-je, trouvant le jeu amusant. Voyons ! Une histoire d'amour ?

— Oui, si on veut. Mais pas au sens où on l'entend généralement. C'est plutôt du genre amour cosmique.

J'avais envie de rire. Toute histoire d'amour ne nous conduit-elle pas au septième ciel ?

— Je te comprends, dis-je. Que faisait-elle ?... Je veux dire, dans la vie.

David alluma une cigarette et baissa la vitre. Besoin d'air pur sans doute.

— Elle est géologue, elle est venue par ici lors d'une prospection minière.

— Ici ? Ah ! je comprends tout. Ça s'est passé ici. Voilà pourquoi tu connais les bains de soufre et les rives du Mantaro !

Ma réplique volontairement sarcastique était destinée à le mettre à l'aise. Il n'y réagit pas.

— Non, fit-il, ça ne s'est pas passé comme ça. Quand je l'ai rencontrée je me baladais avec deux copains dans la région.

— On drague en altitude ?

Peut-être étais-je allée un peu loin. Il ne réagit toujours pas.

— Ce n'est pas ça du tout, répondit-il. Un matin, je me promenais seul. Elle était sur cette route au volant d'une vieille Pontiac. Elle s'est arrêtée et elle est descendue de voiture. A l'instant où je l'ai vue, j'ai pensé que c'était la plus belle femme que j'aie jamais rencontrée. Elle semblait diaphane. Sa peau... je veux dire... elle semblait translucide. Je ne remarquai pas sa tenue, un jean probablement. Mais elle ne marchait pas, on aurait dit qu'elle flottait. Je ne pouvais pas la quitter du regard, je ne sais pas pourquoi, mais c'était l'effet qu'elle me faisait. J'en étais presque assommé, pourtant je me sentais totalement apaisé. *La paix absolue.*

J'observai David me décrivant ses sentiments. Parfaitement détendu. Sa tension musculaire était tombée. Il donnait l'impression d'avoir été soudain hypnotisé.

— Tu peux me la décrire davantage ?

— Petite, dit-il, vraiment petite et menue, avec de longs cheveux noirs et épais, une peau d'une merveilleuse blancheur, transparente... et des yeux très sombres presque bridés, pas bridés comme ceux des asiatiques, non, pas avec des paupières comme les leurs, mais des yeux en amandes. Elle se dirigeait vers moi comme si elle m'avait attendu. Nous avons fait quelques pas ensemble et le plus étrange, c'est que nous n'avons pas échangé une parole, sans que j'en aie pris conscience. Nous n'en avons pas éprouvé le besoin. Je n'avais jamais rien vécu de semblable, mais ça ne me frappait pas. J'avais le sentiment que, de toute façon, elle lisait dans mes pensées.

David se tût, plongé dans ses souvenirs. Il secoua la tête et reprit :

— ... Au bout de quelque temps, j'ai senti que je devais dire *quelque chose*, n'importe quoi, parler. Alors je lui ai demandé ce qu'elle faisait dans cette région. Elle m'a répondu qu'elle et les autres poursuivaient des recherches géologiques dans les montagnes. J'ai voulu lui faire préciser qui étaient « les autres », mais elle m'a répondu qu'elle me le dirait plus tard. De même qu'elle me dirait plus tard d'où elle venait. Tout ça me semblait plausible. Et je n'ai plus osé lui poser de questions. D'autant qu'elle s'est mise à m'en poser. Bizarrement, j'avais le sentiment, sans trop savoir pourquoi, qu'elle connaissait déjà les réponses.

— Comment ça ? demandai-je.

Son esprit paraissait ailleurs pendant qu'il me racontait cette rencontre extraordinaire.

— Eh bien..., fit-il avec une sorte d'hésitation, imagine ce que tu ressens quand tu rencontres un inconnu qui semble te connaître et te comprendre parfaitement. C'était ce qui m'arrivait. J'avais l'impression qu'elle connaissait tout de moi et qu'elle me posait des questions juste pour me donner le temps de me faire à cette idée.

Perdu dans ses pensées, il regardait droit devant lui.

— Et toi ? demandai-je, tu avais l'impression de la connaître ?

Je m'attendais à ce qu'il réponde qu'il soupçonnait l'avoir connue dans une autre vie ou quelque chose d'approchant.

— Non pas vraiment. Ensuite, continua-t-il après une brève hésitation, nous nous sommes promenés et elle s'est mise à parler de toutes sortes de trucs... le monde, les gouvernements, les coutumes de divers pays, Dieu, les différentes langues... Pour moi, c'était de l'hébreu. A cette époque-là, je n'étais pas du tout préoccupé par ce genre de trucs, tu comprends ?

— Ça s'est passé il y a longtemps ?

— Oui, assez longtemps. J'ai commencé à imaginer que j'avais affaire à une espionne internationale, mais pour qui elle travaillait... ? Elle s'est mise à parler de l'énergie négative de certains chefs d'État, de la nécessité pour les gens de croire davantage en eux-mêmes, puisque le lien qui unit l'âme de l'homme à Dieu était la chose la plus importante. Je l'ai interrogée sur son éventuelle appartenance à l'une de ces sectes farfelues qui se réclament du Christ, ce qui l'a fait rire. Elle m'a dit qu'elle était sans doute plus farfelue que je ne l'imaginais, mais que si nous avions mieux compris l'enseignement du Christ, le mot « farfelue » ne nous viendrait certainement pas à l'esprit. Elle parlait sans cesse. Nous sommes allés dîner, elle parlait toujours. Je prenais plaisir à l'écouter, à partager sa compagnie, même si je ne comprenais pas la moitié des choses qu'elle racontait. Un peu plus tard, je lui ai demandé où elle séjournait, mais comme elle ne voulait pas me le dire, je n'ai pas insisté. Elle m'a souri, m'a annoncé qu'elle devait partir, mais que je la reverrai.

« Effectivement, le lendemain elle s'est débrouillée pour me retrouver. Nous nous sommes promenés toute la journée et elle m'a parlé encore plus. De choses sérieuses. Je ne saisissais pas bien ce qu'elle voulait dire et je lui en ai fait part. A quoi elle m'a répondu que le moment n'était pas encore venu de m'en révéler davantage, mais, que, si j'avais le sentiment d'apprendre quelque chose d'elle, je devais cesser de me poser des questions et simplement profiter de ses leçons.

« Chaque jour, je partais seul dans la montagne et chaque jour, elle réussissait à me retrouver, où que j'aille. Impossible de résumer ce qu'on a pu se dire. Et puis, un jour, alors qu'on s'était assis au bord de la rivière, voilà qu'elle s'est lancée dans une analyse de la nature de l'âme humaine. Avant de connaître Mayane, la vie après la mort ou la présence de Dieu parmi nous, dans l'Orange County * ou ailleurs, c'était le dernier de mes soucis. Quant à l'âme éternelle... Seigneur ! Mais je l'écoutais en me rendant compte qu'elle semblait me transmettre des informations scientifiques capitales. Elle m'a conseillé de prendre des notes parce que je pouvais les comprendre et les transmettre à mon tour à la personne que je jugerais capable d'en tirer profit. Elle faisait peut-être allusion à toi ?

— A moi ? demandai-je interloquée.

Je m'étais passionnée pour son aventure avec Mayane mais je ne voyais pas vraiment en quoi cela me concernait.

— Peut-être. Elle m'avait conseillé de remettre au propre ces notes pour pouvoir les relire et les communiquer à d'autres.

— Tu l'as fait ?

— Naturellement, tu veux les lire ?

— Bien sûr, dis-je. Mais il y a quelque chose qui m'échappe. Pourquoi tu ne m'as pas remis ces notes avec les autres documents que tu m'as confiés ?

— Eh bien, à cause de... ce qu'elle est.

— Ce qu'elle est ? Mais explique-toi.

David rougit et resta un moment silencieux.

— Pose-moi d'autres questions, dit-il.

Il paraissait fatigué. Je compris qu'il s'était agi de bien plus

* Orange County : banlieue de Los Angeles.

325

qu'une amourette de vacances, d'une thérapie en quelque sorte.

— D'accord, dis-je. Mayane, c'est un nom exotique. D'où venait-elle ?

Il s'étouffa avec la fumée de sa cigarette.

— Tu veux dire... de quel pays... de quelle ville ?

— Je ne sais pas. Je ne voyais pas pourquoi il éludait ma question. Comme tu me l'as décrite, elle me semble très exotique. Polynésie ?

— Non, beaucoup plus loin que ça.

— Plus loin ? Une asiatique, japonaise, chinoise ou quelque part par là ?

— Quand je dis plus loin, c'est en fait plus haut.

— Plus haut ?

Je me donnai l'impression d'être le faire-valoir d'un vaudeville.

— Oui, plus haut et plus loin.

— David, dis-je, je crois que c'est toi qui vas un peu loin. A quoi est-ce que tu joues ? De quoi tu parles ? Dis-moi. J'en ai marre de jouer. A mon tour. D'où est-ce qu'elle venait à la fin pour que tu aies tant de mal à le dire ? D'une autre planète ?

David se tourna vers moi, lâcha le volant, et leva les mains au ciel.

— Exactement, dit-il. Tu as deviné.

— Deviné quoi ? Nom de Dieu ?

— Mais... ce que tu viens de dire.

— Que Mayane venait d'une autre planète ?

— Oui, absolument. Tu comprends pourquoi j'avais tant de mal à te le dire ? C'est la vérité. Je te jure devant Dieu que c'est la vérité. Et elle m'en a donné plus qu'une preuve. Tu verras.

J'en demeurai bouche bée. Je pris une cigarette dans le paquet de David, l'allumai, en tirai une bouffée. Puis je baissai la vitre, rejetai la fumée dans la nuit, me renversai contre le dossier de mon siège et mis les pieds sur le tableau de bord. Je fumais. Je me souviens précisément de mes mouvements à cet instant, parce que, sachant que David était sincère, j'essayais de ne pas perdre pied. Cela peut paraître fou, mais j'étais sûre de son équilibre : il n'avait rien d'un halluciné et n'avait pas fabriqué cette histoire de toutes pièces. Nous roulions en silence. Dans la nuit claire et le froid sec, les étoiles ressemblaient à des pierres précieuses. Je le regardais fixement. Avais-je bien entendu ? J'avais confiance en lui. Il avait joué un grand rôle dans mon évolution spirituelle. J'étais convaincue de son absolue sincérité. Ce n'était pas la première fois que j'entendais parler de personnes qui affirmaient être entrées en contact avec des extraterrestres, mais je n'avais jamais eu l'occasion de tester leur sincérité. J'avais laissé cela aux scientifiques et aux psychologues concernés.

Cette fois, il s'agissait d'un ami. En fixant les étoiles de cristal, je songeai au télescope que j'avais reçu pour Noël quand j'étais petite. Je l'avais réclamé pendant des mois à mes parents. Avec lui, j'avais passé des soirs et des soirs à observer les étoiles pressentant déjà mon appartenance au monde céleste sans doute. Mais n'était-ce pas là un désir secret que tout le monde caressait ? Le ciel ne nous rappelait-il pas en permanence que nous appartenions à la féerie cosmique ? Que nous étions les pièces indispensables d'un gigantesque puzzle universel. Du fait de notre conscience limitée aux trois dimensions, cela nous échappait peut-être. Ou alors, David et tant d'autres étaient mus par un tel désir, une telle ferveur de connaître, qu'ils en arrivaient à se persuader d'être en contact avec une des « pièces » du puzzle cosmique ?

Je fumais et respirais à fond, en même temps, consciente de l'absurdité de mes gestes : respirer l'air pur et m'intoxiquer.

A notre arrivée, Llocllapampa m'apparut sombre et paisible. Près de notre « hôtel », de jeunes pourceaux fouillaient du groin le vieux pneu de caoutchouc qui leur servait d'auge, se repaissant d'une boullie de maïs sous l'œil vigilant de la mère truie.

La femme à l'enfant n'était pas revenue du marché. La grand-mère avait préparé des rognons-sauce-au-vin pour le dîner. Les galettes de pain sortaient du four. Le beurre encore frais dont on les avait tartinées avant de les rouler se répandait sur les bords. Pour éclairer notre table, on avait suspendu deux lampes à pétrole à un porte-manteaux fixé à une poutre. La radio hurlait toujours aussi fort, et diffusait toujours du football. Les marmots de la maisonnée ne cessaient d'aller et venir autour de notre table pour nous regarder manger. La vieille cuisinait le long d'un mur de la salle à peine éclairée, sur un réchaud à propane alimenté par un tuyau provenant de la route. Près du réchaud se trouvaient le frigo et l'évier.

— La nuit est belle, fit remarquer la vieille à David. Une belle nuit pour les astronomes.

David étira ses bras à la verticale, soupira, et lui demanda très naturellement si elle avait déjà vu un OVNI.

— *Si, séguro*, répondit-elle, et pas seulement un. J'ai même un oncle qui en a vu plusieurs piquer droit sur le lac Titicaca et disparaître. Il a d'abord eu très peur et s'est demandé s'il devenait fou (elle pointa l'index vers sa tempe), mais après, beaucoup de gens lui ont dit qu'ils les avaient vus eux aussi et ça l'a rassuré.

David poussa un profond soupir, comme si les propos de la vieille femme le rassurait lui aussi. Elle repartit vers son réchaud pour nous servir une portion de ragoût. Je l'y suivis.

— *À su juico, de que se trata ?* lui dis-je, consciente d'imiter les milliers de touristes qui, avant moi, lui avaient demandé son avis sur ces apparitions.

Elle revint déposer les assiettes sur notre table.

— Des extraterrestres qui viennent d'ailleurs, dit-elle. Tout le monde le sait.

— Ils ont de bonnes intentions ?

— Je ne sais pas, je suppose, dit-elle. Ils restent tout là-haut et ils cachent leurs engins sous la montagne, pour que personne ne les voie.

Elle nous amena encore un peu de pain chaud pour accompagner le ragoût et nous demanda si Ataura nous avait plu. Je fis oui de la tête et souris. Pousser plus avant l'étrange conversation que nous venions d'avoir semblait pour elle sans intérêt. La présence d'extra-terrestres dans le paysage ne la troublait visiblement pas plus que cela ne troublait notre passagère du matin. Cette curiosité n'affectait pas son existence. Vivre le quotidien, joindre les deux bouts, voilà ce qui, pour elle, avait de l'importance.

Après ces civilités d'usage, elle déposa des couverts sur notre table et s'en retourna vers ses casseroles. Je regardai David par-dessus le ragoût fumant. Je n'avais pas faim.

— C'est leur façon d'être, fit-il d'un ton d'excuse. Ils y sont habitués, c'est tout, et ils se demandent bien pourquoi ça intrigue tant les gens comme nous. Ils rient des astronomes qui viennent se poster ici en attendant que le phénomène se produise pour l'étudier : ils prétendent que les soucoupes ne se montrent jamais quand ils sont là, étant donné que leurs occupants préfèrent passer inaperçus. Les gens d'ici l'ont très bien compris. Ils ne savent pas pourquoi les soucoupes viennent précisément dans cette région, mais beaucoup affirment que c'est pour extraire certains minerais de la montagne.

— Et... ils n'ont pas peur ?

— Non, apparemment. Ils disent que les visiteurs n'ont jamais fait de mal à personne et qu'au contraire ils s'enfuient dès qu'on les approche.

— Beaucoup de gens en ont vus ?

— Shirley, tous ceux à qui j'ai posé la question, ici, ont une histoire à raconter sur les soucoupes volantes. *Tous, sans exception.*

Je le regardai dans les yeux. Son regard était limpide et il semblait soulagé.

— David, où est-ce que je pourrais trouver Mayane ?

Il me regarda et laissa retomber ses épaules comme s'il venait de se délivrer d'un lourd fardeau.

— Moi-même, je ne peux pas la *trouver*, fit-il calmement. Elle me manque affreusement et je reviens sans arrêt ici avec l'espoir qu'elle réapparaîtra. Elle a transformé ma vie. Tout ce que je crois aujourd'hui, c'est elle qui me l'a appris. Grâce à elle, j'ai trouvé la paix intérieure et, cette paix, je veux te la faire partager.

Par la fenêtre, je sentais la nuit obscure de la Cordillère.

— David. Cette aventure dans laquelle j'ai été brusquement entraînée... tout ce que je pourrais en dire serait, pour appliquer la formule toute faite, bien au-dessous de la vérité.

Je me levai de table et nous sortîmes par la porte basse pour regagner notre « hôtel ».

— Merci David, repris-je. Merci de m'avoir fait assez confiance pour me raconter ton histoire.

Il me serra doucement l'épaule. Dans l'obscurité, sa voix s'étrangla un peu.

— Bonne nuit, Shirl et fais bien attention aux punaises.

Je l'embrassai sur la joue avant d'entrer dans ma chambre sombre et humide. Je m'endormis tout de suite : je craignais tant de rester éveillée en repensant à tout cela.

Chapitre 23

« Si l'on se place du strict point de vue scientifique, le présupposé selon lequel, parmi les myriades de mondes dispersés à travers l'infini de l'espace, il ne peut exister d'intelligence supérieure à celle de l'homme — intelligence, comme chacun sait, supérieure à celle du cafard —, pas plus qu'il ne peut exister d'être doués d'un pouvoir d'influencer le cours de la nature comparable à celui de l'homme — pouvoir, comme chacun sait, supérieur à celui de l'escargot —, me semble non seulement dénué de fondement, mais tout à fait impertinent. Point n'est besoin d'outrepasser les analogies que nous suggère le monde sensible pour découvrir combien il est aisé de peupler le cosmos d'entités qui, par ordre ascendant, nous font aboutir à quelque chose qu'il nous est pratiquement impossible de distinguer de l'omnipotence, de l'omniprésence et de l'omniscience. »

Thomas H. Huxley
Essays Upon Some Controverted Questions

En retrouvant le soleil le lendemain matin, je me sentis aussi fraîche et dispose que si j'avais dormi toute une semaine.

David m'attendait à l'extérieur. Il avait déjà été chercher notre fameux lait chaud et nos petits pains roulés. Ce fut donc en marchant que nous prîmes ce jour-là notre petit déjeuner.

Au-delà du plateau vallonné, les pics de glace se détachaient sur l'horizon.

— A part les OVNIs dont tout le monde parle ici, dis-je en m'étouffant avec un morceau de galette, que trouve-t-on là-haut ? D'autres mystères encore ?

Ma question fit rire David.

— Eh bien, puisque tu le demandes... ! Mayane m'a dit que les vallées situées entre les pics sont inaccessibles par voie de terre. C'est pourquoi ils s'y sentent en sécurité. Quand elle m'a décrit pour la première fois le paysage là-haut, cela m'a fait penser aux décors de *Lost Horizon*.

— David ?

— Oui ?

— Euh... Mayane t'a dit d'où elle venait exactement ?

— Bien sûr ! Des Pléiades.

— Ah bon. Et... tu n'as jamais douté qu'elle soit une extra-terrestre ?

— Il éclata de rire et recracha un morceau de galette.

— Tu plaisantes ! Comment veux-tu que j'ai gobé une affaire pareille ! J'ai d'abord pensé que j'avais un peu forcé sur l'herbe. Si tu veux tout savoir, ses révélations me poussaient plutôt à prendre mes distances. Jusqu'au jour où elle m'a demandé de me rendre à pied très tôt le matin, au lever du soleil quand tout le monde dormait encore, au pied de ces contreforts que tu vois là-bas, et d'observer le sommet d'un pic bien précis. C'est ce que j'ai fait. Et tu sais ce que j'ai vu ?

— Quoi donc ?

Je n'étais pas si sûre de vouloir l'apprendre.

— Je regardais le ciel, et soudain m'est apparue une de ces soucoupes volantes dont les paysans m'avaient parlé, juste à la verticale du pic. Sur le moment, j'ai cru que j'allais chier dans mon froc. Et j'ai cessé de douter à partir de ce jour-là. Mais elle n'a pas mâché ses mots. Je t'assure, elle m'a beaucoup reproché de l'avoir obligée à me faire cette démonstration par le « Je vois, donc j'y crois ». D'après elle, j'aurais dû me montrer plus intelligent et plus ouvert.

— Plus crédule, tu veux dire ? Un peu comme moi ?

— Écoute, je t'ai déjà dit que pour moi, la véritable intelligence, c'est l'ouverture d'esprit. De là à se dire qu'on est timbré, il y a quand même une marge !

— Tu crois ? ironisai-je.

Ne lui en déplaise, c'était bien ainsi que je ressentais les choses. Il me regarda du coin de l'œil.

— Écoute-moi, Shirley, répondit-il avec autorité, je sais que ce qu'il t'arrive en ce moment *est* hallucinant. J'ai connu ça moi aussi. Le pire, c'est que ça vous tombe dessus d'un seul coup. Donc, impossible d'en parler sans aller jusqu'au bout. Voilà pourquoi ça paraît si dur à avaler. Tu sais, de nombreux observateurs impartiaux ont signalé l'existence d'engins spatiaux non identifiés... ceux de l'U.S. Air Force, des stations-radar de pistage... de multiples témoignages concordent... par exemple ceux de gens qui en ont vus au même moment, au même endroit, et *en compagnie* d'autres personnes. On peut leur faire confiance, non ?

— Oui, sans doute.

— Alors, si les OVNIs existent, il faut bien qu'on les dirige, soit de l'intérieur, soit par télécommande. Et si ce ne sont pas des Terriens... puisque tout le monde s'accorde pour dire que ces engins font des exploits dont notre technologie est incapable... alors il ne peut s'agir que d'extra terrestres, argumenta-t-il en m'observant attentivement pour voir comment j'allais réagir. Le hic, poursuivit-il, c'est qu'on veut à tout prix en avoir une preuve bien à nous. Si les extra-terrestres nous sont *supérieurs*, m'a expliqué Mayane, c'est parce qu'ils maîtrisent l'aspect *spirituel* de l'existence. Pour elle, l'entendement spirituel et la science, la science au niveau le plus élevé, sont une seule et même chose. Einstein lui aussi le disait. Dans ces conditions, puisque tu en es déjà à un stade avancé de la recherche spirituelle, pourquoi est-ce que tu ne veux pas admettre qu'il existe parallèlement une technologie plus avancée ? Si ça te semble loufoque, alors oublie ce que je viens de te dire.

Oublier ? Seigneur, qui donc pourrait oublier ce genre de choses !

David me voyait perplexe... Mon fameux « esprit ouvert », comme il le mentionnait à tout bout de champ...

— Dis-moi, reprit-il, la réincarnation ne fait pour toi aucun doute, n'est-ce pas ?

— Non, dis-je. Pas vraiment. Pas après tout ce que j'ai pu lire là-dessus, sans parler de ma propre expérience d'actrice... Quand par exemple j'interprète un rôle, je vis les émotions de quelqu'un d'autre. Je ne vois donc pas pourquoi l'âme ne ferait pas la même chose chaque fois qu'elle se réincarne.

J'en avais connu, des acteurs et des actrices qui auraient été bien incapables de dire où ils puisaient leur inspiration quand ils interprétaient un rôle totalement étranger à leur personnalité. Et ils l'avouaient avec stupeur. S'il nous arrivait souvent de transférer dans les personnages que nous interprétions des sentiments liés aux événements de notre propre vie, que de fois ne devions-nous pas aussi exprimer des émotions, des réactions jamais éprouvées dans notre existence et, pour autant que nous le sachions, totalement étrangères à notre cadre de référence affectif ? Pourtant, miracle de l'inspiration, nous en venions à mieux comprendre ces personnages. Il arrivait même, quand notre jeu était particulièrement réussi, que par un écho de notre conscience, nous nous rappelions avoir déjà éprouvé ces émotions dans un passé lointain.

Les acteurs n'étaient-ils que les instruments d'une reviviscence spirituelle des expériences de l'âme ? Peut-être la spiritualité m'était-elle si familière pour cette raison.

A nouveau, mon esprit s'évada vers le souvenir persistant de ces nuits d'été que je passais, vautrée dans l'herbe tiède, avec mon télescope. Je me sentis *revivre* mes « sensations » d'autrefois. Je me sentais proche des étoiles. Cette proximité me semblait aller de soi. Par l'effet de quelque ancienne connivence ? Étais-je seule à ressentir cela, ou avions-nous tous sur Terre l'impression que des « êtres protecteurs », venus d'autres points de la voûte céleste, nous aidaient à surmonter la dureté des temps ? Jean et McPherson aussi bien qu'Ambrès l'avaient affirmé. Mais *qui* étaient-ils pour l'affirmer ? Oh, et puis merde ! pensai-je, c'est pourtant simple ! Ils étaient des esprits désincarnés convaincus de la permanence des visites extraterrestres dans le monde. Mais David... Avec David j'ai bel et bien affaire à un esprit incarné, que je sache. Or, lui aussi est convaincu de la même chose... Je songeai tout à coup à la Bible. Ézéchiel et Moïse, par exemple, s'étaient-ils trouvés, des siècles auparavant, dans une situation comparable à celle de David aujourd'hui, qui croyait fermement avoir rencontré Mayane ? Ce devait être plus facile à l'époque biblique tout de même, où miracles et prodiges étaient monnaie courante... Tout le monde y croyait. Mon Dieu ! me dis-je brusquement, mais ici aussi, tout le monde y croit !

334

Je demandai à David de faire une halte, pour que nous puissions nous asseoir un peu au soleil. Nous trouvâmes un coin d'herbe niché parmi les rochers et, après quelques minutes d'étirements et d'exercices respiratoires, nous nous étendîmes sur le sol en regardant le ciel.

Je m'efforçais de me vider l'esprit, de me résumer à mon « être » végétatif. Je sentais que David faisait la même chose. On percevait le pépiement des oiseaux et le gargouillis de la rivière. Un petit chien noir passa nonchalamment près de nous, leva une patte contre un arbuste et s'éloigna en folâtrant.

Une demi-heure environ s'écoula. Nous gardions le silence. C'était bon de se sentir en paix. Puis j'entendis David dire quelque chose d'une voix pâteuse, ensommeillée. Ou peut-être m'étais-je assoupie.

Je me tournai vers lui :

— Qu'est-ce que tu dis ?

— Tu veux que nous parlions de Mayane ? fit-il. Elle a beaucoup de choses à communiquer à ton sujet.

— A *mon* sujet ? Mais... David, je ne la connais pas, moi, Mayane ! Je veux dire que c'est... *ton* problème.

Il fit une grimace.

— Oh non, pour moi elle n'est pas un problème. C'est plutôt à toi qu'elle risque d'en poser un.

— M'en poser un ?

— Oui. C'est pour ça que nous devons parler d'elle.

Je réfléchis pendant un instant.

— Cela ne te fait rien si j'enregistre ? demandai-je.

— Non, bien sûr.

Je sortis mon magnétophone et pressai sur la bouche d'enregistrement. Si ce qui allait se passer était réel, je voulais pouvoir le prouver plus tard. D'un coup d'œil je m'assurai que la cassette marchait normalement.

— D'abord, tu te souviens du type qui est venu te voir, il y a une dizaine d'années, pour te remettre trois pierres de la part d'un vieux chef de tribu Massaï que tu connaissais bien ?

Je me reportai quelques années en arrière. En effet, quelqu'un avait sonné chez moi à Encino, vers le milieu des années soixante, environ deux ans après mon retour d'Afrique. L'homme ne m'avait pas dit son nom et ne m'avait fait aucune impression particulière. Il s'était contenté de tendre trois pierres de couleur. Des amulettes, m'avait-il précisé, qui me garantiraient santé, sagesse et sécurité. Le chef Massaï avait rencontré cet homme au cours d'un safari. Après avoir vérifié qu'il était américain, il lui avait demandé s'il me connaissait. Mon visiteur avait répondu qu'il ne me connaissait pas personnellement, mais qu'il avait entendu parler de moi. Alors le vieil homme l'avait prié de me remettre les trois pierres. L'autre avait accepté, déclarant qu'il se débrouillerait pour me trouver une fois de retour aux États-Unis.

Une question me traversa l'esprit :

— Mais... comment est-ce que tu es au courant de cette histoire ?

— Ce type, c'était moi.

— *Toi ?* dis-je, en étouffant un faible cri.

— Oui. Mais calme-toi, Shirl. A l'époque, j'ignorais absolument de quoi il retournait. La seule chose que je savais, c'était que cet homme m'avait confié ces pierres à te remettre. « Chouette ! » m'étais-je dit sur le moment. Et j'ai tenu ma promesse.

— Et alors ?

J'étais sur le qui-vive, éprouvant l'impression d'avoir été vaguement manipulée.

— Alors ? Mayane m'a tout expliqué, des années plus tard. Si j'ai été dirigé vers toi, c'est que nous nous étions connus dans des vies passées, et qu'un jour tu voudrais en avoir la preuve.

— Mais alors, pourquoi ces simagrées ? Pourquoi avoir attendu si longtemps pour me dire qui tu étais ?

Je n'avais pas fini de poser ma question que déjà j'en connaissais la réponse.

— Tu n'étais pas prête et tu le sais bien. Il *fallait* que ces pierres te soient remises avant même que nous ne soyons *toi et moi* en mesure de soupçonner quoi que ce soit. Mayane est venue me convaincre plus tard. Et c'est à moi, aujourd'hui, de te convaincre.

— Si tant est que nous ayons besoin de preuves pour croire, ça peut s'expliquer, dis-je. Mais où est-ce que ça nous conduit ? Quel est le sens de ce message ?

— Le sens ? C'est que, comme moi, tu es vouée à transmettre un enseignement, Shirley, mais à plus grande échelle.

— A plus grande échelle ?

336

— Oui.

— Mais enfin, qu'est-ce que tu veux dire ? Je n'ai jamais eu la vocation d'enseigner ! Je n'ai pas assez de patience pour ça. Je suis faite pour apprendre, pas pour transmettre.

— Certes, mais tu aimes écrire ?

— Oh ! Mon Dieu ! pensai-je. *Attendrait-on de moi* que j'écrive un livre sur... ? L'avais-je inconsciemment pressenti ? Était-ce pour cette raison que je ne me séparais jamais de mon magnétophone, que chaque soir je prenais des notes sur ma journée ?

— Tu aimes écrire, répéta David. Mayane estime que tes dispositions d'esprit t'inclineraient à raconter aux autres, sous forme d'un récit divertissant et instructif, ton propre voyage dans ces dimensions. Comme ça le grand public pourrait profiter de ton enseignement.

Seigneur ! pensai-je. Était-ce raisonnable ? Mes deux précédents livres consistaient en récits de voyages et réflexions personnelles sur l'Afrique, l'Inde, le Bhutân, l'Amérique, la politique, le spectacle, la Chine... Et voilà qu'aujourd'hui je devais écrire sur mes vies antérieures, sur Dieu et les extra-terrestres ! L'absurdité manifeste de la chose me fit éclater de rire.

— Voyons, David ! Qui me prendrait au sérieux si je publiais un livre sur tout ça.

— Tu peux bien rire. En attendant plus de gens que tu ne crois s'intéressent à ce genre de choses. Tout le monde brûle du désir de connaître la vérité. *Tout le monde.*

— La vérité ? Mais *quelle* vérité ?

— La seule qui existe. La connaissance de soi-même. Car se connaître, c'est connaître Dieu.

— Pour toi, c'est donc ça, la vérité suprême ?

— Tu sais, Shirley, la vérité est toute simple. Dieu est simplicité. C'est *l'homme* qui est complexe et contradictoire. Mais au-delà de cette contradiction, il aspire à une plus grande compréhension. Et quand il commence à comprendre, il éprouve le *désir* d'en faire profiter les autres.

— Mais ce livre donnerait une interprétation personnelle de la vérité, la mienne. Tu le sais bien. Et ma vérité n'est pas nécessairement *la* vérité.

— Si, affirma David. Il n'y a qu'une vérité, et cette vérité est en Dieu. Tu peux aider les autres à découvrir Dieu en eux si tu leur décris par quel cheminement tu l'as découvert *en toi.*

Je sentis mon estomac se nouer, mon cœur se serrer. Certes, j'aimais faire partager aux autres mes aventures en les leur décrivant. Mais de là à tartiner sur ce qui m'avait permis de *trouver* le divin, c'était une entreprise proprement ridicule : je n'étais même pas sûre de croire en cette entité vague qu'on appelait Dieu. Je me passionnais pour les êtres. Et si l'éventualité d'avoir vécu des vies antérieures me séduisait, c'était surtout parce qu'elle proposait une explication plausible de ma personnalité présente.

— David, dis-je, si j'analyse assez bien ma propre identité, ou ce que je suis devenue dans la vie, je ne peux même pas affirmer que je *crois* en Dieu !

— Sans doute. Mais on ne *croit* pas en Dieu. On le *connaît.* Croire, c'est admettre l'existence de l'inconnu. Tu n'as fait qu'oublier ce que tu sais déjà.

Assise dans le silence de cette matinée de soleil, j'avais le sentiment qu'un battant de cloche cognait à toute volée dans ma tête. Aurais-je oublié ce que je savais déjà ?

David perçut ma panique soudaine :

— Si tu redoutes l'humiliation publique, tu t'es trompée de profession, non ?

Cette remarque me prit au dépourvu.

— Qu'est-ce que tu veux dire ?

— Chaque fois que tu montes sur scène ou que tu tournes un film, tu t'exposes bien à tomber de haut, non ?

Je n'avais jamais considéré les choses sous cet angle. Mais il avait raison. J'avais toujours éprouvé un trac épouvantable, non parce que je craignais d'être bonne ou mauvaise, mais parce que je redoutais — là était toute la différence —, le jugement que le public porterait sur moi.

— Si tu as choisi un métier qui t'oblige à te produire en public, il ne t'est jamais venu à l'esprit que c'est pour surmonter ta crainte d'être humiliée ?

Souvent, cette idée m'avait effleurée, mais je n'avais pas voulu l'admettre. J'aspirais à l'anonymat. J'aurais aimé être une mouche parmi les mouches. J'avais toujours préféré interroger plutôt que répondre à des questions. Et chaque fois que mon métier m'obligeait à me confronter avec le public, je n'avais de cesse de me réfugier n'importe où, seule, pour réfléchir et pour écrire.

Pourtant, je continuais à être un personnage public, comme si je m'efforçais lentement de me départir de ma peur. Ces derniers temps, les choses s'étaient un peu arrangées, semblait-il. Plus j'avançais dans la découverte de moi-même, et moins je faisais cas de l'opinion du public. J'avais toujours voulu éprouver cette indifférence, ce détachement vis-à-vis du jugement des autres. Au fond, la personnalité publique que je m'étais fabriquée était tellement au point qu'on était convaincu de mon royal dédain pour l'opinion d'autrui. J'avais déclaré un jour à mon attachée de presse que j'entendais donner de moi une image d'absolu détachement.

— C'est à dessein tu crois, que j'ai adopté à l'égard de tout le monde cette attitude de « j'm'en-foutisme » ? Pour pouvoir écrire en toute indépendance ce que Mayane et toi souhaitez me voir écrire ?

— Pourquoi pas ? C'est peut-être le karma que tu t'es choisi ? Pourquoi tu ne laisses pas ça mijoter dans ta tête pendant un certain temps ?

Mijoter ! J'essayais de préserver mes idées d'une véritable débâcle. J'avais le sentiment d'être aux prises avec quelque chose qui échappait à mon entendement. Je tâtonnais dans le noir, et pour éclairer ma lanterne, seuls de vieux clichés me venaient à l'esprit... connaissance de soi, supraconscience, hautes vibrations, paix intérieure, révélation et tout le saint frusquin... Des clichés qui ne me parlaient pas. Au contraire : je me sentais manipulée. David essayait-il de me rouler dans la farine pour me faire écrire un livre sur ces sujets ?

C'était plus que je ne pouvais en supporter.

— David ! criai-je. Pour l'amour du ciel, tu m'as dit que cette Mayane était une extra-terrestre ? Soit, si tu y crois, Mon Dieu... c'est ton affaire. Mais pour moi, cette histoire pue le canular !

Brusquement un doute m'avait envahie. Je me jugeai absurde et m'en voulus de poser des questions, pleine de bonne foi, à un individu qui prétendait avoir fréquenté une extra-terrestre, comme si je voulais en savoir davantage sur une anecdote parfaitement crédible. C'en était trop ! Je sentis croître mon animosité. Allais-je me contenter de lui signifier ma façon de penser sans mâcher mes mots ? Il voulait que j'écrive sur des inepties de cet acabit. Mais pour qui me prenait-il ? Je ne voulais même plus y songer. Ma tête allait éclater. Être

339

« ouverte d'esprit » ne signifiait pas prendre des vessies pour des lanternes !

David était assis paisiblement dans l'herbe. Il s'allongea sur le ventre, apparemment indifférent et détaché du cours des choses. Mon pouls s'affolait. Je me mis à évaluer le temps qu'il me faudrait pour dévaler ces montagnes et sauter, toutes affaires cessantes, dans un avion qui me ramènerait vers un monde sensé.

Ma raison et ma rage se confortaient mutuellement dans mon dialogue intérieur. La stupidité de ma fameuse ouverture d'esprit m'apparaissait, j'étais une de ces poires qui se font gruger à chaque tournant, voilà quelle horrible vérité je devais affronter.

David respirait calmement.

— David ! dis-je d'une voix sèche. Tu es là, oui ou non ?

— Je suis là.

L'intonation douce et patiente de sa voix me tapait sur les nerfs.

— Alors ? fis-je, sur la défensive, mais d'un ton qui se voulait ferme.

Il se souleva sur un coude.

— Alors quoi, Shirley ? Tu sembles accepter la notion de réincarnation. Tu es plus ou moins convaincue de l'existence des OVNIs, donc de celle d'un principe qui les dirige à travers l'espace. Et pourtant, tu voudrais que l'espèce humaine détienne le monopole de la vie dans le cosmos, c'est bien ça ?

Je ne savais que penser et commençais à me sentir physiquement mal à l'aise. La peau me démangeait. La chaleur me suffoquait. *J'aurais voulu être ailleurs.*

— Essaie de te calmer, finit par me conseiller David. Respire à fond et concentre-toi sur ce que je viens de te dire. Je sais que c'est un rude conflit intérieur. Je suis passé par là, moi aussi. Tout ça te submerge, t'écrase. Avance à ton propre pas. Efforce-toi de garder ton calme, tu progresseras davantage.

— Progresser ? criai-je. Tu chamboules toutes les croyances du genre humain pour les remplacer par des métaphysiques scabreuses, fumeuses, et c'est ça que tu appelles progresser ?

— C'est curieux, fit-il. Eux, ils considèrent que ce sont *nos* croyances qui sont fumeuses, et que c'est *nous* qui en sommes encore à l'âge des ténèbres. Tu admettras que la façon dont se comporte l'espèce humaine ne leur donne pas tout à fait tort. Le fait est que nous sommes encore un peu primitifs, non ?

— *D'accord !* C'est ce que tu voulais que je te dise ? Je le sais, nom de Dieu, que nous sommes encore des primitifs ! Mais l'homme n'est qu'un animal, après tout, non ? Et ça explique sa conduite. Mais qu'est-ce qui te fait gober des idées pareilles... que nous valons mieux que ce que nous sommes ?

— Ah, voilà le hic, hein ? fit-il, comme si c'était *moi* qui venais d'apporter de l'eau à son moulin. Ce qui te contrarie, c'est que je crois en toi davantage que tu n'y crois toi-même, que je te mets au défi de te surpasser, alors que tu doutes d'en être capable.

Mon Dieu ! pensai-je. C'est exactement comme ça que je me comporte avec Gerry ! J'étranglai un rire qui se transforma en un bref gloussement et songeai à la façon dont ma grande indignation cosmique venait de se réduire à une préoccupation personnelle bien modeste.

— Tu te sens mieux ? interrogea David. je sais que dès que tu te mets à comprendre, tu comprends vite.

— Oh, merde à la fin ! Je ne comprends rien, tu entends, rien ! Rien de ce dont tu me parles.

— Mais si, tu comprends parfaitement.

Je me levai et me mis à marcher en décrivant des cercles autour de lui. J'aurais été soulagée de pouvoir lui décocher un bon coup de pied... ou plutôt un coup de pied de cheval.

— Ne crains rien, reprit-il. Rappelle-toi que tu es sur la bonne voie. Sans quoi, tu ne serais pas ici.

Son assurance me fit rire. « Qu'est-ce qu'il ne faut pas entendre ! » me dis-je.

— De toute façon, ce n'est qu'une question de temps, poursuivit-il. Mais le temps presse, comme tu peux voir, et la lutte est difficile.

Je ris à nouveau. Décidément, il était intarissable.

— Rappelle-toi que tu as déjà mené cette lutte au cours de nombreuses vies. Alors, ne t'en fais pas. Tu es capable de la reprendre.

Je m'agenouillai près de lui.

— Si j'ai déjà engagé cette prétendue lutte spirituelle dans le passé, dis-je, pourquoi est-ce qu'il faudrait que je la reprenne ?

— Pour découvrir d'autres aspects de la révélation spirituelle. La patience et la tolérance, par exemple. Il ne suffit pas de connaître la dimension spirituelle de l'homme. Il faut aussi la *vivre*. Tu comprends ?

— Tu veux dire comme Jésus-Christ et d'autres ?

— Exactement. Lui, son ascèse l'a amené bien près de la perfection. D'autres le peuvent aussi. En substance, le message du Christ, c'était ça. Chacun peut accomplir ce qu'il a accompli... Il suffit de prendre mieux conscience de ses propres facultés. Rien de plus.

— Et tes extra-terrestres, ils font la même chose ? Ils ont *besoin* d'en passer par là, eux aussi ?

— Certainement. Toute âme qui vit dans le cosmos en ressent le besoin. La finalité de la vie est là. Et c'est là tout son enseignement... pousser plus loin la connaissance de ses propres facultés. Les extra-terrestres ne font pas exception. Eux aussi se cherchent. Mais ce qui manque sur cette Terre, c'est un élan vers notre dimension spirituelle.

Je levai les yeux vers le Soleil. Ma peau ne me démangeait plus, et ses rayons m'étaient à nouveau bénéfiques. Je soupirai, jetai un coup d'œil à mon magnétophone. La bande touchait à sa fin. Bientôt une heure d'enregistrement. La voix de David n'était plus qu'un murmure :

— Mayane ne cessait de me dire : « Aime Dieu, aime ton prochain comme toi-même et aime l'œuvre de Dieu, car tu es partie de cette œuvre. Souviens-t'en toujours. » Et ceci encore, que je ne devais surtout pas oublier de te transmettre : « Pour cueillir le fruit, il faut s'aventurer sur la branche. »

Il se tut. Je coupai le magnétophone et m'évanouis.

Cette bande, je l'ai toujours. Pendant des heures et des heures, je l'ai écoutée et ré-écoutée. Pour entendre David répéter fidèlement les mots de McPherson et de Gerry.

« Le phénomène OVNI est un défi au genre humain. Il est du devoir des hommes de science de relever ce défi, de dévoiler la nature des OVNIs et d'établir la vérité scientifique. »

Dr Felix Zigel
Institut d'Aéronautique de Moscou

Je demeurais étendue pendant un long moment. Puis je sentis David remuer et me retournai pour le regarder. Après avoir ouvert tout grand les yeux, il les protégea du soleil. Une larme lui coulait sur la joue. Il semblait s'éveiller d'un profond sommeil. Il poussa un long soupir et s'étira.

— Mon Dieu ! fit-il. Comme j'étais loin ! Pardonne-moi, mais je me sentais tellement en paix sous ce Soleil que je me suis totalement abandonné à lui.

Il fit de grands mouvements de bras et se couvrit à nouveau les yeux. Je le regardais sans mot dire.

— A quoi tu penses ? me demanda-t-il, en essuyant la sueur de son menton. Combien de temps est-ce que nous sommes restés étendus ?

— A peu près une heure. Maintenant, moi j'ai quelque chose à te dire.

Le ton de ma voix retint son attention. Nous nous assîmes dans l'herbe, côte à côte.

— Cette histoire est invraisemblable, dis-je. Et je me suis fais manœuvrer comme une gourde. Parlons-en, de ta fameuse ouverture-d'esprit-synonyme-d'intelligence ! La vérité, c'est que je me suis fait gruger sur toute la ligne !

Il me regarda tristement.

— C'est de Mayane que tu veux parler ?

— Pas seulement de Mayane, mais de toute cette foutue histoire complètement loufoque ! dis-je, au bord des larmes, tant j'étais outrée, exaspérée. Pis encore, je n'étais pas très sûre du bien-fondé de ma fureur.

— Je sais, murmura-t-il. Seigneur ! Oui, je ne le sais que trop bien, pour en être passé par là, moi aussi. Mais au bout d'un certain temps, il m'a fallu admettre que ce qu'elle m'avait dit « sonnait » juste. Tu comprends ce que j'entends par là ? On peut tourner en dérision les sentiments ; mais quand on y réfléchit, on se rend compte que *tout* est là. Les scientifiques eux-mêmes se fient à leur « intuition » avant de chercher à démontrer quelque chose. Et moi, j'ai tout simplement eu l'« intuition » qu'elle me disait la vérité.

Assise dans l'herbe, les bras ballants, je le fixai un moment, puis me relevai sans le quitter des yeux.

— David, comment peux-tu affirmer que ce n'est pas la projection d'un besoin profond de ton subconscient. Un besoin de croire ce que cette fille t'a raconté sur elle ? Qui te dit que tu n'avais pas un tel *besoin* d'y croire qu'elle l'a perçu et... en a profité pour te débiter ce que tu voulais entendre ?

David me regarda avec surprise.

— Mais *je ne voulais* rien entendre ! répliqua-t-il. Je te l'ai déjà dit, il m'a fallu deux autres voyages ici, et des mois de discussions avec elle, avant que je me décide à lui témoigner un semblant de politesse quand elle s'évertuait à me convaincre. Pendant longtemps, je n'ai pas pu supporter ses histoires. Au point qu'elle a failli renoncer, elle me l'a avoué plus tard. Tu imagines à quel point j'étais hostile à ses tentatives ? Elle bouleversait toutes mes convictions et finissait par me faire douter de mon équilibre. J'aimais les voitures de sport, les femmes faciles et la vie à cent à l'heure. Je ne voulais surtout pas renoncer à ces choses pour me lancer dans la spiritualité, puisque je n'étais pas insatisfait, pas le moins du monde. Pourquoi est-ce que j'aurais cherché un but précis ? Et puis, au bout d'un certain temps, j'ai dû admettre que ce qu'elle me disait était sensé.

— Comme de débarquer des Pléiades, par exemple ?

— Ça... non. C'est son message spirituel qui avait un sens... son enseignement... ses explications sur la réincarnation et les lois de la justice cosmique. Ça, oui, était sensé. Il m'aurait été impossible de me boucher les oreilles pour ne pas l'entendre.

Je l'observais attentivement. Il semblait absolument sincère.

— Je ne cherche pas à te convaincre de quoi que ce soit, Shirley, reprit-il. tu es libre de croire ce que bon te semble. Simplement, tu devrais examiner sérieusement l'éventualité de ces dimensions. Mais ton attitude ne changera rien à mes propres convictions qui sont bien arrêtées.

Les bras pendants, je l'écoutais.

Un train jaune cheminait à flanc de montagne. J'aurais voulu sauter sur son chargement de charbon et m'y enfouir jusqu'à en devenir complètement noire. *Cela*, au moins, eût été réel. J'aurais voulu danser au son de tous les juke-boxes du Pérou. *Cela* aussi eût été bien réel. Ou encore me précipiter parmi les bulles orangées du Rio Mantaro, quitte à m'y noyer. J'aurais voulu escalader les pics de glace de Huaytapallana, pour aller voir de mes propres yeux ce que cachait l'autre versant.

344

Je m'éloignai pour marcher seule. David ne me suivit pas. Mes pensées cliquetaient comme les anneaux d'une grosse chaîne... des pensées lourdes de confusion, de peur, de tristesse, de souffrance... et qui, l'instant d'après, tournaient à l'explosion de joie assourdissante.

David ne croyait-il que ce qu'il avait besoin de croire ? Je repensais à la Californie. Et Kevin, et Cat, ressentaient-ils, eux aussi, le besoin de croire aux esprits ? Sturé et Turid, Lars et Birgitta, étaient-ils donc si angoissés qu'il leur fallait se convaincre de l'omniprésence d'une entité spirituelle les guidant à travers la vie ? Pourtant, ils ne semblaient pas particulièrement angoissés. David ne les connaissait ni les uns ni les autres. D'où leur venaient ces convictions semblables, cette foi en une justice karmique immanente au cosmos et en une spiritualité extra-terrestre ?

Chapitre 24

« Prenons l'exemple de nos corps : je suis convaincu qu'ils sont faits de myriades et de myriades d'infiniment petits, représentant chacun en soi une unité de vie, que ces unités de vie fonctionnent en escouades — ou plutôt en essaims, pour employer un terme qui ne semble plus juste —, et qu'elles se perpétuent éternellement. A notre « mort », ces essaims d'infiniment petits, comme le font les abeilles, se transportent si j'ose dire ailleurs, pour continuer à fonctionner dans un autre type d'environnement. »

Thomas Edison
*The Diary and Sunday Observations
of Thomas Alva Edison*

L E lendemain matin, je partis seule faire une promenade, sans but précis. Pour réfléchir... ou, plus exactement, pour laisser les événements que je venais de vivre se décanter d'eux-mêmes, sans essayer d'y mettre de l'ordre. Assimiler des idées neuves, voir les choses jusque-là insoupçonnée, pressentir un jeu de perspectives totalement renouvelé, est un processus exigeant du temps — du temps et rien d'autre — pour s'infiltrer en nous. Nous arrivons à oublier les instants de répit silencieux, d'isolement et de retranchement du monde, que nous nous sommes accordés de loin en loin, au cours de notre vie. Peut-être avons-nous régulièrement besoin d'un peu de solitude.

Ce matin-là, je ressentais le désir impérieux de me retrouver seule. L'après-midi était déjà fort avancé lorsque je rejoignis David.

— Si nous allions au bain de soufre ? lui proposai-je.

— Si tu veux. Très bonne idée.

En cheminant, il plongea la main dans sa poche et en sortit un bracelet identique à celui qu'il portait en permanence. Un bracelet d'argent, me sembla-t-il. Il me le tendit :

— C'est Mayane qui me l'a donné, me dit-il. Prends-le et garde-le au poignet tout le temps que tu resteras ici. Il t'aidera à y voir plus clair.

Je mis le bracelet à mon poignet. Qu'avait voulu dire David ?

— Il est en quoi ? demandai-je.

— Je n'en ai pas la moindre idée. Mais je garantis le résultat.

— C'est-à-dire ? Quel résultat ?

— Quand je porte le mien, on dirait que mes facultés sont amplifiées. Il me semble que ma pensée gagne en clarté.

— Comment est-ce possible ?

— Je ne sais pas exactement. Je crois que c'est dû à ce qu'elle appelait la troisième force.

— C'est bien Mayane qui t'a donné ces bracelets ?

— Mais oui. Descendons au bain. Dans l'eau, j'ai les idées plus claires. Je vais essayer de te répéter ce qu'elle m'a dit.

— Allons-y.

Nous nous dirigeâmes vers le bassin. En cette fin d'après-midi, la température avait considérablement baissé. Le ciel était si pur, et l'air si vif, que je voyais la lune suspendue dans la lumière du jour comme une gigantesque balle argentée. J'avais l'impression que ma tête vibrait, que mes pensées se faisaient plus nettes. Le ciel était réel, le froid pénétrant, et la lune était bien dans le ciel. De tout cela, on ne pouvait douter.

David s'était muni d'une bougie, et moi de mon magnétophone. A l'approche de la nuit, mon poncho de laine prenait pour moi autant d'importance que mon chapeau de soleil au cours de la journée. Je m'imaginais déjà dans l'eau sulfureuse et tiède. Et déjà mes douleurs musculaires s'apaisaient. Les « eaux » m'étaient bénéfiques. Cela aussi était bien réel. Nous suspendîmes nos vêtements aux clous. Les murs avaient gardé leur odeur de moisi. Une fois dévêtus, nous entrâmes précautionneusement dans le bassin. L'eau bouillonnait autour de nous. On eût dit qu'elle nous parlait. C'était peut-être là son langage. Nous agitions les bras et, cette fois encore, je fus surprise de constater combien cette eau effervescente nous portait. Avec la meilleure volonté du monde, il était impossible d'y couler. Avant la fin de mon aventure péruvienne, je serais devenue une vraie naïade.

La bâtisse était sombre. David craqua une allumette pour allumer la bougie, qu'il fit tenir sur le bord du bassin avec un peu de cire fondue.

— Laisse-toi aller, me dit-il. Tu es tendue comme une peau de tambour. Tu sais, je ne t'ai pas tout dit de ce que Mayane m'a enseigné. Mais je te préviens, tu ne vas pas en revenir.

Comme si j'étais revenue de tout le reste !

Je sortis une main de l'eau et mis mon magnétophone en marche.

— D'abord, fit-il, reprenons quelques notions de chimie sur la structure de l'atome.

— Au lycée, je n'ai pas opté pour la chimie, répondis-je. Ça me paraissait inutile. Je voulais monter sur scène.

— Peu importe. Tu sais que la charge énergétique du proton est positive, et celle de l'électron négative.

— Oui.

— Et tu sais que ces charges s'équilibrent.

— Oui.

— Tu sais aussi que les charges de signes contraires s'attirent, et que les charges de même signe se repoussent.

— Oui.

— Tu sais encore que les électrons tournent constamment autour des protons à très grande vitesse. En fait, les électrons et les neutrons tournent autour des protons, tout comme la Terre et les autres planètes de notre système solaire tournent autour du Soleil. Autrement dit, l'atome est un système planétaire en miniature.

— Oui, je m'en souviens maintenant. C'est passionnant de penser que l'atome est un microcosme du système planétaire. A se demander si tout l'univers ne tient pas dans une goutte d'eau !

Le visage de David s'illumina. Il continua :

— Ce système planétaire en miniature peut tourner grâce à une force qui lui conserve sa cohésion. Cette énergie, ce principe organisateur du cosmos comme de l'atome, Mayane l'appelait Force Divine. Tout dans la création est constitué d'atomes... les arbres, le sable, l'eau, les moustaches des chats, les planètes, les galaxies... absolument tout. On peut dire de ce principe organisateur, de cet élément pensant de la nature, qu'il est la Source de toute chose.

— Un instant, coupai-je, tu as bien dit : élément *pensant ?*

Il s'interrompit une minute pour observer la bougie avant de poursuivre :

— Écoute, Shirley, je t'en parlerai plus tard, d'accord ? Pour le moment, tu écoutes, et ce que tu ne comprends pas, tu le laisses de côté.

— D'accord, dis-je. C'est toi qui décides. Tu viens donc de dire que cette Source est l'élément « pensant » de la nature. Bon, et après ?

— Parlons d'abord de l'atome. Tu as bien compris qu'un simple atome est composé de protons, de neutrons et d'électrons, oui ?

— Oui.

— Et tu comprends aussi que cette Source, cette colle, si tu préfères, maintient la cohésion des électrons, des protons et des neutrons ?

— Puisque tu le dis ! En somme, c'est comme un océan dans lequel tout flotte ?

— Excellent. C'est exactement ça. Cet océan maintient les atomes, les planètes, les galaxies et l'univers dans une cohésion harmonieuse.

— C'est Mayane qui t'a dit ça ?

Je sentais mon crâne bien près d'éclater.

— Oui, c'est elle. Mais attends.

— Soit, dis-je en ravalant ma salive.

— La Source, reprit David, ou « l'océan » comme tu l'appelles, est constituée de polarités qui s'équilibrent et qui s'opposent.

— De polarités ?

— Oui, de polarités positives et négatives, le yin et le yang, ou encore, pour les nommer comme le font aujourd'hui les scientifiques, de « quarks ».

— J'en ai entendu parler.

— Ça ne m'étonne pas. Quelques-uns de nos scientifiques

soupçonnent l'existence de cette énergie, qu'ils ne peuvent mesurer puisqu'elle n'est pas moléculaire. S'ils s'accordent pour admettre qu'une énergie remplit l'espace interatomique, ils en ignorent la nature. Ce sont *eux* qui le définissent comme l'élément de cohésion de l'atome, ou gluon. Ils savent qu'il ne s'agit pas de matière, mais bien plutôt d'unités énergétiques.

— Bon, en clair, où veux-tu en venir ?

— Mayane affirme que cette énergie subatomique constitue la Source. Donc, la Source est une forme d'énergie non moléculaire. J'en arrive maintenant au plus difficile, mais aussi au plus important : c'est cette énergie qui constitue l'âme. Nos corps sont faits d'atomes. Nos âmes, elles, sont faites de cette énergie : la Source.

La sueur perlait sur mon cuir chevelu tant je me sentais nerveuse. Se pouvait-il que l'âme procédât d'une énergie tout aussi réelle que la matière ? Était-ce la raison de son éternité ? Ces pensées se bousculaient dans ma tête. La voix de David me rasséréna :

— La science ne reconnaît pas l'existence de l'âme. Elle ne peut donc envisager la Source en tant que phénomène. Le jour où elle l'authentifiera, alors la réalité spirituelle sera accréditée au même titre que la réalité physique.

— *Pourquoi*, David ? Qui te dit que cette Source, si elle existe, est obligatoirement le moteur de l'âme ? L'âme pourrait être n'importe quoi d'autre... appartenir à la quatrième dimension, à l'espace, au temps, que sais-je ! Moi, au point où j'en suis, qu'est-ce que ça m'apporte de savoir ou d'ignorer de quoi l'âme est faite ? Écoute, si l'existence de l'âme est une affaire de foi, et c'en est une, et puisque nous n'avons aucune *preuve* de son existence, à quoi ça sert de chercher à expliquer sa nature ? A quoi sert de s'interroger sur des mécanismes qui n'ont de sens que si on peut les mettre en évidence ? On ne peut pas *démontrer* que l'âme existe. Et, je ne vois pas la nécessité de le faire. Alors, cesse de mélanger boniments scientifiques et convictions spirituelles.

Il se mit à rire.

— Pour Mayane, l'erreur de la science était là justement. Dans le fait qu'elle n'accorde aucune part aux forces spirituelles. C'est pour ça qu'on ne connaît pas vraiment la *nature* de l'électricité... on sait qu'elle existe uniquement parce qu'on peut en observer les effets physiques.

— Toi, tu es convaincu que l'âme est une force *physique* ?

— Convaincu. Mais cette force est d'une autre *nature* que l'énergie atomique et moléculaire de l'organisme. Elle est subatomique. Elle ordonne la vie. Elle se trouve dans chaque cellule, dans chaque molécule d'ADN. Elle est en nous, provient de nous, et nous appelons Dieu la totalité de cette énergie omniprésente.

Je suais à grosses gouttes et la tête me tournait. J'avais beau m'en défendre, tout cela me paraissait parfaitement admissible. Je ne savais pourquoi et n'aurais su l'expliquer, mais ces propos me rappelaient quelque chose de profondément enfoui dans un recoin de mon cerveau où je ne m'étais jamais aventurée. Je *re-connaissais*, me semblait-il, les mots prêtés à Mayane par David. Comme un objet familier qu'on a longtemps fixé sans le voir vraiment se distingue soudain. Ce que je venais d'entendre me paraissait véridique, parce que j'avais dû déjà le savoir dans un lointain passé. Sans en connaître la nature précise, j'étais intimement convaincue de ce fait : qu'une conscience, qu'une intelligence existaient en dehors de la vie telle que nous la percevions, ou plutôt cette conscience et la réalité tangible devaient cohabiter.

— Tu vois, fit David, nous y voilà. Cette Source remplit et organise toute vie. Elle est le commencement et la fin, l'alpha et l'oméga, le Créateur et le meilleur de nous-mêmes.

Je le regardai fixement, incapable d'ajouter un mot. Mais qu'aurais-je bien pu dire ?

Quelle arrogance, pensai-je, d'imaginer Dieu sous une apparence semblable à la nôtre ! Pas étonnant que nous nions l'esprit. Nos conceptions religieuses de l'âme ne faisaient-elles pas elles-mêmes appel à des représentations empruntées au monde physique ? Quant à la science, elle ne pouvait concevoir une forme purement spirituelle d'existence !

— Tu vois, reprit David, quand le Christ affirmait que Dieu est en tout, il fallait le prendre au sens littéral du terme : l'énergie spirituelle qui gouverne nos destinées est omniprésente. Et la vie résulte d'une combinaison de la structure moléculaire de la matière avec la Source, qui est énergie spirituelle. La forme physique meurt. L'énergie spirituelle vit éternellement.

Je croisai les bras. Puis essuyai mon front en sueur et les croisai à nouveau.

— « Rien ne se perd, rien ne se crée. Tout se transforme », récitai-je avec assurance, comme si je me retrouvais à l'école.

— Exactement. Tout est énergie. Mais la science ne prend en compte que ce qu'elle peut voir et prouver. Il est plus facile de découvrir les propriétés des molécules que les unités d'énergie. Et l'âme est la somme d'une multitude de ces unités. Elle dispose de libre arbitre. Quand le corps qu'elle accompagne meurt, elle redevient autonome, jusqu'au moment où elle accomplit son karma en se choisissant une autre résidence charnelle. C'est ce qui explique le phénomène dit de réincarnation. C'est ce qui explique la vie après la mort, et c'est ce qui explique la vie avant la naissance.

Je restais silencieuse. J'aurais voulu réfléchir, et en même temps me vider l'esprit. J'aurais surtout aimé m'accorder un peu de répit. Je respirais profondément. Un goût de fiel me venait à la bouche. Je ne quittais pas des yeux la flamme vacillante de la bougie. Je me sentis la tête vide. Ou plutôt, j'eus la sensation physique qu'une sorte de tunnel s'ouvrait dans mon esprit, et que, peu à peu, ce tunnel prenait l'aspect d'une grotte lumineuse, dont la clarté n'était pas imaginaire, mais bel et bien physique. Lentement, la flamme de la bougie se coula dans cet espace lumineux. Une fois de plus, je *devins* la flamme. Je n'eus plus ni bras, ni jambes, ni corps, ni apparence physique. J'étais devenue cette luminescence qui m'habitait. Je me fondis dans l'espace, le remplis ; je flottais en lui et, transcendant mon corps, je m'en distanciais de plus en plus en m'élevant. J'eus conscience de ce corps demeuré dans l'eau du bassin, mais je le vis au-dessous de moi, et David près de lui. Mon esprit, ma conscience, mon âme — peu importe le nom qu'on lui donne — s'élança toujours plus haut. Cela franchit le toit de la bâtisse et s'envola au-dessus de la rivière aux couleurs de crépuscule. Je volais... ou plutôt — car le mot voler n'est pas assez fort pour restituer cette sensation d'absolue volatilité — j'évoluais dans l'espace... embrassant les montagnes et tout le paysage, et reconnaissant les lieux que j'avais découverts au cours de la journée.

Un mince fil d'argent s'étirait entre mon esprit et mon corps resté dans le bassin, les reliant l'un à l'autre. Pourtant, je ne rêvais pas. J'étais, semble-t-il, pleinement consciente de tout, consciente de ne pas vouloir m'élever trop haut, ni m'éloigner trop de mon corps. Je me sentais indéfectiblement liée à lui. Mais j'avais aussi l'absolue certitude de percevoir distinctement mes deux formes : celle de ce corps, au loin en bas, et celle de mon esprit qui ne cessait de s'élever. J'occupais simultanément deux lieux, et cela me semblait parfaitement naturel. Tout en m'élevant, je percevais autour de moi la présence d'une énergie vibratoire que je ne pouvais voir, mais que, pour la première fois, je « pressentais » intimement. Un nouveau champ de perception s'ouvrait à moi, totalement étranger à mes sens visuel, auditif, olfactif, gustatif et tactile. Cette dimension nouvelle, je n'aurais pu la décrire, mais je la savais présente, physiquement présente, alors que mon corps, j'en étais pleinement consciente, stagnait loin au-dessous de moi.

Avaient-ils vécu cela, ceux qu'avait interrogés Elizabeth Kubler-Ross ? Mon énergie spirituelle se dissociait-elle de ma forme physique ? Était-ce mon *âme* qui flottait ? Ces questions, je me les posais avec lucidité, en m'élevant au-dessus de la Terre. J'eus, en ces instants, une conscience si aiguë de ce que je ressentais, que je compris combien mon corps était étranger à toute cette expérience. Je vécus, je crois, une disjonction absolue. J'étais deux entités distinctes et, beaucoup plus encore, une entité réfléchie.

Je contemplais le fil d'argent qui me reliait à mon corps. Des livres de métaphysique m'en avaient révélé l'existence. Il luisait dans l'air. Il me semblait d'une longueur, d'une élasticité infinie. Une sorte d'œil spirituel me permettait de voir autrement qu'avec mes yeux charnels. Je m'élevais toujours dans l'espace, me demandant si, en s'étirant à l'extrême, le fil d'argent n'allait pas finir pas se rompre. Dès l'instant où ce doute me vint, mon ascension prit fin. J'eus conscience d'avoir décidé lucidement de mettre un terme à mon évolution dans l'espace, de ne plus vouloir m'élever davantage. D'où j'étais, je pouvais voir la sphéricité de la Terre, et l'obscurité qui régnait de l'autre côté du globe. L'espace entourant mon esprit m'apaisait par sa douceur et sa pureté. Je perçus l'existence de liaisons par ondes énergétiques, et de formes de pensée véhiculées par cette énergie ondulatoire. Désormais lâche, le fil d'argent oscillait mollement dans l'espace. Les vibrations d'énergie se dissipèrent. La sensation d'être bercée par des ondes de pensée s'estompa, et je réintégrai mon apparence physique en un mouvement doux et léger comme un souffle. Mon corps me parut familier, rassurant, mais en même temps je m'y sentis à l'étroit, maladroite, entravée... J'étais heureuse d'en reprendre possession, mais je savais que j'éprouverais à nouveau l'envie de m'en distancier.

Le fil d'argent se fondit dans la flamme vacillante de la bougie. Je me secouai pour m'extraire de ma méditation et regardai David. Il me souriait.

Je ne comprenais pas ce qu'il venait de m'arriver. Je tentai de le lui expliquer.

— Je sais, me dit-il. Tu vois, donner une réalité à l'âme est un acte physique. Tu viens de *réaliser* ton âme, et elle s'est séparée de ton corps. C'est simple.

Il semblait visiblement ravi de ce que je venais de vivre.

— C'était un voyage astral ? demandai-je.

— Eh oui. Pendant que tu te promenais ce matin, je suis venu ici pour en faire un, moi aussi. De toute façon, je me balade un peu partout, et ça me fait faire des économies de carburant, plaisanta-t-il. Dans l'astral, tu peux aller où ça te chante, et par la même occasion y rencontrer d'autres âmes. Seulement, quand tu retrouves ton corps et que tu te réveilles, bien souvent tu oublies où tu es allé. Un peu comme en rêve.

— Et... c'est la même chose quand nous mourons ? L'âme quitte le corps, flotte et s'élève dans l'astral ?

— La même chose. A cette différence près que le fil d'argent se brise et qu'alors on meurt. Le fil se brise quand le corps ne peut plus entretenir la force vitale. C'est vraiment tout simple. Je ne peux pas t'expliquer dans les détails comment on meurt, mais ce que je peux te dire, c'est que le principe est le même que pour le voyage astral, sauf qu'ensuite on ne retrouve plus son corps.

Je commençais à trembler de froid dans l'eau. J'avais envie de lait chaud... de quelque chose qui me fût familier. Je ne pouvais ni retrouver une chambre confortable et bien chauffée, ni prendre un bon bain de mousse brûlant. Pas d'autre perspective que d'accepter les choses comme elles venaient, aussi désagréables fussent-elles.

— Je crois que je ferais bien de sortir de l'eau, dis-je en claquant des dents.

— D'accord, sortons. Remontons prendre du lait et manger quelque chose.

Je me frottai vigoureusement la peau jusqu'à ce qu'elle me picote, puis me jetai sur mes vêtements avec la promptitude de ces artistes qui, en un tournemain, doivent changer de costume. Quand nous fûmes sortis de la bâtisse, David me serra dans ses bras comme si je venais de décrocher un diplôme de fin d'études.

L'ensemble de mes notions étaient chamboulées... plus exactement mes idées reçues, mes perceptions du monde temporel, sens dessus dessous. Ce que je ressentais était beaucoup plus simple. Je venais de vivre une sorte de rêve qui pourtant n'en était pas un et tenait devantage d'une incursion dans une dimension nouvelle.

Quand la femme édentée entourée de sa marmaille nous apporta son lait chaud et son sempiternel ragoût, il me sembla avoir revêtu une toge de paix. Radio Lima diffusait bruyamment, sur ondes courtes, le reportage en direct de quelque match de football, entrecoupé d'informations brèves sur l'ampleur que prenait l'émeute de Huancayo, à une heure de Llocllapampa. Selon le commentateur, c'était à « l'inflation » qu'il fallait attribuer ces troubles. Les manifestants jetaient des pierres et des objets divers dans les vitrines, pour protester contre la cherté de la vie, rapporta-t-il. Même dans la Cordillère, les salaires ne parvenaient pas à compenser les effets d'une brutale flambée des prix. Pour David, cette situation ne pouvait que laisser présager un coup d'État ou un changement de gouvernement, ce qui n'améliorerait pas pour autant le cours des choses.

En traversant la route pour regagner notre hôtel dans la nuit, nous trébuchâmes sur de grosses pierres. J'appris par David qu'elles avaient été entassées là par les émeutiers, pour empêcher les forces gouvernementales de prêter main-forte aux troupes chargées de maintenir l'ordre à Huancayo ; dans cette ville, cent mille habitants étaient maintenant soumis au couvre-feu passé neuf heures du soir.

Dans ma chambre, une lampe à pétrole dégageait une faible chaleur malodorante. Au moins la pièce n'était-elle pas glaciale, quand je la traversai pour m'écrouler sur le lit. Du sol de terre froide montait une odeur de moisi. En me blottissant dans mon poncho, je pensai que mon apprentissage irait sûrement plus vite si le confort matériel était un peu meilleur. Pour assimiler les rudiments de la connaissance, fallait-il donc vivre dans des conditions rudimentaires ?

— Dors bien, me dit David. Détends-toi. Peut-être nous retrouverons-nous dans l'astral ?

Un bref clin d'œil, et il s'éclipsa sans bruit.

Je fixais la flamme argentée de la lampe jusqu'à en avoir mal aux yeux. Étendue sur mon lit de fortune, j'écoutais le silence de la montagne. Comme toutes les nuits, des cochons grognaient au-dehors.

J'avais l'impression que ma cervelle virevoltait, cabriolait, s'enroulait sur elle-même. J'étais exténuée. J'aurais voulu m'évader. Était-ce pour oublier ce que je venais de vivre ici que j'éprouvais un tel besoin de fuir, de me réfugier ailleurs ? J'avais toujours voulu sentir, toucher, essayer. J'avais toujours croqué la vie à belles dents. Je ne pouvais m'imaginer sans cette avidité de vivre. Allais-je reprendre ma vie là où je l'avais laissée, dépourvue de but et de raison, avec ses affres et ses incertitudes ? Allais-je retrouver mes peurs, mes jalousies, mes vaines luttes pour approcher la vérité ? Avais-je donc une telle hâte de renouer avec ce qui m'avait valu souffrance et félicité, simplement parce que cette existence m'était familière ? Pourrais-je jamais me contenter de croire que la vie, la réalité, se résumaient à ce que je pouvais voir, toucher et entendre ? De croire que la mort n'était que la mort, et rien d'autre qu'*aboutissement ?* Pourrais-je me satisfaire de cette conviction « rassurante » qui veut que là où il n'y a pas de preuves, il ne saurait y avoir de foi ?

J'entendis David frapper discrètement à la cloison.

— Détends-toi, Shirley, l'entendis-je chuchoter avec un petit rire dans la voix. Je te sens si agitée que cela m'empêche de dormir.

Je ris à mon tour.

— C'est toi qui m'as entraînée dans cette aventure, dis-je, et voilà que maintenant tu me rends responsable de tes insomnies !

— Essaie de dormir. Tu en as besoin.

— Sûr ! Mais comment peut-on trouver le sommeil, quand on sait qu'on va vivre un million d'années ? Si au moins j'étais sûre de trouver plaisante cette perspective !

— Concentre-toi.

357

— Me concentrer sur quoi ?

— Sur ton Rêve d'Or. Tu te souviens ?

— Oui.

Je m'en souvenais en effet. Seulement, ce soir-là, je n'eus pas de Rêve d'Or. Je m'en sentais bien incapable. Et c'était *cela* le pire.

Chapitre 25

> « ... notre vie entière, de la naissance à la mort,
> avec tous ses rêves, ne serait-elle donc elle-même
> qu'un rêve que nous prenons pour la vie réelle, un
> rêve dont nous ne doutons pas de la réalité pour
> l'unique raison que nous ignorons tout d'une vie
> plus réelle ? Notre existence n'est qu'un des rêves
> de cette vie plus réelle, et il en va ainsi éternelle-
> ment, jusqu'à la toute dernière, la vraie vie... la
> vie de Dieu. »
>
> Léon Tolstoï
> *Lettres*

LES jours suivants, je ne fis que marcher et réfléchir. Parfois David m'accompagnait dans mes promenades. Parfois aussi, l'envie me prenait de rentrer aux États-Unis, de retrouver le vieux monde qui m'était familier, tissé de liens éphémères, de relations trébuchantes, d'idylles utopiques, et de cette course sans buts décelables... les événements, les nouvelles, les mani-festations artistiques, les films qui remplissaient les salles ou que le public boudait, la sueur des répétitions, le travail acharné, l'humour grinçant, l'esprit de compétition, les nou-velles modes, l'argent, la télévision en couleurs, le succès... Tout cela me manquait. J'en avais trop l'habitude. Jusque-là, j'avais surnagé dans ce monde confus et bigarré. Aujourd'hui j'en ressentais le besoin. Mais je ne voulais plus m'y sentir insatis-faite.

J'observai la femme édentée. Elle lavait une pile de vêtements en les foulant aux pieds. Ils ressortaient propres... les vêtements, veux-je dire... les pieds aussi, probablement. Voilà ce que je voulais faire de ma vie... la fouler aux pieds jusqu'à ce qu'elle soit lavée... *Pourrais-je* renouer avec mon vieux monde ? Deviendrais-je deux entités distinctes ? Étais-je quelque chose de plus qu'une seule personne ? Étais-je tous les personnages que j'avais vécus ? Peut-être la leçon se résumait-elle à cela ? Et si c'était vrai, je ne devais pas en être à mes premières incertitudes.

David m'observait avec calme. Il comprenait l'épreuve que je traversais.

— J'ai connu les mêmes vicissitudes, me dit-il un jour.

Assis sur un rocher, il fixait une marguerite sauvage.

— « Connais-toi toi-même », tu te souviens ? « Car en toi réside tout l'Univers. »

Un soir, alors que nous venions de terminer notre ragoût dans la gargote, il me proposa d'aller dormir à la belle étoile. Le repas nous avait réchauffés et donné le sentiment d'être prémunis contre le froid.

— Essayons toujours, dit-il. Nous rentrerons si le froid est trop vif. Il fait chaud si on s'enfouit assez profondément dans la paille.

A l'aide d'une pelle dont se servaient les ouvriers chiqueurs de coca, nous creusâmes derrière notre hôtel un trou rectangulaire assez profond. Nous nous y allongeâmes côte à côte après y avoir enfoui des monceaux de paille pour nous en recouvrir abondamment. La chaleur me parut suffisante pour que je puisse m'y détendre... en me persuadant qu'il faisait bon.

David contemplait le ciel avec une expression d'expectative.

Étendue dans la paille, je me demandais ce qu'il me resterait du Pérou quand j'en serais repartie. Curieusement, je ressentais un manque chaque fois que je quittais un pays. Cela m'était même arrivé après un voyage en Union soviétique, alors que je ne l'avais guère aimée. Sitôt que je mettais le pied dans un lieu inconnu, quelque chose comme une étincelle s'embrasait en moi, qui continuait à me hanter après que je l'eus quitté. Je me demandais combien de pays j'avais habités, au cours de mes autres vies, et je ne comprenais pas pourquoi j'étais incapable de m'en souvenir.

Les étoiles semblaient suspendues à moins d'un mètre

360

au-dessus de nos têtes. J'eus un léger frisson, mais la majesté du ciel me fit oublier le froid. Près de moi, David demeurait silencieux. Nous regardâmes le ciel durant une bonne heure.

Puis je me tournai vers lui :

— Je suis heureuse d'être venue ici, dis-je. Merci.

Peu après, nous nous sommes endormis. Des soucoupes volantes auraient bien pu se manifester, ce n'était plus notre affaire, tant nous avions besoin de repos. Nous nous sommes éveillés au lever du soleil, et pendant deux heures nous avons marché dans les lueurs naissantes de l'aube. Nous ne parlions presque pas. Plus tard, attablés devant nos galettes de pain et notre lait chaud, nous avons parlé du réconfort que procure la certitude que rien ni personne ne meurt jamais. Dans l'après-midi, nous avons encore marché, escaladé et dévalé des pentes, longé le Rio Mantaro. Au bord de la route, nous avons fait halte pour acheter des yoghourts provenant de la vallée. Nous courions et sautions de joie. Pendant un moment, nous avons barboté dans la rivière fraîche en nous aspergeant de ses eaux orangées. Je me sentais vivre, totalement et complètement vivre, dans le présent. Et quand, plus tard, je fis un somme sous le soleil déclinant, étendue de tout mon long sur l'herbe tiède, il me sembla que mon cœur et mon esprit étaient bercés par une paisible houle de velours qui ondulait mollement alentour.

Je commençais à percevoir (à percevoir plutôt qu'à concevoir) une nouvelle façon de me considérer et de considérer la vie. J'avais le sentiment de me détourner de ce que j'avais été : un être croyant intimement que la culpabilité, la jalousie, le matérialisme, les inhibitions sexuelles et le doute sont indissociables de la nature humaine. J'avais tenue pour acquise la permanence de ces émotions et, par raison, je m'en étais accommodée. Maintenant, j'allais devoir m'en départir. J'allais devoir adopter une nouvelle conception de l'existence, exigeant de moi que je combatte ces sentiments corrupteurs. Sinon, j'alourdirais plus tard ma dette karmique. Si la mort ne mettait pas un terme au cours de ma vie, je devrais la vivre pour l'éternité. Aussi valait-il mieux commencer tout de suite. Jamais encore une telle notion d'éternité ne m'avait effleuré l'esprit. Je repensais à mon passé et à mes aventures sentimentales.

Le choc que Gerry m'avait fait me revint en mémoire : quand il m'avait révélé qu'il se sentait incapable de correspondre à l'image que je me faisais de lui et de répondre à mes attentes, tant je l'avais idéalisé. Je comprenais aujourd'hui que, par mon besoin de partager avec lui un amour idéal, j'avais privé notre relation de toute chance d'accomplissement. Mes exigences avaient rendu toute tentative de vie en commun impossible, dans l'absolu comme dans le quotidien, car quel être saurait se mesurer à l'image irréaliste qu'un autre être se fait de lui ?

Je voyais désormais Gerry d'une façon différente et sous un éclairage plus objectif. Je percevais bien davantage *son* propre point de vue.

Un jour, je parlai à David de Gerry, sans lui révéler son identité. Il m'écouta. Son aide me fut précieuse pour mieux comprendre mes propres sentiments. En discutant avec lui, je me rendis compte que je m'étais toujours complue dans des amours protectrices, exclusives, calfeutrées, pour *me défendre d'être moi-même*, libre et spontanée. J'avais continuellement tissé autour de moi et de l'homme que j'aimais une toile rassurante, sécurisante, à l'abri de laquelle *nous* avions plus d'importance que je n'en avais, *moi*. Au nom de l'amour, j'avais sans cesse réfréné les forces que je portais en moi..

Chaque jour, nous marchions pendant des heures, parmi les immenses champs de blé ou bien le long du Rio Mantaro, nous arrêtant parfois pour regarder le soleil monter ou décliner. Quand mes incertitudes se faisaient trop lourdes, je me confiais à David. Alors il m'engageait à en chercher les causes. Il m'encourageait à réfléchir sur ce qui, dans mon conflit intérieur, relevait de mes habitudes d'esprit ou de mes contradictions. Acquérir une nouvelle liberté, un nouvel enrichissement de pensée ne dépendait que de moi, me rappelait-il.

Qu'il fût assis dans les collines ou parmi les bulles de soufre, il se montrait détendu, d'humeur radieuse, et ne cessait de m'entretenir de ses rencontres avec Mayane.

Au cours d'une de leurs discussions, elle lui avait parlé du besoin que toute femme éprouve de se rassurer sur l'accomplissement de sa féminité. Même si, aux États-Unis, les femmes avaient acquis une certaine autonomie, elles avaient le droit d'obtenir encore davantage d'indépendance et de liberté. « Aucune société ne pourra se dire démocratique tant que les femmes ne seront pas considérées, *tant qu'elles ne se considéreront pas elles-mêmes*, comme des égales absolues de l'homme. D'ailleurs, avait-elle ajouté, cette égalité ne peut s'accomplir

362

que si chaque femme en fait l'effort. Sans un effort personnel, rien ne vaut la peine d'être acquis. Les âmes des êtres humains, et plus particulièrement celles des femmes, sont enchaînées à la Terre par la sécurité d'un foyer, la possession d'un domaine ou l'illusion d'un peu d'amour. Tant que vous n'aurez pas appris à briser ces chaînes pour vous élever à une connaissance supérieure, vous continuerez à souffrir. »

Mayane avait appris à David que les femmes étaient plus intelligentes que les hommes, et il me le rapportait avec une absolue conviction. De toute évidence, il ne mettait rien en doute de ce qu'elle lui avait enseigné.

A l'occasion d'une autre rencontre, elle lui avait révélé que la science était la servante de Dieu. Notre science terrestre avait atteint un tel niveau de technologie qu'elle nous avait dépossédés de notre pouvoir sur elle. Cette technologie n'était plus que menace pour notre existence. Il nous fallait d'urgence démanteler nos centrales nucléaires et consacrer tous nos efforts à résoudre les problèmes posés par l'élimination de nos déchets toxiques. L'usage que nous en faisions et les buts auxquels nous les destinions risquaient de pervertir ladite technologie. Prenant pour exemple le Soleil, Mayane lui avait rappelé qu'il est source inépuisable d'énergie, que nous devions apprendre à en tirer parti et à stocker cette énergie.
Alors la science, par le détour de la technologie, servirait aussi bien l'homme que la planète Terre.

Rien aux yeux de Mayane n'avait plus de prix qu'une âme en vie, puisqu'en une seule âme était contenue la totalité du cosmos. Le genre humain suivait une trajectoire en spirale ascendante, même s'il ne semblait pas progresser. Chaque transmutation des âmes par la re-naissance et l'après-vie, que nous en fussions conscients ou non, permettait à l'humanité entière d'atteindre un plan plus élevé. Le parachèvement graduel de chaque âme affectait le mécanisme et l'évolution de tout le cosmos : telle était *précisément* la vocation de chaque âme. L'homme s'était habitué à mutiler les perceptions et les révélations de son propre esprit. Il nous était devenu difficile de nous dégager des cadres conceptuels acquis. Nous ne permettions pas à notre imagination d'accomplir les sauts quantiques susceptibles de nous faire accéder à d'autres dimensions. Or, nous devions parvenir à transcender les limites imposées à notre esprit par d'innombrables vies de pensée structurée.

Nous étions dans les Andes depuis deux semaines et demie et il me semblait y séjourner depuis deux ans et demi. Ma façon de considérer l'existence avait changé, c'était le moins qu'on puisse dire. De ce changement, je ressentais les effets dans mes moindres pensées. J'avais l'impression que mes capacités virtuelles s'affirmaient. « Plût au ciel qu'elles ne se dissipent pas quand je redescendrai sur terre », me disais-je. Je me demandais en même temps si ma nouvelle conception des choses n'allait pas retentir sur ma vie quotidienne.

Tous les deux ou trois jours, nous allions à Ataura faire provision de piles pour mon magnétophone, de papier, de stylos, ou simplement pour y retrouver de l'animation. Nous n'y fûmes les témoins d'aucune émeute, mais la police était partout. Les fruits et les légumes que j'achetais dans des échoppes empoussiérées manquaient de fraîcheur et coûtaient des sommes folles. Une simple pomme me fut un jour vendue cinquante-neuf cents. Un petit magnétophone très ordinaire atteignait quatre cent cinquante dollars, et ce qu'on demandait de n'importe quel appareil électro-ménager eût passé pour exorbitant dans n'importe quelle économie prospère. Il ne fallait donc pas s'étonner si des foyers de révolte couvaient un peu partout dans le pays, où les prix étaient astronomiques et les salaires ridiculement bas. Nous rencontrâmes à Ataura quelques Américains, pour la plupart étudiants, qui parcouraient les Andes.

La foire du dimanche y attirait des gens venus de centaines de kilomètres à la ronde pour y vendre à peu près n'importe quoi, des antiquités aux chèvres. Nous y mangions du riz et des haricots, et je ne me souciais guère des aigreurs d'estomac que risquaient de me donner les oignons qui complétaient le menu. Un peu partout, dans les magasins ou les restaurants, on parlait des OVNIs. Apparemment, chacun avait une anecdote personnelle à raconter sur le sujet, que David me traduisait. Il s'agissait généralement d'engins en forme de cigares, d'où s'envolaient des soucoupes, ou tout simplement de soucoupes autonomes.

Presque tout le monde avait également une histoire à raconter sur les pics de glace de Huaytapallana. Ils semblaient s'embrasser « quand le ciel s'illuminait », et des formations d'engins les survolaient. On ne semblait guère éprouver de frayeur rétrospective en relatant ces phénomènes. Tout au plus une certaine crainte, mêlée de respect. Ceux qui avaient vu un OVNI étaient convaincus qu'il s'agissait d'un appareil appartenant à des êtres venus de l'espace.

Pour mon dernier jour dans les Andes, nous retournâmes au café dont le fricot me donnait des brûlures d'estomac. Je devais décoller de Lima pour New York à six heures, le lendemain matin. De la salle, je contemplais les pics de glace. David se leva, se saisit d'une marguerite dans le vase qui décorait la table, se la mit sur l'oreille et s'en fut quérir, à l'extérieur, un journal local. Quand il revint, je vis son visage s'allonger tandis qu'il parcourait les titres.

— Panne générale d'électricité à New York, me dit-il. Des tas de gens ont profité de l'aubaine pour faire leurs courses à bon marché.

— Comment ça, leurs courses à bon marché.

— Pour piller les magasins, si tu préfères.

— Mon Dieu ! Et... il y a eu des blessés... des morts ?

Il scruta le journal.

— Non, me dit-il. C'est une panne banale, comme il peut s'en produire n'importe où. Mais tu penses bien que l'occasion est trop belle... Un concert de clameurs va exiger des pouvoirs publics que l'ordre et la législation soient renforcés. Le racisme ne peut que s'exacerber parce que ceux qui s'en sont donné à cœur joie en pillant les magasins, ce ne sont bien sûr pas des Blancs.

Je songeais à mon amie Bella Abzug. En ce moment, elle devait être en pleine campagne électorale pour gagner la mairie de New York. Allait-elle l'obtenir ? N'avait-elle pas intérêt à garder son mandat au Congrès ? Déjà elle s'était fait éliminer, à quelques voix près, de la course au Sénat. Pourtant, la plupart des gens la considéraient comme le futur maire de New York.

Je fis part de mes réflexions à David, lui dis combien j'étais attachée à Bella, et combien je comptais sur son efficacité si jamais elle l'emportait face à ses adversaires.

— Je l'aime bien, moi aussi, me dit-il. Avec elle au moins, on sait toujours où on met les pieds. Tu vois, je ne crois pas me tromper en affirmant que ceux qui ne l'aiment pas sont en général ceux que je n'aime pas beaucoup moi-même.

Je l'approuvai, en songeant à la forte personnalité de Bella, et à la façon dont je pourrais bien l'aider dans sa campagne, si j'étais à New York.

— Je me demande si elle va être élue, dis-je. Je me demande si l'aile gauche du Parti Démocrate va, une fois de plus disperser ses voix new-yorkaises, ou au contraire la laisser gagner cette fois-ci.

David mâchonnait la tige de sa marguerite.

— Tu veux le savoir ? me demanda-t-il.

— J'aimerais bien, mais comment ?

— Je connais pas loin d'ici une voyante du nom de Maria. Une voyante assez célèbre, et qui m'a terriblement impressionné. Nous pourrions aller la voir et l'interroger à propos de Bella.

— Diable ! Et si, par la même occasion, je lui demandais ce qui m'attend à mon retour à New York ?

A la sortie de la ville, David arrêta la Plymouth devant une modeste demeure crépie de blanc et sise à flanc de montagne. Des fleurs sauvages grimpaient le long des murs.

Une jeune fille vint nous ouvrir. Elle accueillit David comme si elle le reconnaissait. Il lui expliqua que nous souhaitions voir sa mère. Elle acquiesça d'un signe de tête. Maria s'absorbait depuis le matin dans ses écritures en sanscrit, nous informa-t-elle en s'éclipsant.

— Quelles écritures en sanscrit ? demandai-je à David. Comment une Péruvienne recluse dans les Andes peut-elle bien s'intéresser au sanscrit ?

— Elle ne le comprend pas, répondit-il. Elle ne l'a jamais étudié, et ne peut donc ni le lire ni l'écrire de façon concertée. Mais quand elle entre en transe, elle rédige en sanscrit par écriture automatique. Un peu comme Mahomet quand il a écrit le Coran, mais lui était illettré.

— Tu veux dire qu'une sorte de voix intérieure lui commande d'écrire certaines choses dont elle ne sait rien ?

— Oui. Elle affirme que c'est extérieur à sa volonté. Ça la prend à n'importe quel moment du jour ou de la nuit. Il lui arrive ainsi d'écrire, et parfois même dans le noir, des passages entiers d'enseignement spirituel dans une langue qui lui est totalement étrangère.

— Et ces écrits, on les a authentifiés ?

— Bien sûr. Maria passe pour l'une des spécialistes mondiales de la calligraphie sanscrite, bien que personne ne s'explique comment. Des sanscritistes du monde entier ont examiné ses écrits et ont conclu à leur authenticité. Quant à elle, elle affirme qu'elle ne veut pas chercher à comprendre, et que l'essentiel est qu'elle puisse venir en aide aux autres.

Nous attendions Maria dans le vestibule. En la voyant venir vers nous, je fus frappée par son allure de bonne Péruvienne de classe modeste. Elle portait une robe imprimée qui collait à ses larges hanches, des chaussures éraflées aux talons épais passablement usés, et elle se dandinait en marchant. Son visage respirait la franchise et la bonté. Ses cheveux portaient la trace d'une ancienne mise en plis.

Elle accueillit David d'une étreinte chaleureuse. Puis, me prenant par le bras, elle nous fit entrer dans un salon propret et où trônaient une table basse de verre et des meubles venus tout droit de la succursale à Lima de Sears, Roebuck & Co.

Maria ne parlant que l'espagnol, David se chargea de traduire.

— En quoi puis-je vous aider ? me demanda-t-elle.

David se tourna vers moi :

— Tu veux lui poser des questions sur Bella ?

— Oui.

Je résumais à grands traits pour Maria le passé de Bella. David faisait l'interprète. Puis Maria me tendit la main :

— Pourrais-je avoir un objet que vous avez l'habitude de porter ? me demanda-t-elle.

— Oui, mais... pourquoi ?

— J'ai besoin de me mettre en contact direct avec vos vibrations.

J'ôtai de mon cou le pendentif de diamants en forme de cœur que j'avais porté pendant le tournage du film *The Turning Point* et qui, depuis, ne m'avait pas quittée.

Maria le prit dans sa main droite, le caressa, ferma les yeux, et parut « sentir » ses vibrations.

— Vous êtes très liée à la personne en question, me dit-elle.

Je le lui confirmai.

— Elle est en concurrence avec d'autres pour obtenir un poste de commande dans votre ville de New York.

Ses propos étaient énoncés sur un ton affirmatif. J'acquiesçai encore. Maria ferma les yeux.

— Non, fit-elle. Je ne la vois pas gagner. Je vois plutôt un homme chauve aux longs doigts.

Je me tournai vers David, ne voyant pas de qui elle voulait parler. A l'évidence, elle ne savait rien des affaires publiques new-yorkaises, et elle se bornait à exprimer ses visions.

— Vous en êtes sûre ? lui demandai-je. Vous devez vous tromper, car je connais tous les candidats, et aucun ne ressemble à celui dont vous me parlez. Il me semble que quelque chose ne colle pas.

— Cette personne n'a pas encore fait acte de candidature, répondit-elle.

Je sentis une goutte de transpiration couler au creux de ma poitrine et je changeai de sujet.

Je l'interrogeai sur les films que je serais susceptible de tourner. Elle me déclara que je venais d'en terminer un qui me vaudrait un prix. Un très beau film, ajouta-t-elle, en ce sens qu'il avait pour cadre le monde de la danse. (Or, à cette époque, *The Turning Point* n'était pas encore distribué dans les salles, et donc inconnu du public.)

Je me taisais.

— Je vois aussi un homme près d'une fenêtre, reprit-elle. Il regarde au dehors. Tout est couvert de neige. Et il comprend pourquoi il vous est impossible de vivre ensemble.

Je clignai des yeux et toussotai.

— Il a longuement réfléchi, continua-t-elle. Mais le chemin qui mène à vous lui semble impraticable. J'espère que vous comprenez ce dont je parle ?

Je ne voulais plus qu'elle parlât de moi.

— Revenons à Bella, lui demandai-je.

Maria leva vers moi des yeux ronds et attristés.

— La dame que vous connaissez ne gagnera pas, dit-elle. C'est un homme chauve aux longs doigts, dont personne ne tient compte, qui va gagner.

Maria se leva. Je fis de même. Elle avait certainement d'autres choses à faire. Je la remerciai. Triste et compatissante, elle m'accrocha elle-même le pendentif autour du cou et m'assura qu'elle serait heureuse de me revoir si je le désirais. Puis elle nous serra la main et nous reconduisit à la porte.

368

Ce qu'elle venait de me prédire m'avait d'autant plus contrariée qu'elle l'avait énoncé avec une grande assurance.

— Comment peut-elle être si sûre de ce qu'elle avance, demandai-je à David, tandis que nous marchions vers la voiture.

Il tombait une pluie fine, qui allait transformer en bourbier cette petite ville de haute montagne.

— Je ne sais pas, fit-il. Laisse passer le temps et tu verras bien. Peut-être se trompe-t-elle. Mais je dois te dire que c'est plutôt rare.

Il eut un frisson et m'invita du geste à monter en voiture. Je pris place à l'intérieur, incapable d'ajouter quoi que ce soit. Il mit le moteur en marche et nous prîmes la direction de Llocllapampa. Il se taisait. J'évitai de faire irruption dans ses pensées. Je m'interrogeais encore sur cette série de « coïncidences » qui avaient marqué le cours de notre amitié profonde et si particulière. Tout ce qu'il m'avait dit me semblait à présent receler un sens caché. Et d'abord, *pourquoi* était-il venu me voir la première fois ? Il n'avait rien à gagner à me connaître. D'ailleurs, s'il était entré dans ma vie dix ans auparavant, il en était aussitôt ressorti, après m'avoir remis ces trois pierres... ces trois pierres que m'envoyaient les Massaï, comme pour nous rappeler, à tous deux, qu'il ne s'agissait pas d'un simple hasard.

Je repensais à ce que j'avais appris grâce à lui... aux merveilleuses choses dévoilées par Mayane, peu importe qui elle était... au monde spirituel qu'elle et lui m'avaient révélé... à leur conviction que nous pouvions percer les grands mystères de la vie pour peu que nous nous y décidions... aux livres que David m'avait conseillé de lire... aux gens d'ici pour lesquels les OVNIs étaient un phénomène si familier... J'essayais de mettre bon ordre aux pièces du puzzle ; les séances avec Ambrès, puis avec Jean et McPherson, si éloignés les uns des autres, qui m'avaient pourtant tenu le même langage... et les maillons de cette chaîne interminable : Dieu, esprit, amour, karma, mondes inconnus, Justice Cosmique, bonté suprême, révélation spirituelle, Jésus, machines volantes, Règle d'Or, civilisations avancées, « dieux » se déplaçant dans des chariots de feu, être ayant accompli des miracles inexplicables au cours de notre histoire...

Tout cela commençait peut-être à prendre un sens. Les humains étaient-ils la *composante* d'un vaste dessein cosmique s'accomplissant depuis des milliers et des milliers d'années ? Et si ceux qui prétendaient avoir fait un tour en vaisseau spatial disaient la vérité ? Malgré le fait que leur aventure ait été exploitée par les journaux spécialisés dans le sensationnel ? Non... ce serait tout de même trop énorme ! Et moi, qu'allais-je faire de tout cela ? Se trouverait-il quelqu'un pour y croire, si je m'avisais de l'écrire un jour ? David avait peut-être surgi dans ma vie pour cette raison ? Si je croyais sincèrement ce que j'avais appris, m'avait-il dit, je ne devais pas craindre d'être la risée du monde : ma crédibilité resterait entière si nul ne mettait en doute ma bonne foi. Or, ma bonne foi était totale. C'était *l'objet même* de ma conviction qui me donnait un peu la chair de poule...

Nous roulions vers Llocllapampa. Une fois parvenus à destination, j'allais me dépêcher de boucler ma valise pour jouir une dernière fois du coucher du soleil avant de repartir pour Lima. Mais un Péruvien en uniforme attendait devant notre hôtel.

— Un de mes amis, me dit David en se tournant vers moi dans la voiture. C'est lui qui va te reconduire à Lima. Il ne parle pas anglais, mais tu peux lui faire confiance. Tu arriveras à l'aéroport à l'heure pour prendre l'avion de New York. Moi, je vais rester ici quelque temps encore.

Mon estomac se noua. J'eus envie de fondre en larmes.

— Mais pourquoi ? dis-je. Pourquoi ? Pourquoi est-ce que je dois partir alors que tu restes ? J'ai besoin de te parler encore. Pourquoi rester ici ?

Il me regardait.

— Moi, je n'ai aucune raison de rentrer. Toi, oui. Repense à tout ce qu'il s'est passé au cours de ces dernières semaines. Et prends ton temps pour bien le comprendre. Pour toi, ce n'est que le commencement. Maintenant tu as besoin d'être seule. Je pense qu'il vaut mieux retrouver ta vraie vie, reprendre pied dans la réalité. Tu auras tes notes, tes cassettes, des milliers de livres à lire et des milliers de recherches à entreprendre. Fais-le. Tu as beaucoup réfléchi, beaucoup appris. Maintenant, tu dois te retrouver seule avec toi-même.

Les larmes me vinrent aux yeux. Je ne savais que dire. Il se pencha vers moi et me prit la main.

— Vois le ciel, dit-il encore. Où est la liberté ? Ici ? Ou là-haut ? Voilà, il est temps pour toi de faire tes bagages.

370

J'entrai pour la dernière fois dans la chambre froide et sombre. En entassant dans ma valise mes vêtements, mes cassettes et mes notes, j'éprouvai une terrible envie d'un dernier bain de soufre. La nuit, je n'entendrais plus grogner les cochons dans le silence des Andes. Je ne me laverais plus les dents le matin dans la rivière orangée. Je ne ferais plus de promenades l'après-midi dans la montagne. Je ne serais plus avec David. Pendant ces brèves semaines, je n'avais pas du tout pensé à ce que serait l'avenir. Et soudain il était là, dans mon giron, pesant de tout son poids.

Dès que j'en eus terminé avec mes bagages, je sortis faire quelques pas dans la lumière du soleil couchant. La femme édentée m'attendait près de la Plymouth, avec ma bague-montre. Je regardai David. Il leva les épaules et me sourit. Je pris la montre, la plaçai au ceux de la main de la femme et lui refermai les doigts dessus, en confirmant d'un signe de tête que l'objet était bien à elle. Je souris de sa joie volubile et me tournai vers David.

Il me pinça affectueusement le menton et le fit trembloter, comme on le fait à un enfant. Je saisis sa main dans la mienne et la pressai très fort.

— Il faut donc que je parte ? Sans rien dire ? Simplement que je *parte ?*

— Oui.

Il m'accompagna jusqu'à la Plymouth en me tenant la main. Je regardai pour la dernière fois les ombres violacées qui descendaient alentour sur les montagnes. David me serra l'épaule et m'ouvrit la portière.

— Nous nous reverrons, dit-il. Je te le promets. Aie confiance. Et puis, rappelle-toi que nous avons déjà vécu bien des vies ensemble. Tu te souviens ?

Je me grattai la nuque en faisant tout mon possible pour ne pas sangloter. Son ami en uniforme déposait ma valise sur le siège arrière et je montai dans la voiture. David referma la portière et se pencha vers moi.

— Je t'aime, me dit-il. Et souviens-toi que rien n'est plus grand que l'amour.

J'avais la gorge horriblement serrée. Je n'osai parler, tant je redoutais d'éclater en sanglots.

— Oui, fis-je d'une voix étranglée. Je ne comprends pas, mais je t'aime moi aussi.

— Alors, maintenant, va de l'avant ! C'est tout... c'est simple. Sois toi-même, n'aie pas de crainte et aime le monde entier.

Son ami en uniforme mit le contact et appuya sur l'accélérateur. Nous laissâmes derrière nous ce village qui n'en était pas un. Je ne me retournai pas. Mais je savais que David nous regardait partir en agitant la main, son épaule gauche un peu affaissée.

> « ... combien notre pouvoir affectif ne s'enrichirait-il pas si nous acceptions l'idée d'une préexistence... Nous découvririons que nous n'avons vécu que dans un seul hémisphère, que nous n'avons pensé qu'à-demi, que nous avons besoin d'une foi nouvelle pour rétablir un pont entre le passé et le futur, au-dessus de ce grand parallèle qu'est le présent, afin de faire une sphère parfaite de notre monde émotionnel. »
>
> Lafcadio Hearn
> *Kokoro*

L'homme qui me conduisait à Lima me dit quelque chose en espagnol. Je lui fis en souriant un signe de tête affirmatif, soulagée de ne pouvoir lui faire la conversation.

Je m'efforçai de me libérer de l'oppression qui me nouait la gorge en buvant des yeux le paysage familier. Tournant après tournant, nous descendîmes les Andes. Je revis les mêmes villes minières, les mêmes troupeaux de lamas, les mêmes femmes aux larges chapeaux blancs amidonnés, le même panneau faisant allusion aux OVNIs au même passage à niveau. L'air s'empoussiérait graduellement, se faisait plus dense, plus épais, plus facile à respirer, mais aussi moins grisant. Derrière nous, le Soleil drapait la Cordillière de ses derniers rayons. De gros camions poussifs grimpaient péniblement à vide, en sens contraire. Ils redescendraient le lendemain, alourdis de charbon et de minerai de fer.

Un tumulte d'images se pressait à mon esprit : l'eau sulfureuse pétillante, la rivière orangée, les montagnards mâchonnant des feuilles de coca pour se donner des forces, mes étranges conversations avec David dans la lumière du Soleil. Je finis par somnoler.

Un violent cahot m'éveilla. La nuit était tout à fait venue et les étoiles scintillaient comme des fragments de cristal. Au volant, mon chauffeur péruvien demeurait impassible.

Entrer dans Lima, c'était retrouver un monde en régression. Un monde que j'essayais de ne pas voir. Le long de la route s'alignaient des cabanes de squatters. Des gens marchaient sans but. Des usines déversaient des torrents de fumée noire dans un ciel nocturne crasseux. D'épais nuages bas et sales, chargés de pluie, s'amoncelaient au-dessus de la ville pour occulter la beauté du ciel.

J'eus froid. Je remis mon manteau de cuir beige signé Ralph Laurent. Déjà je me préparais à retrouver New York. Mon chauffeur arrêta la voiture devant le bâtiment de Varig Airlines et retira ma valise du siège arrière. Je le remerciai d'un sourire, songeant qu'il était plus convenable de ne pas lui remettre d'argent, et lui serrai la main. Il me sourit à son tour, et repartit dans la vieille guimbarde qui, là-haut, avait été pour moi comme une seconde maison.

J'enregistrai ma valise et montai directement à bord. Deux heures après le décollage de Lima, alors que nous volions à dix mille mètres d'altitude, j'aperçus à l'horizon les fulgurances d'un violent orage, comme si le Royaume des Cieux déchaînait son courroux. Des éclairs lézardaient le ciel et l'embrasaient d'une vive lumière d'un blanc cru, comme en plein jour. Je me recroquevillai sur mon siège, consciente de mon insignifiance face au colossal pouvoir de cet orage électrique d'une rare violence. Rien ne semblait aussi puissant que les éléments naturels quand ils se déchaînaient. Pourtant, selon David, Mayane, Jean, Ambrès, McPherson, Cat, Cayce et aussi — je m'en rendais compte aujourd'hui — selon beaucoup d'autres, rien n'était aussi puissant que l'activité spirituelle *collective* du genre humain, cet immense pouvoir extensible à l'infini, puisé dans une énergie commune, que les hommes appellent leur âme. Il me semblait qu'une infinité de mondes s'ouvraient à moi. De mondes que je voulais explorer pour en apprendre davantage. Et je le *voulais* de toutes mes forces.

Sans doute ne pouvait-on démontrer physiquement l'existence ou l'inexistence de l'âme. Mais je n'étais pas sûre que l'important fût là. Peut-être la réalité existait-elle en fonction de ce qu'on croyait. Alors, toute perception de l'esprit deviendrait réalité. Là se trouvait sans doute la grande leçon dont je faisais l'apprentissage : *ne plus assigner de limites à la pensée...* croire aux possibles... croire qu'on peut tout faire, s'élever, voler, *devenir le tout.* L'âme de chaque homme *était* peut-être le *tout.* Et cette réalité-là, chacun de nous devait la redécouvrir.

La Divinité que nous portons en nous constituait vraisemblablement la tragédie de la race humaine. En la redécouvrant n'allions nous pas bannir la peur de nos existences ? Or, en bannissant la peur, nous bannirions aussi la haine, la cupidité, la guerre, les tueries. Car la peur était le noyau autour duquel gravitaient nos vies... peur de l'échec, de la douleur, de l'humiliation, de la solitude... peur du manque d'amour, peur de nous-mêmes, peur de la mort et aussi, peur suprême, peur de la peur. Cette peur insidieuse, contagieuse, qui naissait de l'irréel, elle corrompait nos vies. Et le plus redoutable dans cet irréel était notre conviction que nous allions mourir. Si seulement nous pouvions nous persuader que nous ne mourrions jamais, que nous seraient offertes d'autres chances, qu'aucune douleur, aucune humiliation, aucune perte n'était définitive et irrémédiable, peut-être la crainte cesserait-elle de nous habiter.

Si les humains dilapidaient leurs dons, se compliquaient à ce point l'existence, était-ce parce qu'ils refusaient leur savoir ? Ils savaient pourtant depuis le commencement des temps qu'ils étaient une parcelle de ce que nous appelons « Dieu »... Que rien ne limitait cette parcelle dans l'accomplissement de son pouvoir divin ?

Passablement tendue, j'étais sanglée sur mon siège par cette pauvre réplique aux turbulences atmosphériques qu'est la ceinture de sécurité. L'appareil sursautait violemment dans le déchaînement de cette puissance naturelle qui aveuglait la cabine à travers la rangée des hublots. La nuit n'était plus qu'une clarté crépitante nourrie d'éclairs. Nous découvrions grâce à eux des nuées, des éclaircies et un déploiement de courants, de précipités pluvieux, tourbillonnant rageusement autour du fragile vaisseau. Nul ne dit mot. Nul n'émit un cri. Et, à ma connaissance, nul ne pleura. Nous n'avions pas d'autre choix que d'attendre. Ce sont de tels moments, trop rares et trop épisodiques sans doute, qui nous aident à mieux comprendre jusqu'où nous sommes capables de repousser nos propres limites. Dans cet avion, personne ne pouvait combattre l'orage, ni le maîtriser. Personne ne pouvait même en comprendre la vraie nature. Il *était* là, gigantesque insurrection des éléments qui nous rapprochait les uns des autres dans une communion de pensée silencieuse.

Je résolus de tout essayer pour me détendre. Je commençai par me décontracter les pieds, puis les chevilles, les jambes, les bras, les mains, le plexus solaire et le torse. Cela me fut salutaire. Je me sentis faire corps avec cet appareil bringuebalant qui grinçait de toutes parts. Ma respiration devint plus régulière. Mon cœur battit moins vite. La sueur qui me coulait au creux de la poitrine et sur le front se tarit peu à peu. Alors, je me rendis compte que j'avais dominé ma peur en faisant appel au pouvoir de l'esprit sur le corps... Qu'est-ce qui gouvernait mon esprit déterminé à refuser la peur ? Mon âme seule en était capable. Car mon âme savait que tout irait bien, quoi qu'il advînt de mon corps. Mon âme, cette parcelle d'énergie universelle présente dans mon subconscient, devait savoir qu'elle était partie du grand tout, donc partie de ce tumulte effroyable des éléments. Mon âme savait qu'elle survivrait, qu'elle était éternelle. Elle savait que l'ouragan faisait aussi partie de cette aventure qu'est la vie.

En paix avec moi-même, exténuée, je m'endormis.

Chapitre 26

« Ce jour avant le jour j'ai gravi la colline
pour contempler le foisonnement du ciel.
A mon esprit j'ai demandé :
Serons-nous donc comblés, aurons-nous plénitude quand enfin nous aurons tout étreint de
ces orbes puisé joie et savoir qui partout sont en
elles ?
Non, m'a dit mon esprit,
seuil atteint n'est pas but
il te faut passer outre.
J'entends que vous aussi me posiez des questions.
Ma réponse est pourtant que je n'y puis répondre
et que seuls vous devez chercher. »

Walt Whitman
Song of Myself

SITÔT arrivée à New York, je m'empressai d'aller voir Bella. C'était son anniversaire, et l'équipe chargée de sa campagne avait organisé au Studio 54 une soirée pour collecter des fonds électoraux.

Bella savait que j'étais allée au Pérou. Je lui racontai que j'y avais médité dans une cabane des Andes. Cela ne l'étonna guère : elle avait lu mes livres et m'imaginait bien capable de vivre les aventures les plus extravagantes. Quoi qu'il en soit, le moment était mal choisi pour converser avec elle. Je me bornai donc à lui dire que mon séjour dans ma cabane de torchis m'avait merveilleusement reposée. Elle en rit, leva les yeux au ciel et entreprit de m'exposer son plan de campagne, dans un état de surexcitation qui était sa manière d'être.

Je l'observai attentivement, espérant qu'un indice quelconque viendrait confirmer ou infirmer ce que m'avait prédit Maria dans les Andes. Je ne veux pas revenir ici sur la défaite bien connue de Bella dans cette élection. Le fait est qu'avant le dernier tour de scrutin, elle fut éliminée. Ed Koch, ce grand gaillard chauve aux longs doigts, l'emporta haut la main.

Je regrettais simplement de ne pas avoir posé davantage de questions à Maria...

Après la série d'événements qui m'avaient poussée à faire ce voyage au Pérou, et après ce qu'il m'était arrivé au Pérou même, il devint évident pour la plupart de mes amis que je vivais maintenant une autre existence en arrière-plan. Je tournais des films, dansais et chantais dans mes spectacles télévisés, je faisais des tournées avec ma troupe. Et si je militais encore pour la cause des femmes ou les droits des citoyens, je préférais de beaucoup, je m'en rendais compte, voyager et réfléchir.

Ma relation avec Gerry s'étiola et prit fin. Il me semblait que notre relation appartenait à une vie révolue... maintenant, mes perspectives avaient changé.

J'aimais voyager, parce que cela me donnait une vue plus nette, plus objective du monde et de moi-même. Je parcourus l'Europe, la Scandinavie, le Sud-Est asiatique, le Japon, l'Australie, le Canada, le Mexique. Je visitai aussi de nombreuses villes américaines.

Plus je voyageais, plus j'avançais dans la découverte des dimensions spirituelles de l'existence, et mieux je comprenais la nature de ces dimensions. Où que j'aille, mes convictions personnelles se précisaient, s'affermissaient.

Je découvris que la théorie du perfectionnement des âmes par la succession des réincarnations était maintenant admise par tout un courant de pensée contemporain. Et pas seulement en Californie. Dans l'ensemble du monde occidental. Les conversations les plus banales en témoignaient. Au cours de discussions plus nourries, je m'aperçus du besoin qu'éprouvaient mes interlocuteurs de comparer aux miennes leurs observations sur la réminiscence de vies antérieures ou la révélation spirituelle. Ils m'avouaient leur bonheur de pouvoir s'entretenir sérieusement de ces questions avec quelqu'un qui ne les prenait pas pour des illuminés. Je m'entretins souvent avec de modestes citoyens de tel ou tel pays. D'autres, responsables influents dans les cercles politiques ou journalistiques, regrettaient que leur position leur interdise de faire publiquement état de leurs convictions.

Je n'entendais pas me complaire dans le soliloque. J'avais besoin qu'on me contredise, qu'on me critique, qu'on m'interroge. Les sceptiques irréductibles se recrutaient surtout chez ceux dont les croyances étaient bien arrêtées, je l'appris d'abord par mes lectures. Je constatai avec surprise que ceux pour qui spiritualité et connaissance avaient tant d'importance admettaient moins que les autres d'être abusés par des simulateurs, des charlatans, des faux prophètes ou des mystiques de salon. Je découvris également que des expériences, des recherches avaient été menées dans tous les domaines du psychisme, pendant des années, parfois.

Une abondance, voire une pléthore de textes avaient été consacrés à ces questions au fil des siècles. Depuis les cunéiformes de Sumer jusqu'aux écrits de certaines sociétés secrètes comme la franc-maçonnerie, en passant par les annales égyptiennes, les oracles grecs, les textes sacrés de l'Inde, la tradition druidique et les manuscrits esséniens, que sais-je encore ? J'en arrivai ainsi aux travaux de Carl Jung et aux recherches plus récentes en parapsychologie. L'objet de cette longue quête et la perspective suivie étaient toujours les mêmes : reconnaître qu'il est possible à l'homme d'élargir son champ de conscience, afin de vivre plus pleinement et plus sereinement, *par la grâce et le détour* de sa dimension spirituelle.

Parallèlement à mes lectures, j'interrogeai sur leurs croyances des gens très différents les uns des autres.

Je constatai un nombre incalculable de fois que ceux qui se considéraient comme des intellectuels rationalistes portaient fermement ancrés dans leur esprit les préjugés les plus tenaces. Chez eux, une sorte de réflexe rotulien se déclenchait sitôt qu'il était question de psychisme, d'astral, de dimension spirituelle : ils semblaient incapables d'y réagir autrement que par cette sorte de réflexe conditionné.

Ensuite, je découvris une autre forme de rejet des valeurs spirituelles, rejet qui répondait à une réelle nécessité. Certains êtres, s'étant accomodés du monde comme il va, acceptaient aussi bien les merveilles et les joies terrestres que les horreurs, les souffrances et les affres. Une telle acceptation exigeait un grand courage de leur part, surtout qu'ils étaient résolus à surmonter toutes les vicissitudes de leur vie et qu'ils n'espéraient rien au bout. Pour eux, qu'il pût exister une autre dimension, de nature à modifier l'éclairage de leurs joies et de leurs douleurs, c'était plus qu'ils n'en pouvaient ou n'en voulaient accepter. Et je comprenais cette attitude. Après tout, à chaque jour suffisait sa peine, et point trop n'en fallait pourtant...

Pourtant... ce besoin profond de spiritualité et de supra-conscience, ce besoin de mobiliser l'énergie au service de *quelque chose* qui en vaille la peine, je le rencontrai partout. Certaines personnes avaient suivi le même itinéraire que moi... transes médiumniques, réminiscences de vies antérieures, conscience spirituelle accrue... D'autres s'étaient même trouvés en présence d'OVNIs. Des communautés spirituelles comme celle de Findhorn surgissaient spontanément un peu partout dans le monde, et je fis des séjours dans plusieurs d'entre elles.

Je me demandais si l'avènement proche de l'Ère du Verseau, comme la désignaient les astrologues et les astronomes, amènerait l'Amour et la Lumière. Deux mots qui revenaient souvent chez l'homme dérouté par les découvertes de notre nouvel âge. Plusieurs chefs d'États avaient, dans leurs discours, fait des allusions claires à la spiritualité : Pierre Trudeau avait souligné l'urgence d'une « conspiration d'amour » entre les hommes ; Zbiniev Brejinsky avait parlé de l'« aspiration grandissante à une dimension spirituelle » qui se faisait sentir, dans un monde voué à la technologie, dans un monde que le matérialisme se révélait impuissant à combler. Or, cette instance de spiritualité était étrangère à la politique et l'avait toujours été. Quant au besoin de transcender le plan matériel de l'existence, il ne datait pas d'hier.

Je relus les transcendantalistes américains et en appris davantage sur leur mouvement ; leurs représentants les plus connus avaient été Ralph Waldo Emerson, Henry Thoreau et Bronson Alcott, dont la fille Louisa May devait plus tard connaître la célébrité avec *les Quatre Filles du Dr March*. Mais des dizaines d'autres s'étaient insurgés contre la dictature du rationalisme et de la preuve par la démonstration. Car ces deux oppressions amoindrissaient l'homme, le paralysaient en lui assignant des limites, à l'intérieur desquelles son pouvoir caché ne pouvait s'épanouir. Tous les transcendantalistes avaient cru fermement que si l'essence même des choses demeurait invisible, elle n'en était pas *irréelle* pour autant.

Il est d'ailleurs intéressant de constater que la Révolution américaine a été pensée et entreprise par des hommes pour qui la croyance en un monde spirituel faisait partie du quotidien. Il me fallut redécouvrir cette page de notre histoire pour me rendre compte de tout ce que nous avions oublié. Et m'apercevoir combien nos révolutionnaires étaient imprégnés de *métaphysique*. Thomas Jefferson, Thomas Paine, John Adams, Benjamin Franklin, George Washington, avaient été transcendantalistes avant la lettre.

Cette conviction de nos révolutionnaires, l'emblème américain en témoigne encore (puisqu'à son revers figurent l'inscription « Un Nouvel Ordre du Temps Commence » et une représentation du troisième œil, lequel figure aussi sur les billets de un dollar, où il surplombe la grande pyramide de Gizeh). Ces symboles, nous les devons aux pères fondateurs de la nation américaine.

Plus j'en apprenais sur ces hommes, plus je me rendais compte à quel point leurs conceptions avaient, à l'époque, menacé l'ordre établi. Car le transcendantalisme ne s'inspirait pas seulement de la tradition des Quakers et des Puritains, mais aussi de la philosophie allemande et grecque, et des religions orientales. Ces hommes affirmaient que le genre humain devait tourner le dos à son histoire... que toute donnée d'observation est relative. On les accusait même de fouler aux pieds l'héritage de l'histoire. Or, ils voyaient *à travers* leurs yeux et non *avec* leurs yeux.

L'amendement de l'individu doit précéder la réforme sociale, disaient-ils, et ils insistaient constamment sur la nécessité de cette transformation de l'individu. Lorsque plus tard, la Révolution américaine se commua en révolution industrielle, les citoyens ne pensèrent plus qu'en termes de technologie et de machines. Les transcendantalistes, de plus en plus isolés et incompris, apparurent alors comme des occultistes réduits à ne plus pouvoir s'exprimer ailleurs que dans leurs propres cercles. Vers la fin du XIXe siècle, ce que redoutaient par-dessus tout nos pères fondateurs arriva. Nous nous dirigions à grands pas vers le matérialisme, l'industrialisation balayait notre héritage spirituel, et nos manuels d'histoire mentionnaient à peine le mysticisme de nos débuts.

Pourtant, la cosmologie spirituelle de nos ancêtres révolutionnaires avait fortement influencé les arts et la littérature. Témoin, l'œuvre de William Blake, par exemple, pour qui les révolutions américaine et française amorçaient une révolution spirituelle mondiale.

De la même façon que Blake avait été influencé par le philosophe et mystique allemand Jakob Boehme et par le théosophe suédois Emmanuel Swedenborg, il devait à son tour, et pendant de longues années, marquer profondément de son empreinte écrivains, artistes et hommes politiques : Nathaniel Hawthorne, Emily Dickinson, Herman Melville, John Dewey, Thoreau, Gandhi, Martin Luther King. Ces êtres croyaient profondément en l'existence d'une dimension métaphysique grâce à laquelle on expliquerait un jour le mystère de la vie.

Je lisais intensément et parlais de plus en plus librement de mes recherches spirituelles. Nous étions nombreux, semblait-il, à rechercher un équilibre entre nos vies intérieures et nos attitudes sociales. Nombreux aussi à participer à des séances médiumniques, dans l'espoir que « l'autre bord » apporterait des réponses à nos incertitudes.

Je fus surprise de constater que des directeurs de production, des banquiers, des journalistes, des gens du spectacle, des musiciens, des écrivains, des pères de famille et des femmes au foyer assistaient, pêle-mêle, aux séances de spiritisme auxquelles j'étais moi-même invitée. Personne ne semblait mettre en doute l'authenticité de ce mode de transmission. Le seul débat auquel se livraient les participants portait sur le tri à opérer dans la masse d'informations qui leur était apportée... aussi bien sur les vies antérieures, la typologie caractérielle, les options diététiques, médicales ou scientifiques, que sur l'Atlantide, la Lémurie, la cosmogenèse, les extra-terrestres... en un mot sur tout ce qui pouvait prêter à réflexion, à interrogation. Ainsi, ces gens venus des horizons les plus divers prenaient-ils pour amis et confidents des entités spirituelles désincarnées et parlaient-ils d'elles, de leur caractère, de leur humour, de leur compréhension, comme s'il s'était agi de personnages de la vie de tous les jours.

En discutant avec des centaines de personnes familières de ces séances, je me rendis compte qu'elles se sentaient plus libres de converser entre elles qu'avec des êtres qui partageaient leur vie, mais ne ressentaient pas le même besoin de spiritualité. Il ne s'agissait pas chez eux d'une conviction religieuse. Pas du tout. Mais d'une dimension spirituelle sans laquelle ils se seraient sentis amputés de leurs bras et de leurs jambes. Et s'il arrivait à certains d'entre eux d'afficher leur scepticisme quand une information leur semblait peu crédible, aucun ne s'en laissait démonter pour autant. Ils étaient déterminés à poursuivre leur recherche plus avant.

Beaucoup me parlèrent des prédictions qui leur avaient été faites par transmission médiumnique et qui s'étaient réalisées. D'autres me confièrent à quel point certaines informations sur leurs vies antérieures avaient radicalement transformé leur conception de l'existence présente.

Ils constataient combien vide semblait l'existence des proches qui ne suivaient pas leur cheminement, ou de ceux avec lesquels ils ne pouvaient parler de spiritualité.

Sans refuser le moins du monde de répondre à mes questions, ils exprimaient leur difficulté à se sentir en communion d'esprit avec des gens qui ne comprenaient pas ces choses. Ils vivaient leur quotidien en se prodiguant informations et soutien, mais leur plus grande source de joie venait du sentiment de fusionner de plus en plus étroitement avec leur identité spirituelle. Certaines relations, certaines amitiés très anciennes se brisaient : on ne partageait pas leurs nouvelles croyances, leurs nouvelles valeurs ou, alors, eux ne pouvaient plus supporter d'être en butte au cynisme ou à la suffisance intellectuelle de leur entourage. D'autres m'avouèrent qu'ils s'étaient résignés à vivre sur deux plans, pour ne pas inquiéter ceux qu'ils aimaient.

De son côté, la science se débattait dans des contradictions. Je lus un jour dans le *New York Times* que nombre de scientifiques étaient contraints de se rallier à la théorie de « l'explosion initiale » pour expliquer la création de l'univers. Les théosophes avaient donc raison et, avec eux, la Bible. Les savants l'admettaient : d'un seul coup et « en un instant », une gigantesque explosion cosmique avait donné naissance à l'univers, quelque vingt milliards d'années auparavant. Au grand désarroi des scientifiques, qui jugeaient pour le moins « irritante » cette similitude d'interprétation, les découvertes de l'astronomie et d'autres disciplines recoupaient la cosmogonie biblique rapportée par la Genèse. Et puis, on savait qu'en certains points de l'espace, l'expansion de l'univers s'accomplissait à cent cinquante millions de kilomètres/heure : preuve qu'*il y avait eu un commencement*. « Qu'y a-t-il eu avant le commencement ? » se demandèrent les scientifiques. Et ils en conclurent qu'« une Volonté Divine avait dû créer l'univers à partir du néant ».

La science avait pu remonter aux origines de l'homme sur notre planète, découvrir les substrats chimiques de la vie elle-même, interpréter la formation des étoiles à partir d'une poussière élémentaire de particules. Mais elle se trouvait aujourd'hui confrontée à un obstacle infranchissable. Robert Jastrox, le directeur de l'Institut d'Études Spatiales de la NASA, n'avait-il pas écrit que « pour l'homme de science qui, toute sa vie, a cru au pouvoir de la raison, l'histoire tourne au mauvais rêve. Car il vient d'escalader des montagnes d'ignorance, il est tout près d'atteindre au point culminant, et voilà qu'au moment où il se hisse pour prendre pied sur le sommet, il se voit accueilli par une bande de théologiens qui campent là depuis des siècles ».

Le monde entier semblait se précipiter vers une confrontation avec lui-même. Au cours des cent dernières années, nous avions progressé davantage qu'au cours des siècles précédents. Et ce, dans tous les domaines de la technologie. Ces progrès avaient été continus. Des gens d'un certain âge se souvenaient encore d'un monde ancien, celui de leur enfance, où la vie se déroulait selon un rythme différent. Elle s'ordonnait autour des visites qu'on se rendait entre voisins pour bavarder à la veillée. Quant aux nouvelles générations, élevées avec la télévision et le téléphone, vite adaptées à l'ordinateur, lire leur semblait difficile et écrire redoutable.

L'énergie mobilisée entre ces deux époques pour défricher les inconnues dans tant de domaines différents avait transformé la notion du temps. Nous vivions une sorte de dilatation temporelle un peu comparable à ce que nous éprouvons dans un état de crise aigüe, quand nous sécrétons de l'adrénaline et que nos sensations nous semblent exacerbées. Seulement, cette crise, nous la vivions à grande échelle ; elle affectait, chaque jour, tous les aspects de notre vie. Voilà pourquoi de plus en plus de gens se réfugiaient dans la dimension spirituelle, tentant de retrouver une unité détruite par le tourbillon d'énergies extérieures qui perturbait leur existence.

Il m'apparut alors que cette recherche, cette exigence d'une dimension spirituelle, ce retour aux sources de la force intérieure, était inévitable ; l'humanité équilibrait ainsi, par une multiplication de révélations spirituelles, l'énergie qu'elle consacrait à des découvertes d'une autre nature. Plus que jamais, nous avions besoin de cette paix intérieure, de cette certitude intime et apaisante ; grâce à elles, nous pouvions concentrer nos forces vitales, gouverner nos énergies, au lieu de les dilapider en poussées d'adrénaline impuissantes.

A mesure qu'augmentait ma curiosité pour les questions spirituelles, que je multipliais les expériences, j'écrivais davantage. Au début, je le fis essentiellement pour moi-même. Cela m'aidait à mettre au net mes idées. De plus, j'avais toujours aimé confier mes impressions à un journal. Mais au plaisir d'écrire s'ajouta bientôt quelque chose d'autre. Ma vie m'apparut de façon plus claire. Je me demandai ce que mes lecteurs penseraient si je publiais ces notes qui, à l'origine, m'étaient adressées. (Sur ce point, je n'avais nullement besoin d'un guide spirituel pour imaginer les réactions de beaucoup d'amis intellectuels... sans parler de ceux dont le jugement ne serait même pas tempéré par un peu d'amitié. Mais je ne pouvais pas leur en vouloir. Simplement, j'en avais assez de leurs philosophies en cul-de-sac... et je ne voulais pas non plus désespérer du genre humain.)

J'étais arrivée à une croisée de chemins. Ma peur d'écrire sur ma nouvelle vie subsistait, mais que faire lorsqu'on découvre — même si la découverte est progressive — que l'existence qu'on a menée jusque-là était une parcelle, seulement, de la vie véritable ? Je n'avais jamais été de celles qui se taisent, et je n'avais pas l'intention d'adopter pareille attitude aujourd'hui ? Je m'étais déjà prononcée ouvertement, publiquement et bien des fois, sur mes convictions politiques, sur les droits de la femme, les réformes sociales, la guerre, et ce que je considérais comme des injustices. *J'étais un personnage public.* Telle était ma nature. Je n'étais pas habituée à garder pour moi ce qui me captivait. D'ailleurs, je n'avais cessé de réfléchir sur cette disposition d'esprit. Car c'était en public que j'avais grandi et commis des erreurs. C'était en public que j'avais ri, pleuré, aimé, écrit, et en public que j'avais exprimé des regrets. Maintenant, pensai-je, ce que j'ai à dire sur la spiritualité humaine et extra-terrestre, je dois, une fois de plus, le dire en public. A Dieu vat.

J'en discutai avec Bella, comme il m'arrivait de le faire chaque fois qu'un événement prenait de l'importance dans ma vie. Depuis longtemps, je lui avais confié mon aventure péruvienne. Elle savait que je poursuivais mes recherches dans une direction nouvelle, que je travaillais avec des médiums et des guérisseurs. Elle savait aussi que je méditais, que je lisais les classiques de la révélation spirituelle, que je fréquentais des cercles spirites, que j'essayais d'élargir mon champ de conscience, de l'ouvrir à des dimensions encore inaccessibles à notre entendement.

Je tentai de lui faire admettre que les solutions politiques qu'elle préconisait étaient entachées des mêmes insuffisances, que celle de ses prédécesseurs couraient aux mêmes échecs que ceux du passé. Il était temps de reconsidérer le monde sous un autre angle. Nous venions de voir un film — un de plus — qui exaltait la violence et la peur, et nous discutions dans un de ces restaurants de Manhattan qui ne ferment pas de toute la nuit.

— On ne peut pas continuer comme ça, dis-je à Bella. Tout le monde vit dans la peur et l'épouvante. La planète peut sauter d'un jour à l'autre. Autour de nous, tout se lézarde. Et les seules solutions qu'on nous propose sont un renforcement de la répression et une augmentation des dépenses militaires.

— D'accord mais qu'est-ce que tu proposes à la place ?

Elle me fixait d'un regard pénétrant.

— Écoute..., dis-je en hésitant, ... d'abord, je crois que nous sommes esclaves de notre peur. Nous nous *attendons* tellement à un désastre que nous sommes presque soulagés quand tout se casse la gueule.

Bella posa les mains sur ses cuisses et fixa sa salade :

— Bon, tout se casse la gueule, et après ? ça regarde les politiciens, non ?

— Tu ne penses pas qu'ils sont si occupés à ramasser les débris qu'ils n'ont même pas le temps de réfléchir aux moyens de prévenir la casse ?

386

Elle haussa les épaules.

— On ne peut pas généraliser, dit-elle. Et toi moins qu'une autre, puisque tu as fait de la politique. Mais où veux-tu en venir ?

— A la peur, Bella, à la peur. A la peur de la mort, de l'holocauste que nous allons provoquer, à la peur de l'avenir, ou plutôt à celle de ne pas avoir d'avenir puisque, pour la première fois dans l'Histoire, nous sommes capables de détruire le monde. Et à toutes les autres peurs moins spectaculaires... la peur de perdre son emploi, sa famille... ou la face devant les amis, les voisins...

— Certes, mais je te ferai remarquer que la peur est quelque chose de très naturel, et même de très salutaire dans certains cas. Sans la peur, le genre humain n'en serait pas arrivé au point d'évolution où il en est.

— D'accord. Mais je peux retourner ton argument : le genre humain n'en serait pas où il en est s'il n'avait pas laissé la peur lui dicter ses actes. La peur n'est pas nécessairement mauvaise en soi, mais c'est dangereux de la laisser gouverner toute notre existence. Autre chose et ça me paraît très important : la plupart de nos peurs sont inutiles.

— Qu'est-ce que tu entends par inutiles ?

— Je vais m'ouvrir à toi très franchement, Bella : depuis que je suis certaine que l'âme existe, ma vie a changé. Ça ne s'est pas fait en un jour mais c'est là que j'en suis. Je suis convaincue qu'on a tous une âme, ou plutôt qu'on *est* une âme d'origine divine. Qu'on a tous vécu plusieurs vies, et qu'on en vivra plusieurs autres encore.

— Si je comprends bien, dit-elle en se tordant les doigts, d'après toi il faudrait se croiser les bras et nous en remettre à je ne sais quel grand dessein cosmique ?

— Non, ce n'est pas tout à fait ça. Il faudrait se comporter vis-à-vis de nous-mêmes et de ceux que nous rencontrons en chemin avec toute la bonté et la tolérance dont nous sommes capables, et la conviction que nous récolterons ce que nous avons semé. Je veux dire que chacun de nous doit commencer par s'occuper de lui-même, étant donné que c'est l'unique domaine sur lequel nous ayons pleins pouvoirs.

— Si j'ai bien compris, tu te désintéresses de la politique, du féminisme et du reste ?

— Mais pas du tout ! Au contraire, aujourd'hui, je me sens encore plus concernée par ces questions.

— Alors, en quoi as-tu changé ?

— Ce qui a changé, c'est ma façon de *percevoir*. Tout m'apparaît dans une nouvelle perspective, où la peur n'a plus sa place. C'est la peur qui nous a coupés de nous-mêmes, nous a aliénés, nous a isolés les uns des autres. La plupart des gens sont devenus indifférents, apathiques... Seigneur, tu dois savoir mieux que personne combien il faut se battre pour les convaincre d'aller voter ! La plupart ont bien trop peur pour s'en soucier. Ou alors ils se disent que, de toute façon, ce n'est pas leur vote qui changera quoi que ce soit. Ils ne se rendent même pas compte que c'est d'*eux-mêmes* qu'ils se *désintéressent*, que c'est *eux-mêmes* qu'ils excluent. Et ils rendent le voisin responsable de leurs malheurs. On en revient toujours au même point : l'individu. Parce que ce sont les gens eux-mêmes qui, par peur, se ferment toutes les portes. La seule manière de vivre autrement sur notre planète, c'est de se fier à ce qu'on « ressent ». Ressentir, *se soucier* de soi, sont des mots qui ont presque disparu de notre vocabulaire. Je suis convaincue que ceux qui ne croient pas à la spiritualité, à l'âme, à la réincarnation, devraient commencer par là... laisser leur imagination leur apprendre à se soucier de ce qu'ils ressentent. Même si les choses s'arrêtaient là, le monde n'en serait que meilleur. Mais si chacun d'entre nous se libérait de sa peur en découvrant sincèrement sa spiritualité, en l'acceptant et en élargissant son champ de conscience, alors l'effet de ricochet serait spectaculaire.

— Je ne comprends pas, fit Bella. Donne-moi un exemple. Je veux dire... le monde étant ce qu'il est, *qui* peux-tu me citer en exemple, et en exemple de quoi ?

Je réfléchis un instant avant de répondre, presque malgré moi :

— Anouar al-Sadate, Martin Luther King, Bouddha, le Christ, Mère Térésa, Gandhi... tous croyaient en un dessein cosmique qui leur donnait confiance en l'homme, en ce que l'homme recèle de positif. Et puis, je pourrais te citer aussi Thomas Jefferson, Thoreau, Voltaire et bien d'autres...

— D'accord, mais tu ne m'as toujours pas dit en quoi ils croyaient.

— Ils croyaient en une harmonie supérieure. Ils croyaient

faire partie d'un vaste dessein englobant bien plus que *cette* vie.

— Tu ne vas pas me dire qu'ils croyaient tous en la réincarnation ?

Je sirotais mon vin rouge en me remémorant ce que j'avais lu sur les pères de la Révolution américaine, sur leur appartenance à des sectes mystiques, sur l'enseignement qu'ils avaient reçu et sur leur croyance à l'existence de l'âme.

— Non, pas forcément, répondis-je enfin. Mais Jefferson, Washington et Ben Franklin, comme la plupart de ceux qui ont signé la Déclaration de Droits et rédigé la Constitution américaine voulaient fonder une république nouvelle reposant sur des valeurs spirituelles. Et ces valeurs venaient tout droit des textes sacrés de l'Inde et du mysticisme égyptien. C'est pour ça que la pyramide figure sur le billet de un dollar. D'ailleurs, le dollar et l'emblème des États-Unis sont riches en symboles spirituels bien antérieurs à la révolution, et ces symboles ont été empruntés à des croyances pré-chrétiennes liées à la réincarnation.

— Tu pourras me faire lire ces textes sur nos grands ancêtres en politique ?

— Bien sûr. D'ailleurs, si je te parle d'eux, c'est justement parce que la plupart de leurs successeurs ne semblent même plus connaître les origines de leur démocratie. Je comprends fort bien qu'ils ne sachent plus où donner de la tête dans la pagaille qui est la nôtre. Mais s'ils s'intéressaient un peu à leurs prédécesseurs, s'ils prenaient au sérieux les grands principes de nos débuts, ça les aiderait à modifier leurs priorités, tu ne crois pas ? Qui sait ? Ils trouveraient peut-être le moyen d'arrêter la course à la destruction ?

Bella alluma une cigarette et jeta l'allumette dans le cendrier.

— Donc, me dit-elle, tu es convaincue que nous faisons partie d'un vaste plan qui échappe à la plupart d'entre nous ? Si tout va si mal, c'est parce que nos idées, nos convictions, sont hors de propos ?

— Oui. Mais quand tu dis « la plupart d'entre nous », tu oublies qu'une grande partie de l'humanité croit à la réincarnation. Ce sont les Occidentaux qui ont décidé d'ignorer cet aspect primordial de l'existence.

— Et c'est quoi, cet aspect primordial de l'existence, d'après toi ?

— La préexistence de l'âme... le fait que nous avons déjà vécu plusieurs vies, et qu'il nous en reste encore beaucoup à vivre, comme le veut la loi de causalité...

Réfléchissant à ce que je venais de dire, Bella tirait sur sa cigarette. Elle exhala un profond soupir.

— Écoute-moi, fit-elle. J'ai été élevée dans la tradition juive orthodoxe, et j'ai toujours profondément cru en l'existence d'une dimension spirituelle de l'être humain...

Jamais encore elle ne m'avait tenu pareil langage.

— ... mais croire en l'âme est une chose, poursuivit-elle, et croire en la réincarnation en est une autre. Il est fort possible que tu sois dans le vrai, mais ne me demande pas de te suivre sur ce terrain. Et pourtant, je vais te faire un aveu... je souhaiterais le pouvoir...

Je sentis les larmes me monter aux yeux.

— Pourquoi, Bella ?

— Parce qu'alors, j'aurais la certitude que tout finit par s'arranger pour le mieux, même en ne faisant rien pour ça. Plus besoin de lutter d'arrache-pied pour arrondir les angles. Mais c'est peut-être de ça, lutter, que j'ai le plus besoin... de relever le défi. Et puis, ma chérie, si des gens comme moi ne se battaient pas, les choses pourraient tourner encore plus mal. Tu comprends ?

Je me mouchai.

— Tu as probablement raison, dis-je. Oui, je comprends. Il se peut que chacun ait à jouer son propre rôle, à relever son propre défi. Tu dois avoir besoin de considérer les choses comme tu les considères. Mais tu vois, *moi*, je sais que j'ai été plusieurs êtres différents, à des époques différentes. C'est pour ça que je me sens tellement chez moi dans tous les lieux du monde. J'ai l'impression de déjà les connaître. Peu à peu, j'ai appris à me fier à ces impressions que ma logique jugerait ridicules. Mais si ça m'est arrivé, je ne suis certainement pas la seule dans ce cas. Est-ce qu'il ne t'est pas arrivé, à toi aussi, de rencontrer quelqu'un et de te sentir immédiatement une parenté d'esprit.

— Si, admit-elle, sur un ton circonspect. Mais si j'ai bien compris, nous procédons tous les uns des autres et nous faisons tous partie d'un même grand dessein ?

— Oui. Et c'est là précisément qu'interviennent les esprits désincarnés. Car si j'ai déjà vécu plusieurs vies, qu'est-ce que je suis devenue dans les intervalles ? Où est-ce que j'étais ? Si mon âme, comme le suggèrent les textes mystiques, est allée séjourner quelque temps dans l'éther, quelle différence fais-tu entre moi — moi durant ces entre-deux-vies — et McPherson aujourd'hui, qui dit être une entité désincarnée s'exprimant par la bouche de Kevin ? Tu comprends ? Qui nous dit que le plan terrestre n'est pas une des multiples dimensions de la réalité ?

Bella m'observait attentivement.

— Ce que j'essaie de comprendre, fit-elle, c'est comment tu en es arrivée là. Que s'est-il produit ? Je te connais assez pour savoir que tu n'es pas complètement cinglée, pas plus que les gens célèbres et intelligents qui croient aux mêmes choses. Alors ?

Je m'appuyai contre le dossier de ma chaise :

— Je ne sais pas, Bellitchka. Peut-être la vie n'est-elle qu'un bon tour que nous joue le cosmos. Un bon tour que nous prenons trop au sérieux. Nous essayons d'institutionnaliser la morale au lieu de la vivre, nous passons notre temps à juger ceux qui ne pensent pas comme nous... alors que la réalité est probablement multiple. Il se peut aussi que *tout* soit réel... le plan terrestre... le plan astral... la planéité pure et simple... que sais-je ? Mais ce que je crois, je l'ai appris, je l'ai lu, je le ressens, et je ne peux ni ne veux l'ignorer. Quelques-uns des plus grands esprits qu'ait connus cette planète croyaient fermement en ce que moi je commence tout juste à entrevoir. Je vais continuer mes recherches. Non parce que je suis curieuse de nature, mais parce qu'elles me rendent heureuse.

— D'accord, admit-elle en souriant, ça je peux le comprendre. Mais ce qui m'intéresse, c'est de savoir de quelle façon ta vie en a été transformée.

Je réfléchis un moment, essayant de trouver les mots rassurants pour lui répondre :

— Bella, dis-je enfin, tu vas sans doute trouver ça étrange, mais de *savoir* qu'il existe une loi de cause à effet me rend précieuse chaque seconde de temps qui s'écoule.

— Et comment tu expliques ça ?

— Rien, absolument rien n'est insignifiant. La moindre pensée, le moindre geste... recèlent une énergie qui, je l'espère, est bénéfique. J'ai quelque part dans mon cerveau la conviction que l'harmonie existe, et qu'elle existe en tant que source d'énergie bien réelle, dans laquelle je peux puiser. Je sens que tout a sa raison d'être. Et je sais aussi que le bien que je peux dispenser autour de moi, la joie que je peux faire partager, ce que je peux donner, ne serait-ce qu'un banal « bonjour »... je sais qu'un jour tout me sera rendu. Je ne m'acquitte pas d'une B.A. quotidienne, tu sais : je me mets en accord avec l'intérieur de moi-même, je me sens infiniment mieux, j'ai le sentiment de vivre dans un *présent* universel. Chaque *seconde qui passe* compte. J'ai même l'impression que le passé, le présent et l'avenir sont indissolubles, qu'ils ne sont qu'un.

— Tu vas te retirer du monde pour aller méditer dans une cabane ?

Cette idée me fit rire.

— Mais pas du tout ! Certainement pas, je te le promets. Si je me suis isolée ces derniers temps, c'était pour m'y retrouver. Il m'a *fallu* des années pour prendre conscience des choses. Mais ça valait la peine. Ça m'a ouvert une dimension de plus, procuré une joie extraordinaire, et aussi fait découvrir une source inépuisable d'énergie. J'ai assez de vitalité pour m'engager encore plus qu'avant. Seulement, je ne considère plus la vie comme un champ de bataille. Je crois au contraire que nous pourrions en faire un paradis. Et je dirais même que c'est ce que nous devrions *attendre* d'elle. C'est devenu pour moi une réalité, car plus tu tables sur le mauvais côté des choses, plus tu lui donnes de prise.

— Mais ce mauvais côté des choses, il existe ! Il faut bien s'en accommoder, non ?

— D'accord. Mais ce que j'essaie de te dire, c'est qu'il n'existe que parce que nous le fabriquons. Il est *indispensable* que nous croyions à une réalité positive, ici même, sur terre, car ce n'est qu'en y croyant que nous lui donnerons corps. Là réside notre pouvoir de changer le monde. Écoute, Bella, prends l'exemple de la nature. Elle n'a ni morale ni velléité de jugement. Bien sûr que les animaux tuent pour se nourrir, mais ils ne le font ni par haine, ni par « amour du sport ». La nature ne nous juge pas quand nous la détruisons. Elle disparaît et c'est tout. Mais un jour elle renaît. Qui sait — et voilà la leçon que je veux tirer de mon exemple — si la vie n'est pas éternelle, en dépit de l'insouciance avec laquelle nous nous comportons ? Je crois que les âmes, les entités invisibles, font partie de l'harmonie de la nature. Que rien ne meurt jamais et que tout se transforme. Et pour peu que tu y réfléchisses, tu t'apercevras que ça ne relève pas du mysticisme, mais de la science.

La serveuse nous apporta l'addition.

— Décidément, dit Bella, tu n'auras jamais rien su faire à moitié.

— Vraisemblablement pas. Je crois que j'ai toujours voulu être entière. Mais c'est la première fois de ma vie que je comprends ce que signifie être entière, être un tout : l'acceptation de *tout* ce qu'on peut bien avoir été dans le passé, et la conscience lucide de ce que nous sommes aujourd'hui. Je ne me tourmente plus à propos du passé. Pas plus que je ne m'inquiète de l'avenir. Je vis pour le présent, qui est création du passé et générateur du futur. « Tout être est un univers, et se connaître, c'est connaître le tout », comme le dit Krisnamurti.

— Bigre ! Tu crois que c'est comme ça qu'on devient sénateur ? ironisa Bella.

— Je ne sais pas. Vaut-il mieux être sénateur, ou être soi-même ?

— C'est moi que tu juges, Madame Nature ?

Je lui pris la main et la rassurai d'une pression affectueuse.

— Pardonne-moi, Bella, mais je n'ai pas la science infuse...

La nuit était claire. Nous marchions dans Manhattan en nous tenant par la main. Je levai les yeux vers le ciel pour identifier les étoiles. Nous ne disions rien. Après avoir fait un bon bout de chemin, Bella se décida à héler un taxi pour rentrer chez elle.

— Ainsi donc ma chérie, me dit-elle, il existe un moyen d'éviter un désastre...

— A propos, tu connais l'étymologie du mot désastre ? lui demandai-je.

— Seigneur ! fit-elle. Où est-ce qu'elle veut en venir ?

— Ça vient du latin *disastrum*, et du grec *disastrato*. En décomposant, *dis* veut dire « séparé de », et *astrato* veut dire « les astres, les étoiles ». Le « disastrato », c'est celui qui a été séparé des corps célestes, coupé des étoiles. Et alors, sa vie n'est plus que ce que les Latins appelaient un *disastro*... un désastre.

Bella scruta le ciel, me regarda et cligna des yeux.

— C'est trop pour moi, fit-elle. Mais tant mieux si tu y trouves ton compte.

Elle m'embrassa et sauta dans le taxi qui disparut en cahotant dans la Seconde Avenue.

Je rentrai chez moi à pied, en regardant le ciel pour y localiser la Polaire, la Grande Ourse et la Petite Ourse. Puis je cherchai les Pléiades, la constellation des sept filles d'Atlas. Je me souvins de ce que j'en avais lu dans le Livre de Job. Au cours de mes recherches, les Sept Sœurs étaient apparues plusieurs fois, en relation avec la Grande Pyramide, les Incas, les Mayas, les Grecs, les Amérindiens, les Hindous. Je fis halte pour mieux les regarder, essayant d'évaluer et de concevoir la distance qui nous séparait d'elles. Les scientifiques affirmaient qu'une telle distance était infranchissable, et que nous serions morts de vieillesse avant même d'atteindre la constellation. Mais la pensée n'était-elle pas plus rapide que la lumière ? Pourrait-on jamais voyager par projection de la pensée ? La pensée pourrait-elle asservir et propulser la matière ? Ce serait peut-être cela, le suprême aboutissement : une alliance de la spiritualité et de la technologie, qui viendrait consacrer la primauté du pouvoir spirituel sur tous les autres pouvoirs, en insufflant à la technologie un nouvel essor. Et alors, dans l'hypothèse où notre spiritualité ne cesserait de s'accroître, nous aurions peut-être le pouvoir de transporter nos corps à notre guise, de les expédier là où nous le souhaiterions ?

En marchant, je pensais aux êtres qui avaient nourri ma nouvelle façon de penser. Je songeai à Bella, à ce que son dynamisme, sa combativité, son opiniâtreté et sa détermination avaient représenté pour moi.

Je repensai à Mike et à son scepticisme généreux ; à Gerry et à ses panacées politiques humanitaires ; à Kevin et à sa foi lumineuse, rayonnante ; à Cat, à Anne-Marie et à mes amis suédois qui, eux aussi, m'avaient aidée à découvrir l'autre réalité. Puis je songeai à David, me demandant si je le reverrais jamais.

Au coin de mon immeuble, un autobus poussif s'arrêta au feu rouge. Un taxi lui fit une queue de poisson pour brûler le feu, et je ne pus me retenir de rire de cette folie douce, de ce chaos qu'est Manhattan.

Je levai une dernière fois les yeux vers les étoiles et montai chez moi. J'y retrouvai les pierres que le vieux chef massaï m'avait fait porter par David, il y avait bien longtemps déjà. Je les avais fait monter en pyramide, avant que cette structure spatiale n'ait pour moi un sens, avant que David ne me devienne si précieux, avant que je sache même qui il était. Je déposai la pyramide dans le creux de ma main.

Puis je m'assis et entrepris d'ébaucher ce livre. J'écrivis jusqu'à cinq heures du matin.

Un jour viendrait peut-être où j'irais dans les Pléiades voir ce qu'est l'autre versant du monde. Mais ce voyage serait-il riche de merveilles comme l'était celui que je venais à peine d'entreprendre en moi-même ?

Cet ouvrage a été réalisé sur
Système Cameron
par la SOCIÉTÉ NOUVELLE FIRMIN-DIDOT
Mesnil-sur-l'Estrée
pour le compte des Éditions Sand et Primeur
le 10 juin 1987

Pour la France :
ISBN : 2-7107-0368-8
N° d'éditeur : 789 – N° d'impression : 7055
Dépôt légal, 1er trimestre 1984

Pour le Canada :
ISBN : 2-89286-038-5
Dépôt légal, 1er trimestre 1984
Bibliothèque nationale du Canada
Bibliothèque nationale du Québec